Rosa-Maria Dallapiazza, Eduard von Jan, Til Schönherr

TANGRAM

Deutsch als Fremdsprache

Kursbuch 1 A

Max Hueber Verlag

Beratung:
Ina Alke, Roland Fischer, Franziska Fuchs, Helga Heinicke-Krabbe, Dieter Maenner, Gary McAllen, Angelika Wohlleben

Phonetische Beratung:
Evelyn Frey

R 3. 2. 1. | Die letzten Ziffern
2002 2001 2000 1999 98 | bezeichnen Zahl und Jahr des Druckes.
Alle Drucke dieser Auflage können, da unverändert, nebeneinander benutzt werden.
1. Auflage

Zeichnungen: ofczarek!
Verlagsredaktion: Silke Hilpert, Werner Bönzli
Druck und Bindung: Schoder Druck, Gersthofen
Printed in Germany
ISBN 3-19-001613-5

Vorwort

Beim Sprachenlernen stehen die Menschen im Mittelpunkt: die, die sich gemeinsam im Kurs die neue Sprache aneignen wollen, aber auch die, um deren Sprache es geht – in diesem Fall also um die Menschen zwischen Alpen und Nordsee, deren Muttersprache Deutsch ist. Nicht nur, wie sie sich ausdrücken, auch welchen gesellschaftlichen Normen sie folgen, welche Institutionen in ihr Leben eingreifen, was ihnen wichtig ist, worüber sie sich freuen oder ärgern – all das interessiert die Lernenden, weil die neue Sprache eben nur vor diesem Hintergrund Sinn macht.

Wir, die Autoren und der Verlag, hoffen, dass es uns mit dem Lehrwerk Tangram gelungen ist, den Lernenden diese Menschen in einer Form nahezubringen, die das Lernen zu einem ebenso angenehmen wie erfolgreichen Erlebnis macht – und dass wir darüber hinaus die Kursleiterinnen und Kursleiter bei der Vermittlung der deutschen Sprache so weitgehend unterstützen, wie dies durch das Medium eines Lehrwerks eben möglich ist. Über Reaktionen aus der Unterrichtspraxis würden wir uns sehr freuen.

Inhalt

Inhalt

Anhang

Pictogramme

Text auf Kassette und CD mit Haltepunkt

Schreiben

Wörterbuch

Hinweis aufs Arbeitsbuch

Regel

LEKTION

1

Hallo! Wie geht's?

¿Cómo estás?

A

Willkommen!

Flugzeug = plane (lit. flight stuff)

A 1

Hören und sprechen Sie.

Flughafen = airport (lit. flight port)

Mann = man
Frau = woman

information [tsio]

Guten Morgen. ↘
Guten Tag. ↘

Guten Tag, → Frau Bauer. ↘
Guten Tag, → Frau Yoshimoto. ↘
Wie geht es Ihnen? ↘
Danke, ↘ gut. ↘ *Und Ihnen?* ↗
Auch gut, ↘ danke. ↘

Hallo

Hallo, Nikos! ↘
Hallo, Lisa! ↘ *Hallo Peter!* ↘
Wie geht's? ↗
Danke, ↘ gut. ↘

Tschüs(s)! = Cheerio (informal goodbye)
Auf Wiedersehen = Au revoir
Hasta luego (but formal)
(Wieder = again, sehen = to see)

Alles klar? = All's clear?

Wie geht's? (Wie geht es dir?) Informal 'you'
Wie geht es Ihnen? - Cómo está usted (formal)

A 2

Hören und markieren Sie.

A

B

C

Dialog eins ist Bild …

Dialog	1 (eins)	2 (zwei)	3 (drei)
Bild			

fertig? = finished?   richtig = right   korrekt = correct!

A 3

Ergänzen Sie die Dialoge. Dann hören und vergleichen Sie.

Danke, gut ◆ Danke, gut ◆ Guten Morgen ◆ Guten Tag ◆ Guten Tag ◆ Hallo ◆ Hallo ◆ hallo ◆ Und Ihnen ◆ Wie geht es Ihnen ◆ wie geht's

1 ● Guten Tag.
■ Guten Tag, *Ihren Pass bitte!* (passport, please)

NOTE
Danke, gut. = Thanks, good (NOT good, thanks!)
But
Auch gut, danke. = Also good, thanks.

2 ● Hallo, *Nikos!*
■ Hallo, *Lisa,* hallo, *Peter!*
▲ *Na,* wie geht's, *Nikos?*
■ Danke, gut. Und dir? = and you (informal)

3 ● Guten Morgen. *Mein Name ist Yoshimoto. Sind Sie Frau Bauer?*
■ *Ja. Willkommen in Deutschland, Frau Yoshimoto!* Wie geht es Ihnen?
● Danke, gut. Und Ihnen?
■ *Auch gut, danke.*

Bauer = Familienname (surname)
Lisa = Vorname (forename)

Lesen und spielen Sie die Dialoge.

ARBEITSBUCH A 1-A 3

Ihnen vs Sie?

B

Und wie ist Ihr Name?

B 1

Hören und sprechen Sie.

Guten Tag. Ich bin Karin Beckmann, von „Globe-Tours". Und wie heißen Sie?

Und wie ist Ihr Name?

Ich heiße Veronika Winter.

Werner Raab.

Mein Name ist Max Weininger.

Hallo, ich bin Eva. Und wie heißt du? — *NOTE difference in object pronoun.*

Tobias. Und du?

Ich heiße Daniel.

Reiseleiterin = Tour guide

B 2

Was sagen die Leute? Ordnen Sie die Fragen und Antworten.

Frau Beckmann sagt und fragt:

Guten Tag.
Ich bin Karin Beckmann, von „Globe-Tours".
Und wie heißen Sie?
Und wie ist Ihr name?

Die Touristen antworten:

Ich heiße Veronika Winter.
Werner Raab.
Mein name ist Max Weininger.

Eva sagt und fragt:

Hallo, ich bin Eva.
Und wie heißt du?

Tobias antwortet und fragt:

Tobias. Und du?

Daniel antwortet:

Ich heiße Daniel.

Hören Sie noch einmal und markieren Sie die Akzente.

Vorname	Familienname/Nachname
Karin	*Beckmann*
Werner	*Raab*
Eva	*...*

ARBEITSBUCH B 1

B 3

Machen Sie das Puzzle. Was passt zusammen?

1
- ● *Hallo, ich bin Eva. Und wie heißt du?*
- ■ *Tobias. Und du?*
- ▼ *Ich heiße Daniel.*

☐
- ▲ *Ja. Und Sie sind Herr …?*
- ● *Mein Name ist …*

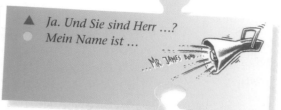

☐
- ▲ *Entschuldigung, wie ist Ihr Name?*
- ● *Spät ist mein Name, Udo Spät.*
- ▲ *Ah ja, Herr Spät. Jetzt sind alle da. Kommen Sie bitte zum Check-In.*

☐
- ● *Entschuldigen Sie, ich suche „Globe-Tours".*
- ■ *Da sind Sie hier richtig. Da ist Frau Beckmann von „Globe-Tours".*
- ● *Entschuldigung, sind Sie Frau Beckmann?*

4 **Hören und vergleichen Sie.**

B 4

Ergänzen Sie.

formell + höflich: „per Sie"

Familie, Freunde und Kinder: „per du"

- ● *Ich heiße Beckmann. Und wie ist* Ihr *Name?*
- ■ *Raab.*
  - ● *Wie heißen* Sie *?*
  - ■ *Veronika Winter.*
- ● *Sind* Sie *Herr Weininger?*
- ■ *Nein, mein Name ist Spät.*

- ● *Ich bin Eva. Und wie heißt* du *?*
- ■ *Tobias. Und* du *?*
- ▼ *Ich heiße Daniel.*

ARBEITSBUCH B 2-B 3

B 5

Markieren Sie die Verben „sein" und „heißen".

Wie	heißen	Sie?		Mein Name	ist	Max Weininger.
Wie	ist	Ihr Name?		Ich	heiße	Daniel Kistler.
Wie	heißt	du?		Ich	heiße	Udo.

§ 1, 2a

Die W-Frage				Die Aussage (Antwort)			
Position:	1	2	3 …	Position:	1	2	3 …
	Wie	**heißen**	**Sie ?**		**Mein Name**	**ist**	**Max Weininger.**

W-Fragen und Aussagen: Das **Verb** steht auf Position 2.

ARBEITSBUCH B 4-B 5

Jetzt stellen Sie sich vor.

C

Woher kommen Sie?

C 1

Sortieren und ergänzen Sie.

Nordamerika	Südamerika	Europa	Afrika	Asien	Australien
Kanada	Brasilien	Polen	Namibia	Japan	Australien
die USA	Argentinien	die Niederlande	Kenia	China	Neuseeland
	Chile	Italien	Marokko	Indien	
		die Schweiz		Indonesien	
		die Türkei		Vietnam	
		Österreich			

Argentinien ◆ ~~Australien~~ ◆ ~~Brasilien~~ ◆ Chile ◆ China ◆ Indien ◆ Indonesien ◆ Italien ◆ ~~Japan~~ ◆ ~~Kanada~~ ◆ Kenia ◆ Marokko ◆ ~~Namibia~~ ◆ Neuseeland ◆ die Niederlande ◆ Österreich ◆ ~~Polen~~ ◆ die Schweiz ◆ die Türkei ◆ die USA ◆ Vietnam ◆ ...

ARBEITSBUCH C 1

C 2

Üben Sie im Kurs.

Salih. Woher kommst du?

Ich komme aus der Türkei. – Frau Wang. Woher kommen Sie?

Ich komme aus China. Und Sie?

Aus Polen. – Und du, Ina? Woher kommst du?

Woher = From where? ¿De dónde?

aus = from??

Woher kommen Sie?

Ich komme ...
aus Österreich
aus Neuseeland
aus ...

Aber: Ich komme ...
aus der Türkei
aus der Schweiz
aus den Niederlanden
aus den USA

Woher kommen Sie? ↘
Ich komme aus ... ↘ *Und Sie?* ↗
Aus ... ↘

Woher kommst du? ↘
Ich komme aus ... ↘ *Und du?* ↗
Aus ... ↘

Is the preposition indispensible in answers? (dispensible in English)

C 3

Lesen Sie die Zettel. Schreiben Sie noch einen Zettel.

Jeder Teilnehmer hat einen Zettel.
Fragen und antworten Sie:

- *Kommen Sie aus Europa?* ↗ ■ *Ja.* ↘
- *Kommen Sie aus Österreich?* ↗ ■ *Nein.* ↘
- *Kommen Sie aus Deutschland?* ↗ ■ *Ja.* ↘
- *Sind Sie Frau Graf?* ↗ ■ *Ja.* ↘ *Ich heiße Stefanie Graf* → *und komme aus Brühl.* ↘

ARBEITSBUCH C 2

C 4

Lesen Sie die Texte. Markieren Sie Namen, Länder und Städte.

1

Juan Fuentes ist Spanier. Er ist Friseur, lebt schon 8 Jahre in Deutschland und arbeitet seit 3 Jahren beim Airport-Friseur.

2

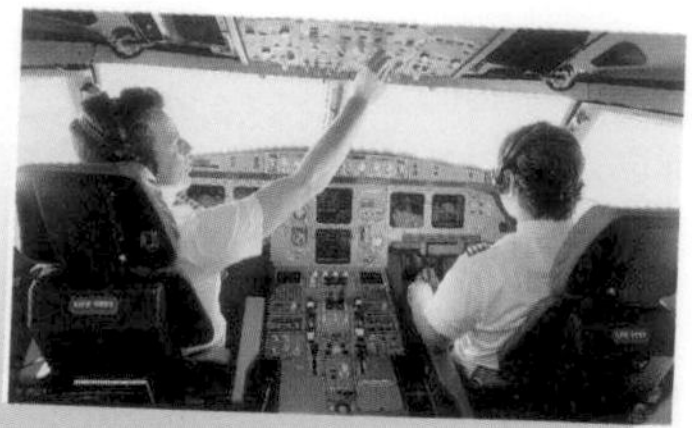

Rainer Schnell ist seit 3 Jahren Pilot eines Airbus 320 der Lufthansa. Er ist viel unterwegs und hat wenig Zeit für seine Familie in Hamburg.

3

Luisa Elío kommt aus Mexiko. Seit sie in Deutschland lebt, arbeitet sie als Kellnerin im Flughafen-Café.

4

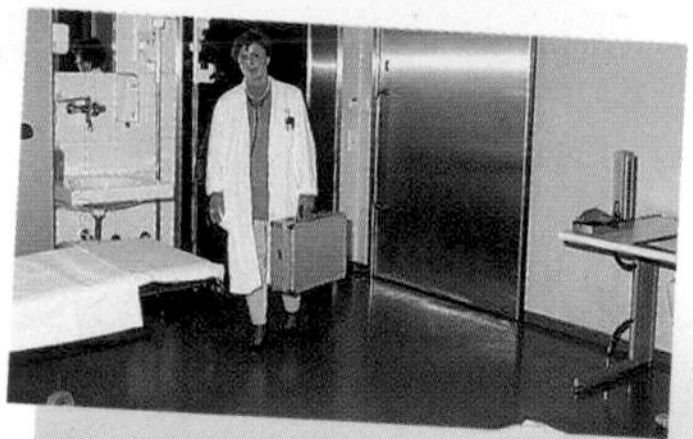

Maria Jabłońska (Ärztin) kommt aus Polen, aus Warschau. Sie lebt schon seit 1987 in Deutschland und arbeitet heute auf dem Frankfurter Flughafen.

5

Martina Schmittinger ist seit 6 Jahren Flugbegleiterin bei der Lufthansa und wohnt in der Nähe von Frankfurt. Sie liebt ihren Beruf und fliegt am liebsten nach Asien.

6

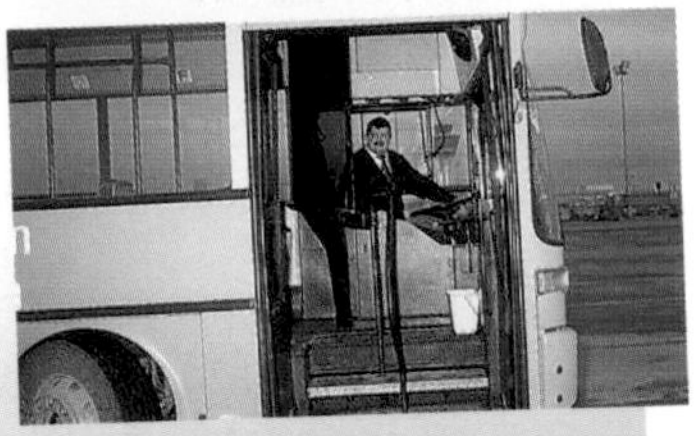

Antonio Manzoni kommt aus Italien. Er arbeitet schon seit 1979 als Fahrer für die Flughafen AG.

Ergänzen Sie die Tabelle.

	Wie heißt sie? *Wie heißt er?*		*Woher kommt sie?* *Woher kommt er?*	*Was ist sie von Beruf?* *Was ist er von Beruf?*
	Vorname	(Familien-)Name	Land (Stadt)	Beruf
1	*Juan*	Fuentes	*Spanien*	*Friseur*
2	Rainer	Schnell	Deutschland	Pilot
3	Luisa	Elío	Mexiko	Kellnerin
4	Maria	Jabłońska	Polen	Ärztin
5	Martina	Schmittinger	Deutschland	Flugbegleiterin
6	Antonio	Manzoni	Italien	Fahrer

C 5

Sprechen Sie über die Leute. Üben Sie zu zweit.

- ● *Wie heißt sie?*
- ■ *Sie heißt Maria Jabłońska.*
- ● *Woher kommt sie?*
- ■ *Sie kommt aus …*
- ● *Und was ist sie von Beruf?*
- ■ *Sie ist Ärztin.*

- ● *Wie heißt er?*
- ■ *Er heißt …*
- ● *Woher kommt …*
- ■ *Er …*
- ● *… ?*
- ■ *…*

C 6

Ergänzen Sie die Berufe.

die …-in		der …
die Ärztin	doctor	der Arzt
die Pilotin	pilot	der Pilot
die Kellnerin	waitress	der Kellner
die Ingenieurin	engineer	der Ingenieur
die Friseurin	hairdresser	der Friseur
die Flugbegleiterin	stewardess	der Flugbegleiter
die Fahrerin	driver	der Fahrer
die Lehrerin	teacher	der Lehrer

C 7

Was sind Sie von Beruf?

Was bist du von Beruf, Antonio?

Ich bin … Moment …

- ● *Ich bin Lehrerin. Und Sie? Was sind Sie von Beruf?*
- ■ *Ich bin Flugbegleiter.*
- ● *Wie bitte?*
- ■ *Flugbegleiter.*

- ■ *Was bist du von Beruf?*
- ● *Ich bin Friseur. Und du? Was …?*
- ■ *…*

ARBEITSBUCH C 3-C 6

C 8

Ergänzen Sie die Verben.

heiße, heißt, heißt, heißen	komme, kommst, kommt, kommen	bin, bist, ist, sind
Ich [heiße] Beckmann.	Ich [komme] aus Deutschland.	Ich [bin] Reiseleiterin.
Und du? Wie [heißt] du?	Woher [kommst] du?	Und was [bist] du von Beruf?
Er [heißt] Manzoni.	Er [kommt] aus Italien.	Er [ist] Fahrer.
Sie [heißen] Luisa Elío.	Sie [kommen] aus Mexiko.	Sie [sind] Kellnerin.
Und Sie? Wie [heißen] Sie?	Woher [kommen] Sie?	Und was [sind] Sie von Beruf?

~~Verb endin~~ Verb stems with -d/-t need another vowel for the verb ending to be sounded eg 'arbeitet' - he works
Verb stems in -ß, -s + x - z don't have st in 2nd person conjugations (just t) as s is already sounded in the stem

C 9 Ergänzen Sie die Fragen und Antworten.

Beispiel:

Woher kommen Sie? — Aus **Italien**.

Kommen Sie aus Italien? — **Nein**, ich komme aus Spanien.

1 Wie geht es Ihnen ______ ? — Gut, danke.
Geht es Ihnen gut? — ______ .

2 Was sind Sie von Beruf? — Ich bin Ärztin.
______ ? — Ja.

3 ______ ? — Mein Name ist Bauer.
Sind Sie Herr Weininger? — ______ .

Markieren Sie die Verben.

C 10 Sortieren Sie die Fragen aus C 9 und ergänzen Sie die Regeln.

§ 2

W-Fragen			
Position:	1	2	3
	Woher	kommen	Sie?
1			
2			
3			

Ja/Nein-Fragen			
Position:	1	2	3
	Kommen	Sie	aus Italien?
1			
2			
3			

W-Frage:
Das Verb steht auf Position ______ .

Ja/Nein-Frage:
Das Verb steht auf Position ______ .
Die Antwort ist „______“ oder „______“.

ARBEITSBUCH C 7-C 8

C 11 Fragen und antworten Sie.

Sind Sie Taxifahrer? Bist du Ingenieurin? Ich heiße Eva. Und du? Sind Sie Herr Spät?
Kommen Sie aus Japan? Wie geht es Ihnen? Woher kommst du? Was sind Sie von Beruf?

D Zahlen – Numbers?

D 1 Hören und sprechen Sie.

6

10 = zehn
9 = neun
8 = acht
7 = sieben
6 = sechs
5 = fünf
4 = vier
3 = drei
2 = zwei ZWO – pronounced sometimes as such to distinguish from 'drei'
1 = eins
0 = null …

D 2 Was ist richtig? Hören und markieren Sie.

7

1 Brüssel: Flug Nummer
- [x] 476
- [ ] 467

2 New York: Flug Nummer
- [ ] 342
- [x] 432

3 Lufthansa-Information: Telefon
- [ ] 225226
- [x] 255266

4 Aerolineas Argentinas: Telefon
- [x] 6903781
- [ ] 6093481

Fragen und antworten Sie.

● *Wie ist Ihre Telefonnummer?*
■ …

● *Wie ist deine Telefonnummer?*
■ …

ARBEITSBUCH D 1

D 3 Ergänzen Sie die Zahlen.

11 = elf
12 = zwölf [TSV] ← a bit like Twolf.
13 = dreizehn
14 = vierzehn
15 = fünfzehn
16 = sechzehn
17 = siebzehn
18 = achtzehn

20 = zwanzig [TSVANTSIK]
21 = einundzwanzig
22 = zweiundzwanzig
23 = dreiundzwanzig
30 = dreißig ← no 's'!
35 = fünfunddreißig
40 = vierzig
50 = fünfzig

56 = sechsundfünfzig
60 = sechzig
67 = siebenundsechzig
70 = siebzig
80 = achtzig
90 = neunzig
98 = achtundneunzig
100 = (ein)hundert

8 **Hören und vergleichen Sie.**

D 4 Was passt wo? Hören und markieren Sie.

9

	●	●•	●•••
11	X		
12			
13			
30			

	●	●•	●•••
35			
39			
14		X	
40			

	●	●•	●•••
44			
70			
98			
100			

elf = ●
fünfzehn = ●•
einundzwanzig = ●•••

ARBEITSBUCH D 2-D 3

D 5 (CD 10)

Was ist richtig? Hören und markieren Sie.

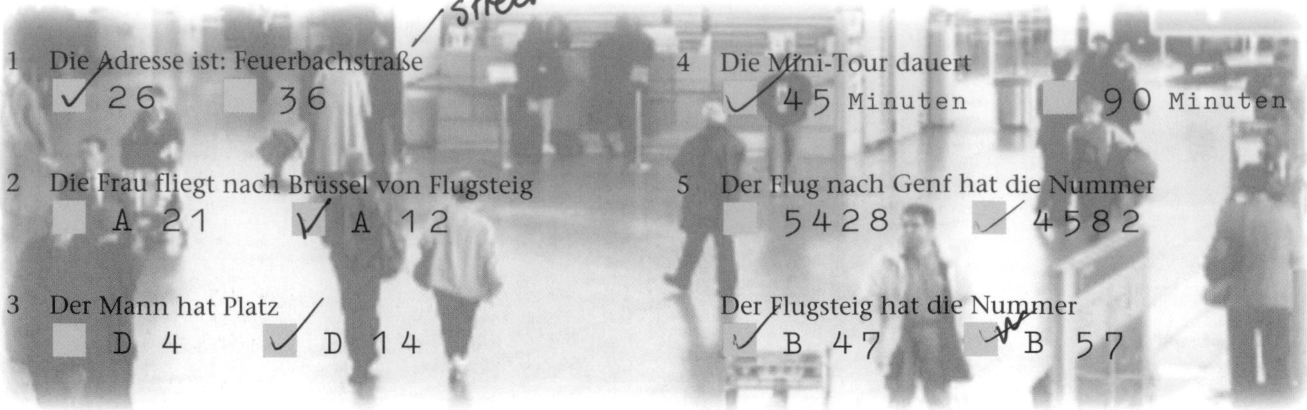

1 Die Adresse ist: Feuerbachstraße
☐ 26 ☐ 36

2 Die Frau fliegt nach Brüssel von Flugsteig
☐ A 21 ☐ A 12

3 Der Mann hat Platz
☐ D 4 ☐ D 14

4 Die Mini-Tour dauert
☐ 45 Minuten ☐ 90 Minuten

5 Der Flug nach Genf hat die Nummer
☐ 5428 ☐ 4582

Der Flugsteig hat die Nummer
☐ B 47 ☐ B 57

ARBEITSBUCH D 4–D 5

E Zwischen den Zeilen

E 1

Was sagt man (✓), was sagt man nicht (—)? Markieren Sie bitte.

☐ Mein Name ist Beckmann.
☐ Mein Name ist Karin.
☐ Mein Name ist Karin Beckmann.
☐ Ich bin Karin.
☐ Ich bin Beckmann.
☐ Ich bin Frau Beckmann.
☐ Ich bin Karin Beckmann.

☐ Ich heiße Frau Beckmann.
☐ Ich heiße Beckmann.
☐ Ich heiße Karin.
☐ Ich heiße Karin Beckmann.
☐ Entschuldigung, sind Sie Frau Beckmann?
☐ Entschuldigung, sind Sie Frau Karin?
☐ Entschuldigung, sind Sie Karin Beckmann?

(CD 11) **Hören und vergleichen Sie.**

E 2

Ergänzen Sie bitte.

Frau Beckmann ◆ Karin *(Vorname)* ◆ Beckmann *(Familienname)* ◆ Karin Beckmann

„Mein Name ist … " *Beckmann* oder *Karin Beckmann*
„Ich bin … " ______ oder ______
„Ich heiße … " ______ oder ______
„Entschuldigung, sind Sie … ?" ______ oder ______

E 3

Sie sind Karin Beckmann. Ergänzen Sie die Fragen und Antworten.

1 ______ Sie? — Mein Name ist *Karin Beckmann.*
2 ______ Ihr Name, bitte? — Ich heiße ______
3 ______ Frau Berger? — ______, mein Name ist ______
4 ______ du? — Ich bin ______
5 Hallo! ______ Franz. Und du? — Ich heiße ______

ARBEITSBUCH E 1–E 2

F 12

Der Ton macht die Musik

Der „Tag, wie geht's"-Rap

1

Tag.
Guten Tag!
Wie geht's?
Wie geht es Ihnen?

Auch gut, danke. Danke, gut.
Auch gut, danke. Danke, gut.
Auch gut, danke. Danke, gut.
Na ja, es geht.

Tag?
Oh, „Tag"! Guten Tag!
Wie geht's? Wie geht's?
Ah ..., „Wie geht es Ihnen?" –
Gut, danke, gut. Und Ihnen?
Wie geht es Ihnen?

Sehr gut?

2

Guten Tag!
Wie heißt du?
Wie ist Ihr Name?
Yota?

Ich heiße Miller.
Nein, Miller ist mein Name. Miller!
Nein, Miller ist mein Name. Miller!
Nein, Miller ist mein Name.
Genau!

Tag.
Heißt du?
Ah ..., ich heiße Yota.
Yota ist mein Name. Und Sie?
Wie heißen Sie?
Muller?
Meller?
Müller?
Miller?

3

Hallo!
Aus Australien.
Aus Australien! Und du?
Woher kommst denn du?
Japan?
Du kommst, du kommst ...

... aus Australien. – Du kommst,
du kommst ...

Hallo!
Woher kommst du?
Aus Aus... wie?
Ich?
Aus Japan.
Ja, Japan!
... aus Japan. – Du kommst,
du kommst ...

...

12

Hören und sprechen Sie mit der Cassette.
Wählen Sie eine Strophe oder den Refrain und üben Sie zu zweit.

ARBEITSBUCH F 1-F 4

G Deutsche Wörter – deutsche Wörter?

G 1 Üben Sie zu zweit

Arabisch ◆ Chinesisch ◆ Englisch ◆ Französisch ◆ Griechisch ◆ Indonesisch ◆ Italienisch ◆ Japanisch ◆ Polnisch ◆ Portugiesisch ◆ Suaheli ◆ Spanisch ◆ Türkisch ◆ Vietnamesisch ◆ …

● *Ich komme aus … Ich spreche … und etwas Deutsch. Und du? / Und Sie?*

■ …

Ich spreche etwas Deutsch.

§ 24a

Fast alle Sprachen enden auf ________

Der Akzent ist ☐ ●●● ☐ ●●●●

G 2 Welche Wörter kennen Sie? Unterstreichen Sie.

Algebra *(f)* ◆ Computer *(m)* ◆ Foto *(n)* ◆ Gitarre *(f)* ◆ Information *(f)* ◆ Joghurt *(n)* ◆ Judo *(n)* ◆ Kaffee *(m)* ◆ Kiosk *(m)* ◆ Pilot *(m)* ◆ Radio *(n)* ◆ Risiko *(n)* ◆ Samowar *(m)* ◆ Schokolade *(f)* ◆ Sofa *(n)* ◆ Tango *(m)* ◆ Tee *(m)* ◆ Zigarette *(f)*

Risk

Samovar (Tea-maker) Chocolate

G 3 Wie heißt das Wort in Ihrer Sprache?

How calls the word in your language?

● *„Kaffee" heißt auf Arabisch …* ▲ *Auf Türkisch heißt es …* ● …

■ *Auf Englisch heißt es …* ▼ *Und auf Französisch …* ■ …

auf = (normaley on, onto) in

G 4 Sortieren Sie die Wörter aus G 2.

Die Artikel:	*f* = feminin → die	*m* = maskulin → der	*n* = neutrum → das
	die Algebra	*der Computer*	*das Foto*
	die Gitarre	der Kaffee	das (der) Joghurt
	die Information	der Kiosk	das Judo
	die Schokolade	der Pilot	das Radio
	die Zigarette	der Samowar	das Risiko
		der Tango	das Sofa

Lerntipp:

Diese Wörter sind **Nomen.** Nomen schreibt man im Deutschen immer groß (das Foto). Lernen Sie **Nomen** immer **mit Artikel.** Also: Foto → **das** Foto. Die Artikel stehen in Ihrem Wörterbuch und in der Wortliste im Anhang.

always "are written" stand your Appendix

Gi·tar·re *die,* -, -*n* Musikinstrument mit 6 Saiten über einem Griffbrett mit Bundstegen. *G. spielen, ein Lied auf / mit der G. begleiten, zur G. ein Lied singen* **~begleitung, ~musik, ~spieler; Akustik~, Bass~, E-~** (=Elektro~, ~ mit eingebautem Tonabnehmer)
Gi·tar·rist *der,* -*en,* -*en* Gitarrenspieler

e **Gitarre, -/-n** chitară; ~ *spielen* a cînta chitară
r **Gitarrenspieler, -s/-** chitarist

Gi'tar·re *(f)* *sechssaitiges Zupfinstrument mit achtförmigem Körper;* Sy *Klampfe, Zupfgeige* [<span. *guitarra* <arab. *kittara,* grch. *kithara;* → *Zither*]
Gi·tar'rist *(m)* *Gitarrenspieler*

H

Woher und wohin?

H 1

13

Hören und markieren Sie.

1 Es sprechen:
- 2 Personen
- 3 Personen
- 4 Personen

2 Die Personen sind:
- Anna
- Mama
- Papa
- Kawena

3 Wo sind die Personen?
- Hamburg
- Windhuk
- München
- Frankfurt

	Namibia	Deutschland	Windhuk	Hamburg	München
Anna kommt aus					
und möchte nach					
Kawena kommt aus					
und möchte nach					

ARBEITSBUCH H 1–H 2

H 2

Cartoon

Was sagen die Leute? Üben Sie zu zweit.

ARBEITSBUCH H 3

Kurz & bündig

W-Fragen § 2a, 8	Antworten § 1, 8	
Wie ist Ihr Name?	Ich heiße Veronika Winter.	§ 7a
Wie heißen Sie?	Mein Name ist Weininger.	
Wie heißt du?	Eva.	
Wie heißt sie?	Sie heißt Maria Jablońska.	§ 7d, 19a
Woher kommen Sie?	Ich komme **aus** Kanada.	
Woher kommst du?	**Aus** Namibia.	
Woher kommt Herr Manzoni?	Er kommt **aus** Italien.	
Wohin möchten Sie?	**Nach** Hamburg.	
Was sind Sie **von Beruf**?	Ich bin Ärztin.	§ 7a, 24a
Was bist du von Beruf?	Friseur.	
Was ist Herr Manzoni von Beruf?	Er ist Fahrer.	

Ja-/Nein-Fragen § 2b	Antworten § 1
Kommen Sie aus Italien? ↗	**Ja**, → ich komme aus Rom. ↘
Entschuldigung, **sind Sie** Herr Spät? ↗	**Nein**, → mein Name ist Raab. ↘
Sind Sie Ärztin? ↗	**Ja**. ↘

Die Zahlen 1–100

null, eins, zwei, drei, vier, fünf, sechs, sieben, acht, neun, zehn, **elf**, **zwölf**, drei**zehn**, vier**zehn**, fünf**zehn**, **sechzehn**, **siebzehn**, ... **zwanzig**, ein**undzwanzig**, ... **dreißig**, ... vierzig, achtund**vierzig**, ... fünfzig, ... **sechzig**, ... **siebzig**, ... achtzig, ... drei**undachtzig**, ... neunzig, ... sieben**und**neunzig, ... **(ein)hundert**

Die Artikel § 11

die Ärztin	**der** Arzt	**das** Foto
die Telefonnummer	**der** Kaffee	**das** Radio

Das Land	Die Sprache § 24a	
England	Engl**isch**	auf Engl**isch**
Italien	Italien**isch**	auf Italien**isch**
Polen	Poln**isch**	auf Poln**isch**

Nützliche Ausdrücke

Wie geht es Ihnen?	**Danke, gut. Und Ihnen?**
Auch gut, danke.	
Wie geht's?	**Gut, danke. / Na ja, es geht.**
Woher kommen Sie?	Aus Kanada. Und Sie?
Kommst du aus Polen?	Ja. **Und du?** Woher kommst du?
Ich komme aus Australien.	**Wie bitte?**
Aus Australien.	Ah ..., aus Australien.
Genau.	

Ich spreche Englisch, Spanisch und etwas Deutsch. ↘
„Kaffee" **heißt auf Englisch** „coffee". ↘

Hallo!	**Tschüs!**
Guten Morgen. (≈ 6–11 Uhr)	**Auf Wiedersehen!**
Guten Tag. (≈ 9–18 Uhr)	
Guten Abend. (≈ 17–23 Uhr)	

Gute Nacht (Goodnight)

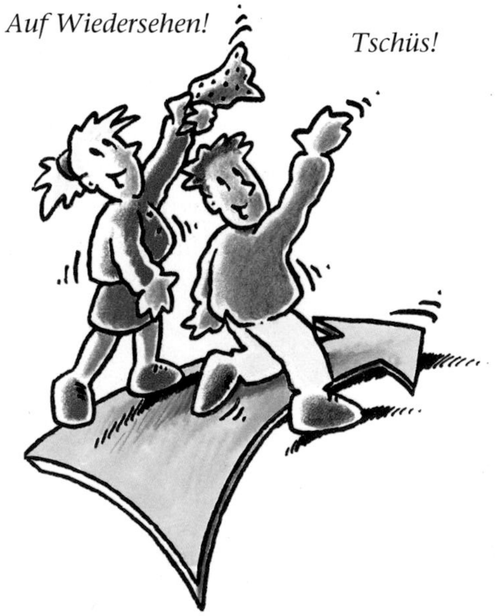
Auf Wiedersehen!
Tschüs!

Begegnungen

LEKTION 2

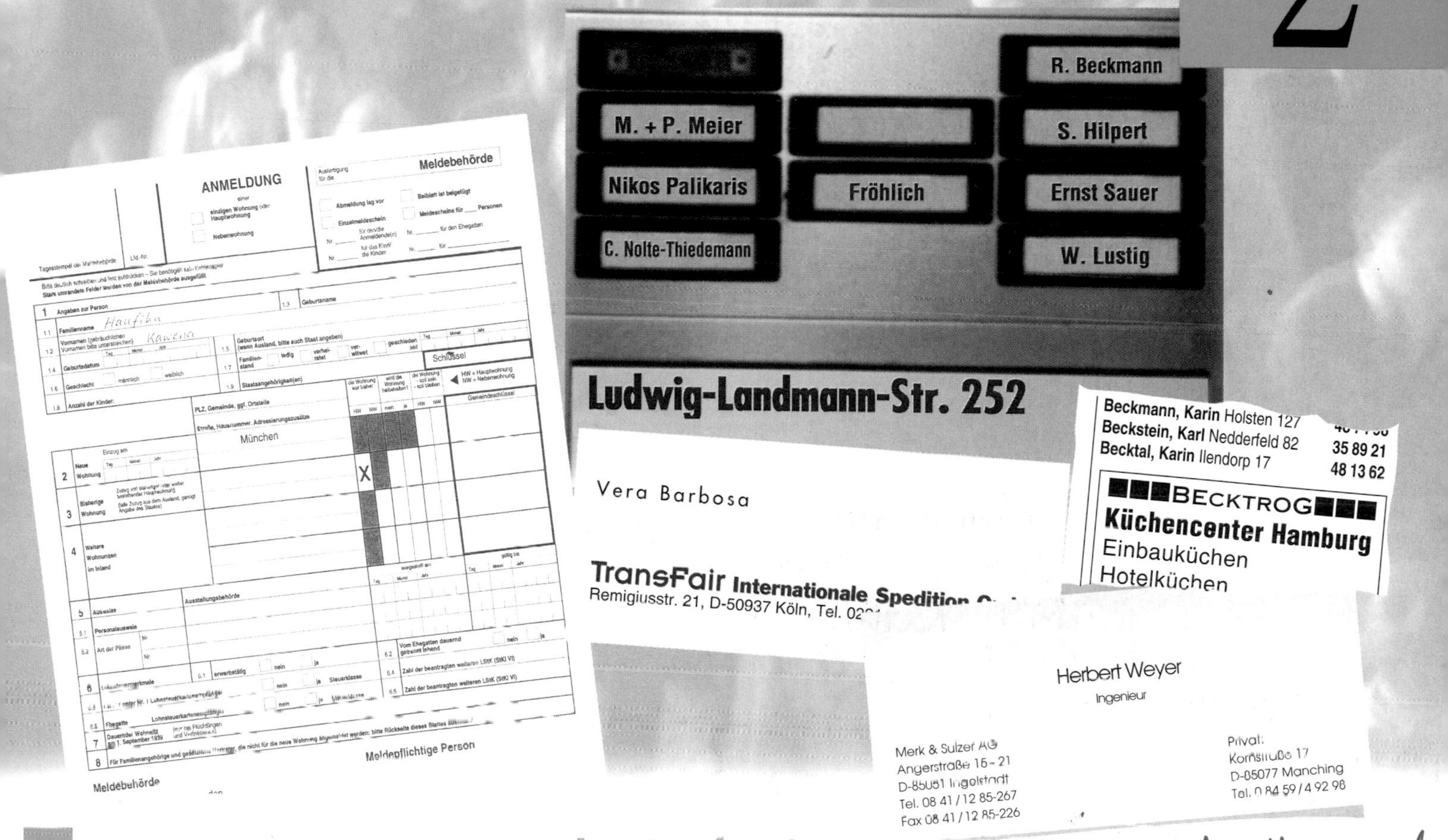

A Leute, Leute.

tausand = thousand
Vorwahl = dialling code

A 1 **Fragen und antworten Sie.**

Wo wohnt Karin Beckmann?
In Hamburg.
Wo ist „TransFair" ?
... ist in ... (Stadt oder Land).
Wo arbeitet Vera Barbosa ?
Bei ... (Firma).
Wie ist die Telefonnummer von ... ? (Name / Firma)
Ich weiß nicht.
Wie ist die Adresse von ... ?
...

Ergänzen Sie.

100	ein**hundert**
101	ein**hundert**eins
110	einhundertzehn
226	zweihundertsechsundzwanzig
354	~~dr~~ dreihundertvierundfünfzig
512	fünfhundertzwölf
717	siebenhundertsiebzehn
999	neunhundertneunundneunzig

ARBEITSBUCH A 1-A 3

A 2 14-17 **Hören Sie und ergänzen Sie die Telefonnummern.**

Name	Telefon
Karin Beckmann	040 48 74 98
Meldestelle München	23323085

089

Name	Telefon
Nikos Palikaris	069 7039594
Vera Barbosa	304 or 305

Die Durchwahl = extension number

A 3 Hören Sie das Alphabet-Lied und singen Sie mit.

18

A – Be – Ce – De – eL – eM – eN – O – Pe – Qu –
E – eF – Ge – Ha – eR – eS – Te – U – Vau – We –
I – Jot – Ka – Wunderbar! iX- Ypsilon – Zet – Das ist nett.

A 4-A

A 4 Buchstabieren Sie Ihren Namen.

Bei ähnlichen Buchstaben hilft Ihnen das „Telefon-Alphabet“

A	wie **A**nton	oder	**H**	wie **H**einrich	**G**	wie **G**ustav	oder	**K**	wie **K**aufmann
B	wie **B**erta	oder	**P**	wie **P**aula	**I**	wie **I**da	oder	**Ü**	wie **Ü**bermut
C	wie **C**äsar	oder	**Z**	wie **Z**eppelin	**M**	wie **M**artha	oder	**N**	wie **N**ordpol
D	wie **D**ora	oder	**T**	wie **T**heodor	**R**	wie **R**ichard	oder	**L**	wie **L**udwig
E	wie **E**mil	oder	**Ä**	wie **Ä**rger	**V**	wie **V**iktor	oder	**W**	wie **W**ilhelm

A 5 Hören Sie und schreiben Sie die Namen.

19

Dialog 1 (Peter) Rathke

Dialog 2 Baarlann Beermann

Dialog 3 Khani

Ä, Ö, Ü = „A-Umlaut“, …
ß = „Esszet“, „scharfes s“
pp = „Doppel-p“, „zweimal p“

A 6-A

A 6 Machen Sie eine Kursliste.

Wie heißt du? / Wie heißen Sie?
Wie ist deine / Ihre Telefonnummer?
Wie ist deine / Ihre Adresse?
Bitte noch einmal. / Bitte langsam.
Wie bitte? Buchstabieren Sie bitte.
… – wie schreibt man das?

Telefonliste – Deutschkurs

Name Vorname Adresse Telefon

A 7 Spielen Sie „Auskunft“.

Ich möchte die Nummer von Felipe Rodriguez.
Felipe Rodriguez? Die Nummer ist 28 81 749.
288 17 49. Vielen Dank.

B Ledig, keine Kinder

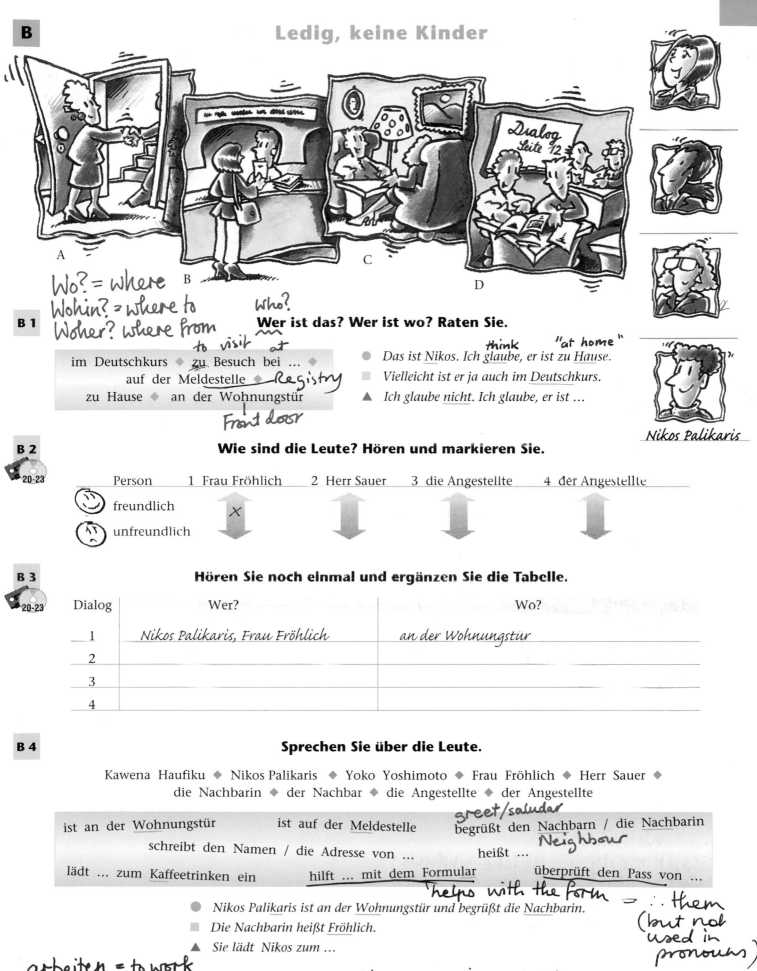

Nikos Palikaris

B 1 Wer ist das? Wer ist wo? Raten Sie.

im Deutschkurs ◆ zu Besuch bei … ◆ auf der Meldestelle ◆ zu Hause ◆ an der Wohnungstür

- ● *Das ist Nikos. Ich glaube, er ist zu Hause.*
- ■ *Vielleicht ist er ja auch im Deutschkurs.*
- ▲ *Ich glaube nicht. Ich glaube, er ist …*

B 2 Wie sind die Leute? Hören und markieren Sie.

20-23

Person	1 Frau Fröhlich	2 Herr Sauer	3 die Angestellte	4 der Angestellte
freundlich				
unfreundlich				

B 3 Hören Sie noch einmal und ergänzen Sie die Tabelle.

20-23

Dialog	Wer?	Wo?
1	*Nikos Palikaris, Frau Fröhlich*	*an der Wohnungstür*
2		
3		
4		

B 4 Sprechen Sie über die Leute.

Kawena Haufiku ◆ Nikos Palikaris ◆ Yoko Yoshimoto ◆ Frau Fröhlich ◆ Herr Sauer ◆ die Nachbarin ◆ der Nachbar ◆ die Angestellte ◆ der Angestellte

ist an der Wohnungstür · ist auf der Meldestelle · begrüßt den Nachbarn / die Nachbarin · schreibt den Namen / die Adresse von … · heißt … · lädt … zum Kaffeetrinken ein · hilft … mit dem Formular · überprüft den Pass von …

- ● *Nikos Palikaris ist an der Wohnungstür und begrüßt die Nachbarin.*
- ■ *Die Nachbarin heißt Fröhlich.*
- ▲ *Sie lädt Nikos zum …*

B 5 23

Hören Sie Dialog 4 noch einmal und ergänzen Sie das Formular.

~~Kawena~~ ◆ ~~Haufiku~~ ◆ Schleißheimer Straße 297 ◆ 80809 ◆ Windhuk ◆ Namibia ◆ britisch ◆ 21. 03. 1969 ◆ namibisch

Tagesstempel der Meldebehörde | Lfd.-Nr.

ANMELDUNG einer
☐ einzigen Wohnung oder Hauptwohnung
☐ Nebenwohnung

Ausfertigung für die **Meldebehörde**
☐ Abmeldung lag vor ☐ Beiblatt ist beigefügt
☐ Einzelmeldeschein ☐ Meldescheine für ___ Personen
Nr. ___ für den/die Anmeldende(n) Nr. ___ für den Ehegatten
Nr. ___ für das Kind/die Kinder Nr. ___ für ___

Bitte deutlich schreiben und fest aufdrücken – Sie benötigen kein Kohlepapier
Stark umrandete Felder werden von der Meldebehörde ausgefüllt

1 Angaben zur Person
1.1 Familienname: *Haufiku* | 1.3 Geburtsname
1.2 Vornamen (gebräuchlichen Vornamen bitte unterstreichen): *Kawena*
1.4 Geburtsdatum (Tag Monat Jahr): *21 03 1969* | 1.5 Geburtsort (wenn Ausland, bitte auch Staat angeben): *Wintuk, Namibia*
1.6 Geschlecht ☒ männlich ☐ weiblich | 1.7 Familienstand ☐ ledig ☐ verheiratet ☐ verwitwet ☐ geschieden seit (Tag Monat Jahr)
1.8 Anzahl der Kinder: *KEINE KINDER* | 1.9 Staatsangehörigkeit(en): *Namibia* | Schlüssel

PLZ, Gemeinde, ggf. Ortsteile | die Wohnung war bisher | wird die Wohnung beibehalten? | die Wohnung – soll sein – soll bleiben | ◀ HW = Hauptwohnung NW = Nebenwohnung
Straße, Hausnummer, Adressierungszusätze | HW NW | nein ja | HW NW | Gemeindeschlüssel

2 Neue Wohnung – Einzug am (Tag Monat Jahr) – München
3 Bisherige Wohnung – Zuzug von bisheriger oder weiter bestehender Hauptwohnung (falls Zuzug aus dem Ausland, genügt Angabe des Staates) – X
4 Weitere Wohnungen im Inland

5 Ausweise | Ausstellungsbehörde | ausgestellt am (Tag Monat Jahr) | gültig bis (Tag Monat Jahr)
5.1 Personalausweis
5.2 Art der Pässe Nr. / Nr.

6 Lohnsteuermerkmale | 6.1 erwerbstätig ☐ nein ☐ ja | 6.2 Vom Ehegatten dauernd getrennt lebend ☐ nein ☐ ja
6.3 Person unter Nr. 1 Lohnsteuerkartenempfänger ☐ nein ☐ ja Steuerklasse | 6.4 Zahl der beantragten weiteren LStK (StKl VI)

Ich bin verheiratet.

1.5 Geburtsort (wenn Ausland, bitte auch Staat angeben)
1.7 Familienstand ☐ ledig ☒ verheiratet ☐ verwitwet
1.9 Staatsangehörigkeit(en)

Ich bin nicht verheiratet.

1.5 Geburtsort (wenn Ausland, bitte auch Staat angeben)
1.7 Familienstand ☒ ledig ☐ verheiratet ☐ verwitwet
1.9 Staatsangehörigkeit(en)

B 6

Ergänzen Sie die Fragen und Antworten.

1. *Woher kommt* Herr Haufiku? — Aus Namibia.
2. Wann und wo ist er geboren? — *1969 in*
3. Welche Staatsangehörigkeit(en) hat er? — ___
4. Wie alt ist er? — ___
5. *Er ist verheiratet?* — Nein, er ist ledig.
6. Hat er Kinder? — ___
7. Wie lange ist er schon in Deutschland? — *Ein Jahr.*
8. Spricht er Englisch? — ___
9. *Wo wohnt er?* — In München.

§ 25a

Er ist **nicht verheiratet.**
Er hat **keine Kinder.**

man schreibt	man sagt
1848	achtzehn**hundert**achtundvierzig
1969	neunzehn**hundert**neunundsechzig
2001	zweitausendeins

ARBEITSBUCH B 1

Sicher? = Sure? (Are you sure?) Sehr Sicher = Very sure.

B 7

Fragen und antworten Sie und bilden Sie Gruppen.

Haben Sie Kinder?

Nein.

Ich auch nicht.

Aber ich. Ich habe drei Kinder.

Und ich habe zwei Kinder.

Ich spreche ein bisschen Englisch.

Ich nicht. Aber ich spreche gut Französisch.

Wie alt bist du? *Ich bin schon 42.*

Ich bin erst 18.

Kinder? ◆ verheiratet / ledig / …? ◆ Land? ◆ Sprache(n)? ◆ Wohnung? ◆ Geburtsjahr / Geburtsort? ◆ Alter? ◆ Wie lange in … ? ◆ …

- *Sind Sie verheiratet?*
- …

§ 27

Ich habe 2 <u>Kin</u>der.	Ich <u>auch</u>	Ich <u>nicht</u>.
Ich habe <u>kei</u>ne Kinder.	Ich <u>auch</u> nicht.	Aber <u>ich</u>! Ich habe …

Ich habe …	Ich bin …
Hast du …?	Bist du …?
Er / sie hat …	Er / sie ist …
Wir haben …	Wir sind …
Habt ihr …?	Seid ihr …?
Haben Sie …?	Sind Sie …?

Raten Sie und berichten Sie.

Seid ihr alle verheiratet?

Sprecht ihr alle Englisch?

Habt ihr alle Kinder?

Nein!

Ja!

Ich bin nicht verheiratet, habe keine Kinder und spreche kein Englisch. Und ich bin schon über 40 Jahre alt.

Ich auch. Ich bin 42.

ARBEITSBUCH B 2-B 4

wohnen = to live

ich	du	er/sie/es	wir	ihr	sie	Sie
wohne	wohnst	wohnt	wohnen	wohnt	wohnen	wohnen

C

Zu Besuch bei Vera

C 1 **Hören Sie und markieren Sie: richtig oder falsch?**

24

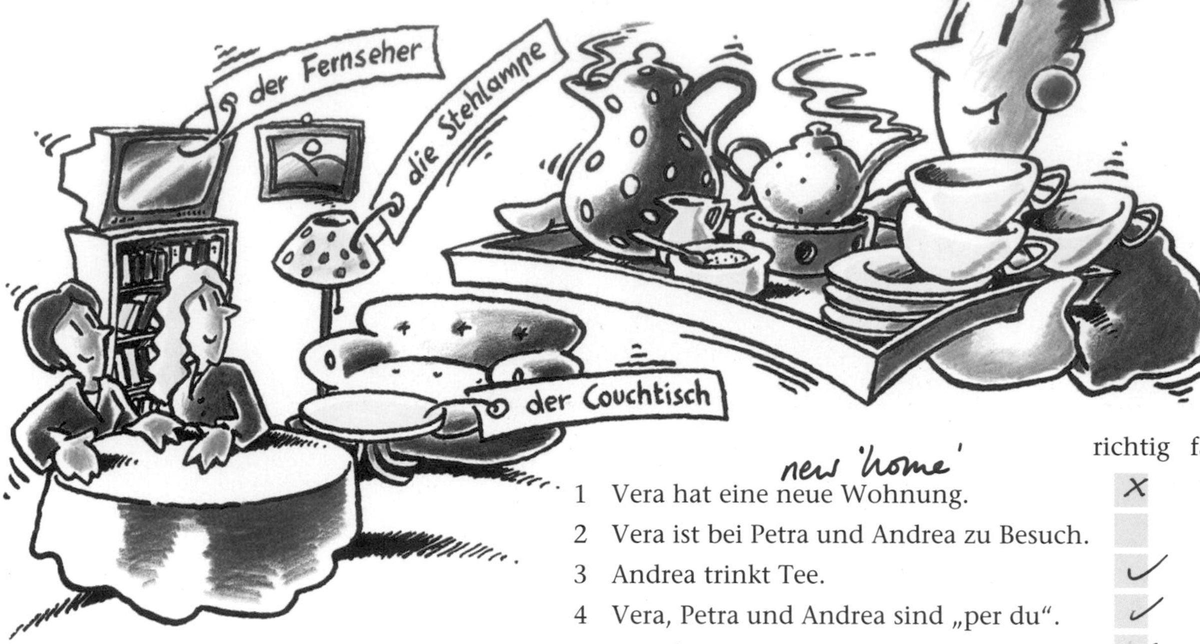

		richtig	falsch
1	Vera hat eine neue Wohnung. (new 'home')	X	
2	Vera ist bei Petra und Andrea zu Besuch.		✓
3	Andrea trinkt Tee.	✓	
4	Vera, Petra und Andrea sind „per du“.	✓	
5	Vera lernt Deutsch.	✓	

der Monat/Monate = month/months

C 2 **Lesen Sie den Text und markieren Sie die Verben.**

Vera ist jetzt drei Monate in Deutschland. Sie wohnt in Köln und arbeitet bei TransFair. TransFair ist eine internationale Spedition. Andrea und Petra arbeiten auch bei TransFair, sie sind Kolleginnen von Vera. Heute Nachmittag besuchen sie Vera zu Hause – sie kommen „zum Kaffeetrinken“.

visit — Colleagues (die Kollegin) — Today

C 3 **Hören Sie den Dialog noch einmal und ergänzen Sie die Sätze.**

24

~~Ich nehme~~ ◆ wohnst du ◆ Ich gehe ◆ lernst du ◆ kommt ◆ Wir trinken ◆ Ich trinke ◆ ~~Kennen Sie~~ ◆ Kennt ihr ◆ Nehmt ihr ◆ Ich nehme ◆ Wir gehen ◆ Ich mache

nehmen

Es klingelt an der Wohnungstür. Vera öffnet die Tür.

Vera Hallo! Da seid ihr ja.
Petra Hallo, Vera.
Andrea Tag, Vera.
Vera Hier entlang. Wir gehen ins Wohnzimmer. Ich nehme die Mäntel.
Andrea Die Wohnung ist wirklich hübsch. Wie lange wohnst du schon hier?
Vera Zwei Monate. Wir trinken jetzt Kaffee … ist das o.k.?
Petra Ah, Kaffee!
Andrea Hast du vielleicht auch Tee? Ich trinke nämlich keinen Kaffee.
Vera Natürlich. Einen Moment …
Petra Was sind das für Zettel? Hier … und da, überall.
Andrea Ich weiß nicht. Hier steht: „der Couchtisch“.
Petra Und hier an der Lampe: „die Stehlampe“.
Andrea Und am Fernseher …
Vera So. Der Tee kommt gleich.
Petra Sag mal, Vera, lernst du so Deutsch?
Vera Ah, die Zettel. Das ist eine gute Methode. Kennen Sie die nicht?
Petra Vera! Wir sind doch per du!
Vera Per du … ja, richtig: Kennt ich die Methode nicht? Ich gehen jede Woche zum Deutschkurs, aber … Ich mache immer Fehler! Du, Sie, ihr, Ihnen, … Nehmt ihr Zucker und Milch?
Petra Ja, gerne.
Andrea Ich nehme nur Zucker. … Also diese Zettel, die finde ich gut. Ich kenne nur Vokabelhefte, da lernt man nicht viel.

C 4

Ergänzen Sie die Verb-Endungen.

				Verb-Endung
Ich	nehme	die Mäntel.		
Ich	trinke	keinen Kaffee.		ich - e
Die Zettel	finde	**ich** gut.		
Wie lange	wohnst	**du** schon hier?		du - st
	Lernst	**du** so Deutsch?		
Vera	wohnt	in Köln.		
Sie	arbeitet	bei TransFair.		sie
Der Tee	kommt	gleich.		er - t
Es	klingelt	an der Wohnungstür.		es
Da	lernt	**man** nicht viel.		man
Wir	gehen	ins Wohnzimmer.		
Wir	trinken	jetzt Kaffee.		wir - en
	Kennst	**ihr** die Methode nicht?		
	Nehmst	**ihr** Zucker und Milch?		ihr - st
Petra und Andrea	besuchen	Vera zu Hause.		
Sie	kommen	„zum Kaffeetrinken".		sie - en
Sie	arbeiten	auch bei TransFair.		
per Sie	Kennen	**Sie** die Methode nicht?		
	Nehmen	**Sie** Zucker und Milch?		Sie - en

Verb mit Vokalwechsel e → i

nehmen

du	nimmst
er / **sie** / **es**	nimmt

Heute = Today
Morgen - morning 5/6 - 8/9
9-12 Vormittag - Mid-morning (Fore-midday)
Mittag - Midday 12 - 1
Nachmittag - After mid-day (Afternoon) 12-18
Abend - Evening 18-23
Nacht 23-5/6

§ 1, 8a

Subjekt	Verb		Verb	Subjekt	
Wir	trink en	jetzt Kaffee.	Nehm t	ihr	Zucker und Milch?
	Verb-Endung		Verb-Endung		

1. Das ______________ bestimmt die Verb-Endung.
2. Es steht ☐ links vom Verb. ☐ rechts vom Verb. ☐ links oder rechts vom Verb.
3. Die Verb-Endungen im Präsens sind gleich bei er und ______.
   bei wir und ______.
4. Ein Buchstabe fehlt. Du arbeit ☐ st
   Er / sie find ☐ t
   Ihr find ☐ t

C 1-C 5

C 5

Wählen Sie eine Situation aus und spielen Sie den Dialog.

A Sie besuchen Freunde. / Freunde besuchen Sie.
B Sie sind neu im Haus und begrüßen die Nachbarn.
C Sie haben eine neue Wohnung und sind auf der Meldestelle.

D

Ein Ratespiel

D 1

Was ist das? Raten Sie zu dritt und ergänzen Sie.

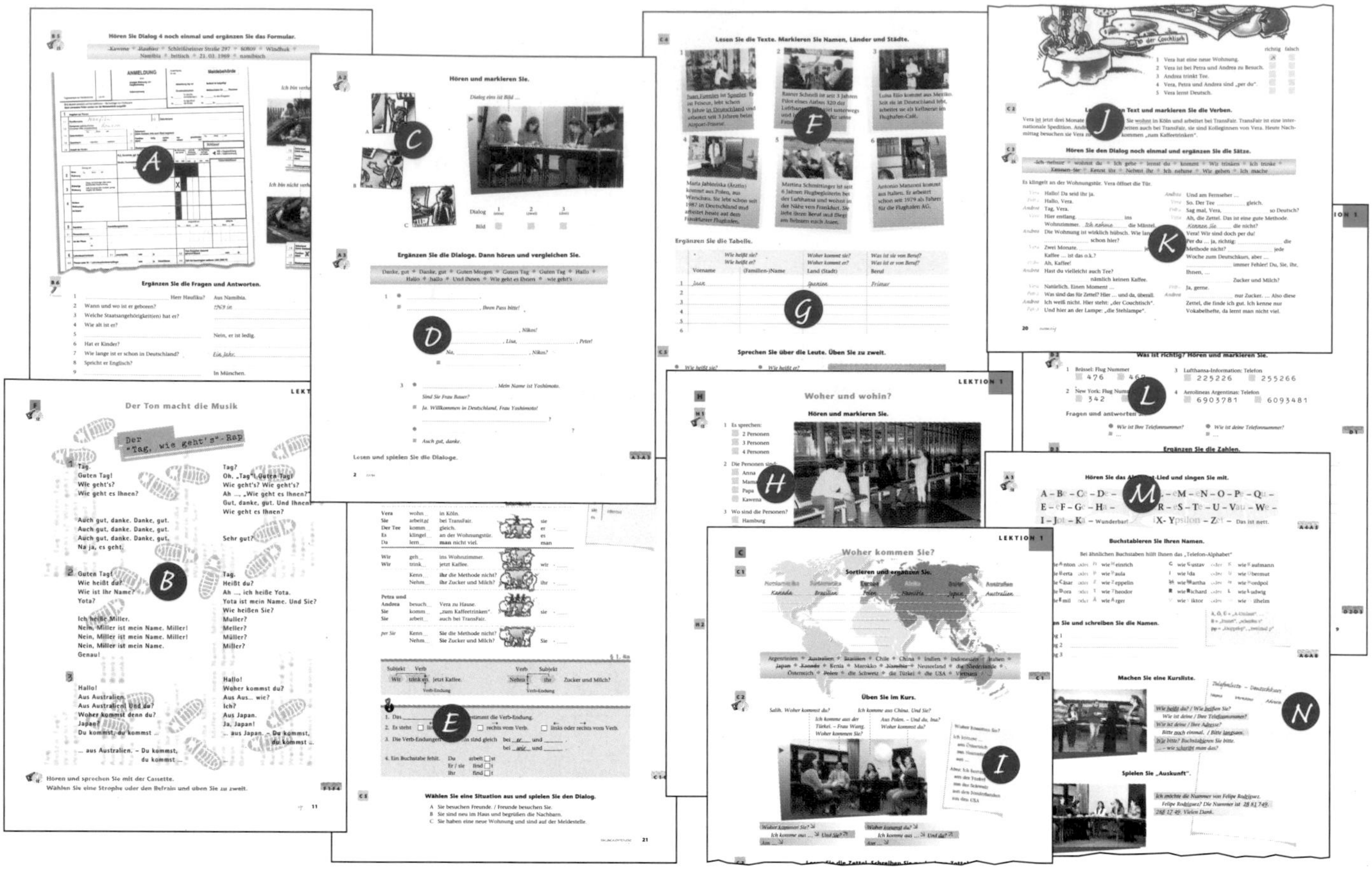

● *Ich glaube, G ist ein Lesetext.*
■ *Das ist doch kein Lesetext.*
Ich glaube, das ist ein Formular.
▲ *Vielleicht ist das ja auch eine Liste.*

● *F sind vielleicht Bilder.*
■ *Ja, das sind Bilder und Lesetexte.*
▲ …

ein Formular	G,
eine Liste	G,
ein Lesetext	
ein Bild	

Bilder	F,
Zahlen	
Dialoge	
Lesetexte	F,

Singular	Plural
1 Lesetext / Dialog	2, 3, … Lesetexte / Dialoge
1 Bild	2, 3, … Bilder
1 Zahl	2, 3, … Zahlen

D 2

Was passt wo? Sortieren Sie nach Wortakzenten.

~~Bild~~ *(n)* ◆ ~~Bilder~~ *(Plural)* ◆ ~~Dialog~~ *(m)* ◆ Regel *(f)* ◆ Formular *(n)* ◆ Rap *(m)* ◆ Infobox *(f)* ◆ Kursliste *(f)* ◆ Lesetext *(m)* ◆ Lied *(n)* ◆ Liste *(f)* ◆ Tabelle *(f)* ◆ Wortliste *(f)* ◆ Zahlen *(Plural)*

- ● Bild
- ●• Bilder
- ●••
- •●•
- ••● Dialog.

Jetzt hören und vergleichen Sie. 25

Lerntipp:

Die meisten Nomen haben den Akzent am Anfang. Ist der Akzent nicht am Anfang, lernen Sie die Betonung „mit Geste“. Im Plural ist der Akzent fast immer wie im Singular.

D 3

Was ist wo? Suchen Sie in Lektion 1 und 2 und vergleichen Sie mit den Bildern auf Seite 22.

● *G ist die Tabelle auf Seite 6.*
▼ *D sind die Dialoge auf Seite 2.*
▲ *A ist das Formular auf Seite ____ .*
■ *Und M ist das Alphabet-Lied auf Seite ____ .*

D 4

Ergänzen Sie die Tabelle und die Regeln.

Beispiele	Liste *(f)*	Lesetext *(m)*	Formular *(n)*	Bilder *(Plural)*
der bestimmte Artikel		der		
der unbestimmte Artikel (+)				—
der negative Artikel (–)	keine		kein	

§ 11

1 Der unbestimmte Artikel ist gleich bei ____________ und ____________ .
2 Der negative Artikel ist gleich bei ____________ und ____________ .
bei ____________ und ____________ .
3 Der bestimmte Artikel ist gleich bei ____________ und ____________ .

ARBEITSBUCH D 1-D 3

D 5

Was ist wo? Fragen und antworten Sie.

● *Was ist auf Seite … oben?*
■ *Da sind Bilder und eine Übung. Und was ist auf Seite … in der Mitte?*
▲ *Ein Bild und ein Lesetext. Und was ist … ?*

● *Wo ist ein Lesetext?*
■ *Zum Beispiel hier, auf Seite … unten. Und wo ist eine Regel?*
▲ *…*

● *Was ist das hier, auf Seite …?*
■ *Ich glaube, das ist / sind … .*

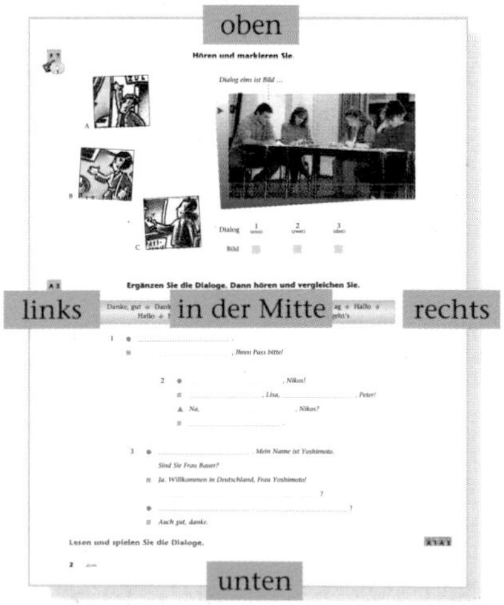

E Zwischen den Zeilen

E 1 **Ergänzen Sie die Antworten: „Ich glaube, …" / „Vielleicht …" / „Ich weiß nicht." / …**

Wo ist Yoko?
Sie ist zu Hause.
+
Ich glaube, sie ist zu Hause.
+ ?
Vielleicht ist sie zu Hause.
? ?
Ich weiß nicht.
—

1 Wo wohnt Nikos Palikaris?
(+) Frankfurt — *Er wohnt in Frankfurt.*

2 Was ist er von Beruf?
(+ ?) Student — ______

3 Wie alt ist er?
(–) ______

4 Wo arbeitet Andrea?
(+) bei TransFair — ______

5 Wo wohnt Petra?
(??) Köln — ______

6 Woher kommt Vera?
(–) ______

E 2 **Fragen und antworten Sie.**

Karin Beckmann ◆ Herr Haufiku ◆ Maria Jabłońska ◆ Frau Yoshimoto ◆ Vera ◆ Rainer Schnell ◆ Nikos ◆ …

Beruf ◆ Wohnung ◆ Alter ◆ Geburtsort ◆ verheiratet / ledig ◆ Kinder ◆ Land ◆ Englisch ◆ in Deutschland ◆ Vorname / Nachname

- ● *Wer ist Karin Beckmann?*
- ■ *Die Reiseleiterin aus Lektion 1.*
- ● *Wo wohnt sie?*
- ■ *Ich glaube, in Hamburg.*
- ● *Wie alt ist sie?*
- ■ *Ich weiß nicht.*
- ● …

- ● *Ist Herr Haufiku verheiratet?*
- ■ *Nein, er ist ledig.*
- ● *Spricht er Englisch?*
- ■ …

E 1-E 3

F

Was darf's denn sein?

SPEISEN UND GETRÄNKE

Tasse Gulaschsuppe	4,20
1 Paar Frankfurter Würstchen	5,-
Käsebrot oder Schinkenbrot	4,50
gemischter Salat mit Ei	6,-
Portion gemischtes Eis	3,50
Stück Kuchen	2,50
Mineralwasser	1,80
Cola oder Fanta	2,50
Orangensaft oder Apfelsaft	2,80
Bier (Ex oder Pils)	3,60
Weißwein oder Rotwein	4,50
Kaffee oder Tee	2,50
Pckg. Erdnüsse od. Salzstangen	1,50

F 1

Was essen und trinken die Leute?

26 **Hören und markieren Sie.**

	Würstchen		Bier
1	Suppe		Tee
	Salat		Salzstangen
	Eis		

● *Bei Nummer 1 isst jemand eine Suppe.*
■ *Und bei Nummer 2 trinkt jemand … .*
▲ …

essen	du	isst
	er / sie / man	isst
helfen	du	hilfst
	er / sie / man	hilft
sprechen	du	sprichst
	er / sie / man	spricht

F 2

Sprechen Sie über die Bilder und die Karte.

Was trinken / essen Sie gern?
Was trinken / essen Sie nicht so gern?

F 3

27

Hören und markieren Sie.

Das ist Vera.

		Richtig	Falsch
1	Vera kommt aus Brasilien.	X	
2	Vera macht Gymnastik.		
3	Andrea bestellt einen Salat mit Ei und ein Mineralwasser.		
4	Vera bestellt ein Käsebrot.		
5	Es gibt keinen Apfelsaft mehr. Vera nimmt einen Kaffee.		
6	Vera ist jetzt 3 Monate in Deutschland.		
7	Vera ist als Touristin in Deutschland.		
8	Roman möchte noch ein Cola.		

nehmen / möchten / trinken / haben

f (k)eine Suppe
m (k)**einen** Kaffee
n (k)ein Bier

F 2-F 4

F 4

Spielen Sie Dialoge in kleinen Gruppen.

● *Guten Tag / Hallo!*

■ *Das ist … (Name).*
Ich heiße … und das ist … (Name).

● *Wie geht's / Wie geht es Ihnen?*

Was möchten Sie?
Was darf's denn sein? / Ja, bitte?
▲ *Ich nehme / möchte …*

Und was trinken Sie?
▲ *Ich nehme / möchte / trinke …*

Tut mir Leid, wir haben kein … mehr.
Möchten Sie vielleicht … ?
▲ *Ja. / Nein, dann nehme ich …*

■ *Guten Appetit!*
Prost!

● *Bist du / Sind Sie schon lange hier in … ?*
Spielen Sie / Spielt ihr / Spielst du auch gerne …?

… ?

ein Mineralwasser
einen Orangensaft
einen Apfelsaft
ein Cola
ein Fanta
einen Kaffee
einen Tee
ein Bier
einen Weißwein
einen Rotwein
ein Käsebrot
ein Schinkenbrot
ein Paar Frankfurter Würstchen
einen Salat mit Ei
eine Gulaschsuppe
ein Eis
ein Stück Kuchen
eine Packung Erdnüsse
eine Packung Salzstangen

G

Der Ton macht die Musik

28

Das deutsche Alphabet

ABCDEFGHIJKLMNOPQRSTUVWXYZ

Also los: Name?
Buchstabieren Sie bitte.
C wie Cäsar oder Z wie Zeppelin?
Der Vorname?
Einreisedatum?
Familienstand?
Geburtsort?
Halt, bitte langsam!
Internationaler Führerschein?
Ja oder nein?
Kinder?
Laut und deutlich, bitte!
Muttersprache?
Noch einmal, bitte!
O.K. Ausweis?
Papiere?
Quatsch – wo ist Ihr Pass?
Religion?
Staatsangehörigkeit?
Telefonnummer?
Und wo?
Vorwahl?
Wiederholen Sie bitte.
…
X-mal jeden Tag, mit S**y**stem, im
Zentrum Europas.

G 1

Finden Sie die passenden Wörter im Text „Das deutsche Alphabet".

Papier für das Auto	*Internationaler Führerschein*
Die Telefonnummer von einer Stadt	
Christentum, Islam, Buddhismus, …	
verheiratet, ledig, geschieden, …	
Ihre Sprache / die Sprache Nummer 1	
Pass, Personalausweis, Führerschein, …	
Französisch, Chinesisch, Türkisch, …	
1. Tag in Deutschland	

G 2

Ergänzen Sie die Antworten und spielen Sie den Dialog.

- ● *Also los: Name?*
- ■ *Waclawczyk.*
- ● *Buchstabieren Sie bitte.*
- ■ *W-A-C-….*
- ● *C wie Cäsar oder Z wie Zeppelin?*
- ■ *C wie Cäsar .*
- ● *Der Vorname?*
- ■ …
- ● *Einreisedatum?*
- ■ *0–1–0–4 neunzehnhundert…*
- ● *Familienstand?*
- ■ …

ARBEITSBUCH G 1-G 3

H

Cartoon

ARBEITSBUCH H 1-H 2

Kurz & bündig

W-Fragen § 2a

Wo wohnt Herr Haufiku?	**In** München.
Wo arbeitet Frau Barbosa?	**Bei** TransFair.
Wer ist das?	Ich glaube, das ist Kawena Haufiku.
Wie ist die Adresse von Herrn Palikaris?	Ludwig-Landmann-Str. 252.
Wie ist die Telefonnummer von Frau Beckmann?	Ich weiß nicht.
Wie alt bist du?	**23.**
Wie lange sind Sie **schon** in Deutschland?	Erst / schon **3 Monate.**
Wann und **wo** sind Sie geboren?	**1969, in** Windhuk.
Was möchten Sie trinken?	Einen Apfelsaft ... Nein, ein Cola, bitte.

Buchstabieren

Wie ist Ihr Name?	Yoshimoto .
Wie bitte? Buchstabieren Sie bitte.	Y-O-S-H-I-M-...
M wie Martha oder N wie Nordpol?	M wie Martha-O-T-O. Yoshimoto.

Das Präsens § 8a

Ich wohne in der Wohnung nebenan.	**Wir** wohnen jetzt schon 20 Jahre hier.
Lern**st du** so Deutsch?	Das ist eine gute Methode. Kenn**t Ihr** die nicht?
Vera Barbosa arbeite**t** bei TransFair.	**Petra** und **Andrea** arbeite**n** auch bei TransFair.
Welche Staatsangehörigkeit **haben Sie**?	Namibisch und britisch.
Seid ihr verheiratet? **Habt ihr** Kinder?	Nein, **wir sind** ledig und **haben** keine Kinder.

Unbestimmter Artikel (Nominativ)	Bestimmter Artikel (Nominativ) § 11a
Das ist **eine** Tabelle.	
Nein, das ist **keine** Tabelle. Das ist **eine** Liste.	Genau. Das ist **die** Liste auf Seite 16.
Und das hier ist **ein** Dialog.	
Das ist doch **kein** Dialog. Das ist **ein** Lesetext.	Das ist **der** Rap auf Seite 11.
Ich glaube, das ist **ein** Formular.	Richtig. Das ist **das** Formular auf Seite 18.
Das sind Texte und Bilde**r**.	Ja. Das sind **die** Bilder und Texte auf Seite 6.

Bestellungen: unbestimmter Artikel (Akkusativ) § 7b, 13

Ja, bitte? ↗	Ich möchte **eine** Suppe → und **einen** Apfelsaft. ↘
Tut mir Leid. ↘ Wir haben **keinen** Apfelsaft. ↘	Dann nehme ich **ein** Cola. ↘
Und Sie? ↗	**Einen** Salat mit Ei → und **ein** Wasser, bitte. ↘
Möchten Sie noch etwas? ↗	Ja, → **einen** Kaffee, bitte. ↘
	Noch **ein** Mineralwasser, bitte. ↘

Nützliche Ausdrücke

Ich heiße Steinfeldt-Reichenbacher. ↘	**Bitte noch einmal.** ↘ / **Bitte langsam.** ↘	
Ich heiße Waclawczyk. ↘	Waclawczyk → – **wie schreibt man das?** ↘	
Ich glaube, → Nikos ist zu Hause. ↘	**Vielleicht** ist er **ja auch** im Deutschkurs? ↘	
Kommen Sie doch am Samstag **mal vorbei,** ↘	nachmittags, → **zum Kaffeetrinken.** ↘	
Nehmt ihr Zucker und Milch? ↗	Ja, gerne. ↘ / Nein, danke. ↘	
Ich spreche Englisch. ↘	Ich **auch.** ↘	Ich **nicht.** ↘
Ich habe **keine** Kinder. ↘	Ich **auch nicht.** ↘	**Aber** ich! ↘
Ich bin **nicht** verheiratet. ↘	Ich **auch nicht.** ↘	**Aber** ich! ↘

LEKTION 3

Guten Tag, ich suche ...

A Schilling, Franken, Mark ...

A 1 **Welche Währungen kennen Sie? Diskutieren Sie zu dritt.**

- *Was ist das?* ↗
- *Ich glaube,* → *das ist österreichisches Geld.* ↘
- *Nein,* → *das sind Franken.* ↘ *So heißt das Geld in der Schweiz.* ↘
- *Und das hier sind vielleicht ...*

ARBEITSBUCH A 1

A 2 **Hören Sie die Dialoge und markieren Sie.**

29

Die Kunden möchten Geld wechseln.

1 Die Kundin bekommt
- a) 48 000 Peseten
- b) 84 000 Peseten

2 Der Kunde bekommt für 1 000 US-Dollar
- a) 1 615 Mark
- b) 1 560 Mark

3 Die Kundin wechselt
- a) 510 000 Lire
- b) 1 510 Lire

4 Der Kunde bekommt
- a) 35 000 Schilling
- b) 3 500 Schilling

1 000 = (ein)**tausend**
2 300 = zwei**tausend**dreihundert
12 110 = zwölf**tausend**einhundertzehn
100 000 = (ein)hundert**tausend**
253 000 = zweihundertdreiundfünfzig**tausend**
1 000 000 = eine **Million**
6 500 000 = sechs **Millionen** fünfhundert**tausend**
1000 Millionen = eine **Milliarde**

A 3 **Üben Sie zu zweit.**

UMRECHNUNGSTABELLE

Deutschland ↓ Österreich	DM (Deutsche Mark) öS (Schilling	1 / 6,95	2 / 13,90	5 / 34,75	10 / 69,50
Italien ↓ Deutschland	Lire DM (Deutsche Mark)	1000 / 1,06	2000 / 2,12	5000 / 5,31	10000 / 10,63
Schweiz ↓ Spanien	sfr (Franken) Ptas. (Peseten)	1 / 95	2 / 189	5 / 474	10 / 947

- *Wie viel Mark bekomme ich für hunderttausend Lire?* ↘
- *Einen Moment.* ↘ *Hunderttausend Lire,* → *das sind hundertsechs Mark.* ↘

ARBEITSBUCH A 2-A 3

A 4

Lesen Sie den Text und beantworten Sie die Fragen.

1 Was ist IKEA?
2 Was verkauft IKEA?
3 Wie hoch ist der Jahresumsatz?
4 Wo gibt es IKEA?
5 Wie viele Leute arbeiten bei IKEA?
6 Wie viele Leute besuchen IKEA?
7 Gibt es IKEA in Ihrem Land?
8 Haben Sie Möbel von IKEA?

1958 eröffnet Ingvar Kamprad das erste IKEA-Möbelhaus in Älmhult/Schweden. Die Idee: einfache, schöne und praktische Möbel zu günstigen Preisen.

Heute ist IKEA ein internationales Unternehmen mit einem Umsatz von etwa 10 Milliarden Mark pro Jahr und mit fast 35 000 Mitarbeiterinnen und Mitarbeitern. 1996 gibt es 134 IKEA-Möbelhäuser in 28 Ländern in Europa, Amerika, Asien und Australien. Über 125 Millionen Besucher kommen pro Jahr zu IKEA – und jeder soll etwas kaufen: Deshalb gibt es nicht nur Möbel, sondern auch Lampen, Teppiche, Geschirr und Haushaltswaren aller Art – insgesamt mehr als 12 000 Artikel.

Das wichtigste Werbemittel ist der IKEA-Katalog mit über 4000 Fotos und allen wichtigen Produkt-Informationen. Überall auf der Welt kann man die gleichen Möbel kaufen, und überall haben die Möbel die gleichen Namen – nur die Preise sind in verschiedenen Währungen.

A 5

Was kosten diese Sachen? Diskutieren Sie zu dritt und ergänzen Sie die Tabelle.

Hier sehen Sie IKEA-Produkte aus fünf IKEA-Katalogen: aus Deutschland, aus Österreich, aus der Schweiz, aus Italien und aus Spanien.

DM	1	5
öS	6,95	34,75
sfr	0,85	4,25
Lire	943	471
Ptas.	80,75	403,75

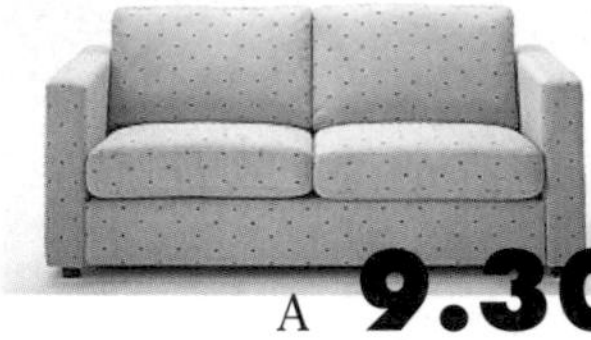

A **9.300.-**

B **498.-**

C **39.-**

D **695**

E **25000**

F **69000**

● *Ich glaube, → das Sofa kostet neuntausenddreihundert Mark.* ↘
■ *Neuntausenddreihundert Mark?* ↗ *Nein,* → *das ist zu viel für ein Sofa.* ↘
Ich glaube, → *das Sofa kostet neuntausenddreihundert Schilling.* ↘
◆ *Vielleicht sind das ja auch Peseten?* ↘
● *Neuntausenddreihundert Peseten?* → *Das ist zu wenig für ein Sofa.* ↘
■ *Schauen wir doch mal in die Wechselkurstabelle.* ↘
…

Katalog	Möbel	Preis	Währung
A *Österreich*	Sofa: Karlshamn	*9.300*	*Schilling*
B	Sessel: Ikea PS		
C	Lampe: Kryolit		
D	Tasse: Raljans		
E	Couchtisch: Lack		
F	Stuhl: Alrik		

ARBEITSBUCH A 4

30 **Jetzt hören und vergleichen Sie.**

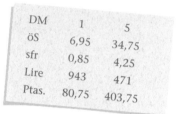

B

Im Möbelhaus

MöbelFun
Moderne Möbel für junge Leute
Viel Design für wenig Geld
1598,–
komplette Einbauküche
794,–
modernes Doppelbett im Futon-Stil
1498,–
flottes Ledersofa in aktuellen Farben
899,–
dazu passend: bequemer Fernsehsessel
390,–
solides Bücherregal
99,–
schicke Stehlampe
999,–
praktischer Kombischrank
1089,–
bildschöner Designer-Tisch & 4 Stühle
299,–
3fach verstellbarer Bürostuhl
159,–
farbenfroher Wollteppich
Kein Geld? – Kein Problem!
Sofortkredit zum Möbelkauf
12 Monate Laufzeit: nur 2,9% effektiver Jahreszins!
Jetzt aber los!
Tel. (069) 2 84 75 69
Hanauer Landstr. 424

B 1 **Lesen Sie die Werbung und suchen Sie diese Möbel.**

Teppich ◆ ~~Küche~~ ◆ Tisch ◆ Bett ◆ Stuhl ◆ Regal ◆ Schrank ◆ Sessel ◆ Sofa ◆ Lampe

komplette Einbauküche → die Küche
verstellbarer Bürostuhl → der Stuhl
flottes Ledersofa → das Sofa

B 2 **Sortieren Sie die Möbel.**

f die	*m* der	*n* das
die Küche	*der Stuhl*	*das Sofa*

ARBEITSBUCH B 1-B 2

B 3

Hören Sie das Gespräch und ergänzen Sie die Adjektive.

~~bequem~~ ◆ praktisch ◆ super ◆ ~~ganz hübsch~~ ◆ ganz schön ◆ toll ◆ interessant ◆ langweilig ◆ nicht billig ◆ nicht schlecht ◆ nicht schön ◆ sehr günstig ◆ sehr schick ◆ zu groß ◆ ~~zu teuer~~

	Die Frau findet ...	Der Mann findet ...
das Sofa	*bequem*	*ganz hübsch, zu teuer*
die Stehlampe		
die Stühle		
den Tisch		
den Teppich		

B 4

Sortieren Sie die Adjektive.

sehr gut ← → nicht gut

sehr gut		nicht gut
super	*bequem*	*zu teuer*
	ganz hübsch	

ARBEITSBUCH B 3-B 4

B 5

Wie finden Sie die Möbel? Fragen und antworten Sie.

● *Wie findest du die Küche von Möbel-Fun?* ↗
■ *Die finde ich ganz schön.* ↘ *Und sehr günstig.* ↘

● *Den Teppich von Helberger finde ich toll.* ↘
■ *Ich auch.* ↘ *Aber der ist zu teuer.* ↘

§ 16b, 26b

Artikel + Nomen	**Artikel ohne Nomen** = Pronomen
Wie findest du **den Teppich**?	**Den** ~~Teppich~~ finde ich langweilig.

ARBEITSBUCH B 5

B 6 **Was passt wo? Ergänzen Sie bitte.**

Den ◆ den Teppich ◆ den Verkäufer ◆ eine Stehlampe ◆ einen Teppich ◆ ~~kein Sofa~~ ◆ keine Sonderangebote ◆ keine Stühle ◆ Qualitätsware ◆ Teppiche

Wie findest du das Sofa?	Ich kaufe doch *kein Sofa* für 2 500 Mark!
Wir brauchen ______ .	
Wie findest du denn die da vorne?	Die ist ja auch nicht billig.
Wo sind denn die Teppiche?	Warum fragst du nicht ______ ?
Wir suchen die Teppichabteilung.	______ finden Sie ganz da hinten.
Schau mal, die Stühle da.	Aber wir brauchen doch ______ .
Und der Tisch hier, der ist doch toll!	______ finde ich nicht schön.
Wie findest du ______ hier?	Den finde ich langweilig.
Wir suchen ______ .	
Haben Sie ______ ?	Sie finden bei uns nur ______ .

31 **Hören Sie noch einmal und vergleichen Sie.**

B 7 **Lesen Sie die Regeln, ergänzen Sie Beispiele aus B6 und markieren Sie den Akkusativ.**

In vielen Sätzen gibt es Akkusativ-Ergänzungen .

	Beispiele
1 Akkusativ-Ergänzungen stehen	
• rechts von Verb und Subjekt	*Wie findest du das Sofa ?*
	______
• links von Verb und Subjekt	______
	______
2 Akkusativ-Ergänzungen sind	
• Nomen ohne Artikel	*Teppiche finden Sie ganz da hinten.*
• Artikel + Nomen	______
• Artikel ohne Nomen (= Pronomen)	______

3 Verben mit Akkusativ-Ergänzung ohne Akk.-Erg.

kosten, ______ | ______

B 8 **Lesen Sie die Sätze aus B 6 und B 7 und ergänzen Sie.**

	f		*m*		*n*		*Plural*	
Nominativ	______	Lampe	______	Teppich	______	Sofa	______	Stühle
	eine	Lampe	*ein*	Teppich	*ein*	Sofa	______	Stühle
	keine	Lampe	______	Teppich	*kein*	Sofa	*keine*	Stühle
Akkusativ	______	Lampe	______	Teppich	______	Sofa	*die*	Stühle
	______	Lampe	______	Teppich	______	Sofa	______	Stühle
	keine	Lampe	______	Teppich	______	Sofa	______	Stühle

Im Nominativ und im Akkusativ ist der Artikel **nicht** gleich ______ .

ARBEITSBUCH B 6-B 8

B 9 **Spielen Sie „Im Möbelhaus“ und sprechen Sie über die Möbel.**

Schau mal, die Stühle da. Die sind doch …
Wir brauchen …
Wie findest du … hier?

Ich weiß nicht.
Super!
Die finde ich langweilig.
Wir brauchen doch kein …

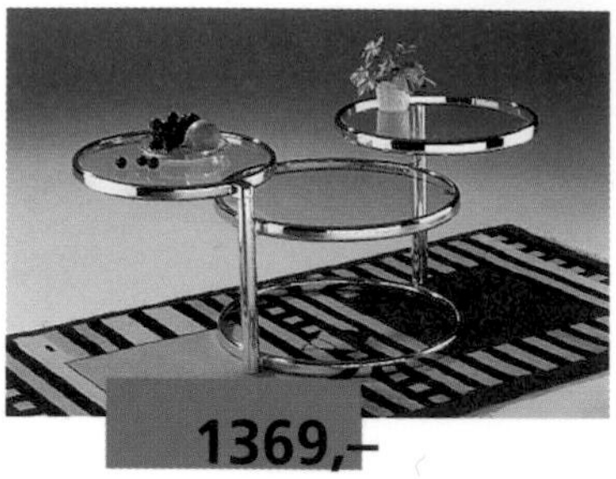

Ja, die finde ich auch …
Nein, die finde ich nicht …
Die sind doch …

Was kosten die denn?
Die kosten … Mark.

Das ist günstig.
Das geht.
Das ist nicht billig.
Nein, das ist zu teuer.

Ich suche …
Wo sind denn die … ?
Wo ist denn die …abteilung?
… finden Sie | gleich hier vorne.
| ganz da hinten
Tut mir Leid, wir haben keine …

Haben Sie keine Sonderangebote?
Sie finden bei uns nur Qualitätsware.

ARBEITSBUC
B 9-B 1

C Haushaltsgeräte

C 1 Lesen Sie die Statistik und ergänzen Sie den Text.

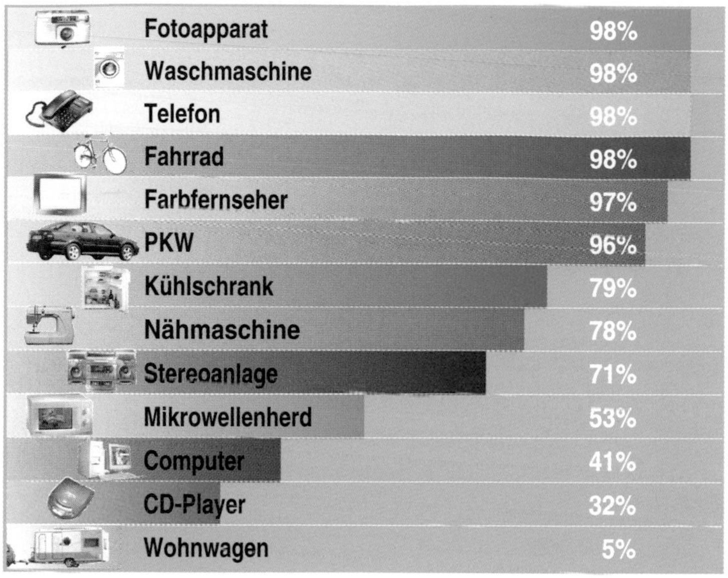

Auto und Fernseher sind Standard – Computer im Vormarsch

In Deutschland gibt es in jedem Haushalt einen Staubsauger und in fast jedem Haushalt ein Telefon (98%). Ebenfalls 98 von 100 Haushalten haben eine Waschmaschine, einen Fotoapparat und ein Fahrrad. Etwa genauso viele besitzen ein Auto (____%) und einen Fernseher (____%). Eine Stereoanlage findet man dagegen nur in ____ von 100 Haushalten, und erst ein Drittel der Deutschen (____%) hat einen CD-Player. ____% der Deutschen in Ost und West besitzen inzwischen einen Kühlschrank, fast genauso viele eine elektrische Nähmaschine (____%), und über die Hälfte der Haushalte (____%) haben inzwischen eine Mikrowelle. Computer sind nach wie vor der Verkaufshit: schon in ____ von 100 Haushalten gibt es einen Heimcomputer. Aber nur wenige besitzen einen Wohnwagen: nur ____ von 100 Haushalten.

Ein Teil +	der	+ Plural
Ein Drittel	der	Deutschen ...
Über die Hälfte	der	Haushalte ...

ARBEITSBUCH C 1-C 2

C 2 Fragen und antworten Sie.

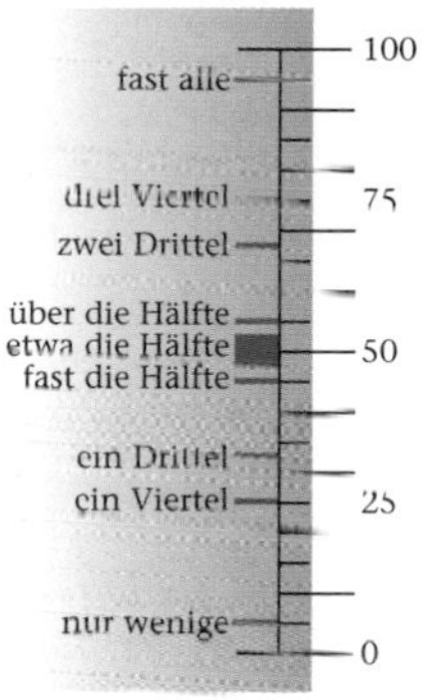

- ● *Wie ist das in Frankreich?* ↘ *Wie viele Leute haben dort ein Telefon?* ↘
- ■ *Ich glaube,* → *fast alle.* ↘
- ● *Und wie ist das in ... ?* ↗
- ▲ *Ich weiß nicht.* → *Vielleicht ... Prozent.* ↘
- ▼ *Nicht so viele.* → *Etwa ... Prozent.* ↘
- ■ *Und in ... ?* ↗ *Wie viele Haushalte haben dort ... ?* ↘

ARBEITSBUCH C 3

C 3 Wer hat was? Spielen Sie zu viert und raten Sie.

Hat Alida einen Wohnwagen? ↗
Ich glaube, → *sie hat einen.* ↘
Ich glaube, → *sie hat keinen.* ↘
Doch, → *ich habe einen.* ↘

eine Mikrowelle	einen Wohnwagen	ein Fahrrad
→ eine	→ einen	→ eins
→ keine	→ keinen	→ keins

- ● *Hat Tom ein Fahrrad?* ↗
- ■ *Ja ...* → *Ich glaube,* → *er hat eins.* ↘
- ▲ *Ich glaube,* → *er hat keins.* ↘
- ▼ *Stimmt,* → *ich habe keins,* ↘ *aber ich brauche eins.* ↘

Berichten Sie.

- ■ *Ich habe kein Fahrrad, aber Mirjana, Ina und Salih haben ...*
- ▲ *Mirjana und ich haben ..., aber Tom und Ina haben ...*
- ▼ *Wir alle haben ...*

ARBEITSBUCH C 4

D

Kann ich Ihnen helfen?

D 1

Was ist wo? Ergänzen Sie den Plan.

Haushaltswaren ◆ Möbel ◆ Computer ◆ Fahrräder ◆ Herrenbekleidung

4. Stock

______ Teppiche

Lampen Bilder

3. Stock

Foto ______ Musik

TV & Video Elektronik

2. Stock

Sportbekleidung

Sportgeräte

1. Stock

Textilien

Damenbekleidung

Erdgeschoss

Information Bücher Kosmetik

Lederwaren Zeitungen

Schreibwaren Zeitschriften

Untergeschoss

______

Haushaltsgeräte

32 **Jetzt hören und vergleichen Sie.**

D 2

Was passt zusammen? Hören Sie noch einmal und markieren Sie.

32

1 Ich suche einen Topf. *d*
2 Haben Sie hier keine Fahrräder? ☐
3 Ich suche eine Waschmaschine. ☐
4 Entschuldigung, wo finde ich Betten? ☐
5 Haben Sie noch andere Sofas? ☐
6 Gibt es hier Jogginganzüge? ☐
7 Haben Sie auch einen passenden Mantel? ☐
8 Entschuldigung, wo gibt es denn hier Computer? ☐

a Die Elektronikabteilung ist im dritten Stock.
b Da hinten haben wir ein paar Sonderangebote.
c Doch, natürlich. Was für eins suchen Sie denn?
d Töpfe finden Sie im Untergeschoss.
e Die Waschmaschinen sind gleich hier vorne. Was für eine möchten Sie denn?
f Ja, natürlich. Mäntel sind da hinten.
g Die Möbelabteilung ist im vierten Stock.
h Nein, die kommen erst nächste Woche wieder rein.

Ich suche	**eine** Waschmaschine.	**Was für**	**eine**	suchen Sie denn?	Ich weiß nicht genau.
	einen Teppich.		**einen**		Einen Wollteppich.
	ein Fahrrad.		**eins**		Ein Sportrad.

Markieren Sie die Pluralformen.

ARBEITSBUC D 1-D

D 3

Ergänzen Sie die Artikel und die Pluralformen.

Schrank *der; -(e)s, Schränke;* ein großes kastenförmiges Möbelstück mit Türen, in dem man Kleider oder Gegenstände aufbewahrt. *Küchen-, Wohnzimmer-; Akten-, Besen-, Bücher-, Geschirr-, Kleider-; Holz-, Stahl-; Panzer-* (für Geld, Schmuck u. ä.)

Schrank *(m) größeres Möbel zum Aufbewahren von Kleidern, Hausrat und anderen Gegenständen* (Akten~, Bücher~, Kleider~, Küchen~, Werkzeug~ *u. a.). Im Wohnzimmer auch als breite, mehrteilige* ~wand.

______	Auto	die	______________
das	Bett	die	*Betten*
______	Bild	die	______________
______	Buch	die	______________
der	Computer	die	*Computer*
das	Fahrrad	die	*Fahrräder*
______	Fernseher	die	______________
______	Fotoapparat	die	______________
______	Glas	die	______________
______	Mantel	die	______________
______	Schal	die	______________
______	Sessel	die	______________
______	Sofa	die	______________
______	Staubsauger	die	______________
______	Stehlampe	die	______________
______	Stereoanlage	die	______________
______	Stuhl	die	______________
______	Teppich	die	______________
der	Topf	die	*Töpfe*
die	Waschmaschine	die	*Waschmaschinen*
______	Wohnwagen	die	______________
______	Zeitung	die	______________

Lerntipp:

Für den Plural gibt es oft keine Regel. Lernen Sie Nomen deshalb immer **mit Artikel** und **mit Plural**, also: **„der** Stuhl, **Stühle"** → der Stuhl, ¨e

Unterstreichen Sie die Plural-Endungen und ergänzen Sie.

§ 12

Nomen bilden den Plural mit den Endungen	Beispiele
-e	*Töpfe,*
-(e)n	*Waschmaschinen,*
-er	*Fahrräder,*
-s	*Sofas,*
ohne Plural-Endung	*Computer,*

Ein a, o und u im Singular wird im Plural oft zu ____ , ____ und ____ .
Die **bestimmten** Artikel im Nominativ Singular heißen *die* , ____ , ____ ; im Plural heißt der bestimmte Artikel immer ____ .

1. Wörter auf **-e** (Lampe, Waschmaschine, ...) bilden den Plural (fast) immer mit ____ und haben (fast) alle im Singular den Artikel ____ .
2. Wörter auf **-er** (Fernseher, Computer, ...) haben im Plural meistens die gleiche Form wie im Singular und haben im Singular meistens den Artikel ____ .

Lesen Sie noch einmal Regel 1 und finden Sie weitere Wörter auf „-e".

Adresse, Liste, ...

ARBEITSBUCH D 3-D 5

D 4

Spielen Sie „Information" und üben Sie zu zweit.

● ➡ mit Wortliste von **D 3**

Entschuldigung, → ich suche einen Topf. ↘

Haben Sie hier keine … ? ↗

Entschuldigung, → wo finde ich … ? ↘

Wo gibt es denn hier …? ↘

■ ➡ mit Kaufhausplan von **D 1**

Töpfe finden Sie im Untergeschoss. ↘

Nein, → leider nicht. ↘ Tut mir Leid. ↘

Ich glaube, → im … Stock.. ↘ Fragen Sie doch bitte dort eine Verkäuferin. ↘

…

D 5

Wer sagt was? Markieren Sie.

V = Verkäuferin/Verkäufer; K = Kundin/Kunde

1
V Kann ich Ihnen helfen?
K Ja, bitte.
___ Entschuldigung, wo gibt es denn hier … ?
___ Haben Sie hier keine … ?
___ Da sind Sie hier falsch.
… finden Sie im …
___ Ich suche …
___ Kommen Sie bitte mit.
___ Wo finde ich … ?
___ … sind gleich | hier vorne / da hinten.

___ Haben Sie auch einfache … ,
so für … bis … Mark?
___ Haben Sie noch andere?
___ Ja, hier haben wir ein paar Sonderangebote.
___ Nein, leider nicht. Tut mir Leid.

___ Was kostet … denn?
___ … Mark.
___ Ja, das geht.
___ Oh, das ist zu teuer.

___ Gut, … nehme ich.
___ Die Kasse ist …
___ Vielen Dank.
___ Danke. Auf Wiedersehen.

___ Was für … suchen Sie denn?
___ Ein… , für …
___ Ich weiß auch nicht genau …
___ Wir haben Komfortmodelle
zwischen … und … Mark und
einfache Modelle für … bis … Mark.
___ … hier finde ich | schön. / …

Was kommt zuerst? Sortieren Sie.

D 6

Schreiben und spielen Sie einen Dialog.

● *Guten Tag. Kann ich Ihnen helfen?*
■ *Ja, bitte. Ich suche …*
▲ …

ARBEITSBUCH D 6

E

Der Ton macht die Musik

E 1 **Lesen Sie den Dialog und ergänzen Sie die Adjektive.**

bequem ◆ cool ◆ ganz egal ◆ ganz nett ◆ krank ◆ nicht schlecht ◆ gar nicht teuer ◆ schick ◆ ~~sehr günstig~~ ◆ toll ◆ Viel zu klein

Der Einkaufsbummel-Rap

1	Schau mal hier, das Doppelbett.	Ja, das find' ich auch ________________ .
	Die Lampe da – die ist ________________ .	Ja, die geht, da hast du Recht.
	Wie findest du den Stuhl?	Der ist wirklich ________________ .
	Der ist auch *sehr günstig*________ , Mann!	Na klar, das ist doch Möbel-Fun.
Refrain	Wie findest du ...?	Na ja, es geht.
	Der ist doch super!	Ja, ganz nett.
	Mann, den find' ich wirklich stark!	Der kostet hundertachtzig Mark!
2	Ist der Tisch nicht wundervoll?	Nee, den find' ich nicht so ________________ .
	Und die Couch? Das ist Design!	Für unsre Wohnung? – *Viel zu*________ .
	Der Teppich hier, ist der nicht ____________ ?	Du hast wirklich einen Tick!
	Die Küche find' ich ... Was meinst du?	Ach geh, jetzt lass' mich doch in Ruh'!
Refrain	Wie findest du ...?	Na ja, es geht.
	Die ist doch super!	Ja, ganz nett.
	Mann, die find' ich wirklich stark!	Die kostet zwanzigtausend Mark.
3	Schau mal! Praktisch, dieser Schrank!	Der da? Sag' mal, bist du ________________ ?
	Wieso? Der ist doch ________________ .	Nicht teuer? – Fünfzehnhundert Eier!
	Und was kostet das Regal?	Ist doch wirklich ________________ .
	Das Sofa ist bestimmt ________________ .	Komm', ich möcht' jetzt wirklich geh'n.
Refrain	Wie findest du ...?	Na ja, es geht.
	Das ist doch super!	Ja, ganz nett.
	Mann, das find' ich wirklich stark!	Das kostet über tausend Mark!

33 **Hören und vergleichen Sie.**

E 2 **Wählen Sie eine Strophe (und den Refrain) und üben Sie zu zweit.**

ARBEITSBUCH E 1-E 7

F

Gebrauchte Sachen

ARBEITSBUCH F1-F2

F 1

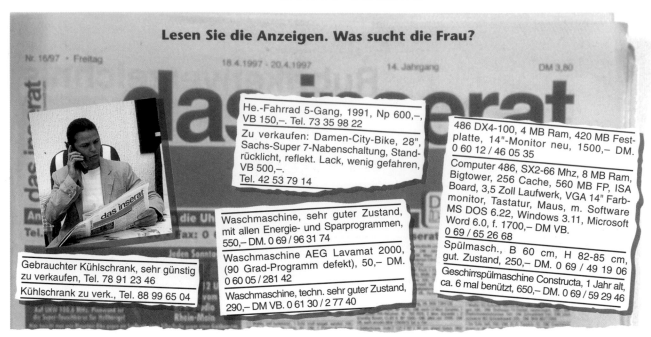

Lesen Sie die Anzeigen. Was sucht die Frau?

Nr. 16/97 · Freitag 18.4.1997 - 20.4.1997 14. Jahrgang DM 3,80

das inserat

He.-Fahrrad 5-Gang, 1991, Np 600,–, VB 150,–. Tel. 73 35 98 22

Zu verkaufen: Damen-City-Bike, 28", Sachs-Super 7-Nabenschaltung, Standrücklicht, reflekt. Lack, wenig gefahren, VB 500,–. Tel. 42 53 79 14

486 DX4-100, 4 MB Ram, 420 MB Festplatte, 14"-Monitor neu, 1500,– DM. 0 60 12 / 46 05 35

Computer 486, SX2-66 Mhz, 8 MB Ram, Bigtower, 256 Cache, 560 MB FP, ISA Board, 3,5 Zoll Laufwerk, VGA 14" Farbmonitor, Tastatur, Maus, m. Software MS DOS 6.22, Windows 3.11, Microsoft Word 6.0, f. 1700,– DM VB. 0 69 / 65 26 68

Spülmasch., B 60 cm, H 82-85 cm, gut. Zustand, 250,– DM. 0 69 / 49 19 06

Geschirrspülmaschine Constructa, 1 Jahr alt, ca. 6 mal benützt, 650,– DM. 0 69 / 59 29 46

Waschmaschine, sehr guter Zustand, mit allen Energie- und Sparprogrammen, 550,– DM. 0 69 / 96 31 74

Waschmaschine AEG Lavamat 2000, (90 Grad-Programm defekt), 50,– DM. 0 60 05 / 281 42

Waschmaschine, techn. sehr guter Zustand, 290,– DM VB. 0 61 30 / 2 77 40

Gebrauchter Kühlschrank, sehr günstig zu verkaufen, Tel. 78 91 23 46

Kühlschrank zu verk., Tel. 88 99 65 04

F 2

Hören Sie das Telefongespräch und machen Sie Notizen.

34

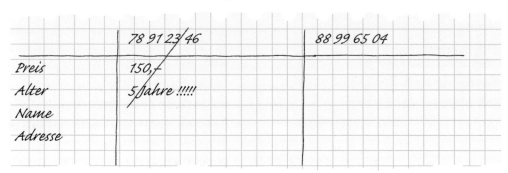

	~~78 91 23 46~~	88 99 65 04
Preis	~~*150,–*~~	
Alter	~~*5 Jahre !!!!!*~~	
Name		
Adresse		

F 3

Sortieren Sie den Dialog.

- *Oh, → das ist aber günstig. ↘ Funktioniert der auch? ↗*
- *Ja, → aber kommen Sie gleich. ↘ Ich bin nur noch eine Stunde zu Hause. ↘*
- *Wiederhören. ↘*
- *Wo wohnen Sie denn? ↘*
- *120 Mark. ↘*
- *Ja, → natürlich! ↘ Der Kühlschrank ist erst ein Jahr alt. ↘*
- *Guten Tag, → mein Name ist Bäcker. ↘ Sie verkaufen einen Kühlschrank? ↗*
- *Aha. ↘ Haben Sie jetzt vielleicht Zeit? ↗*
- *Schillerstr. 37. ↘ Schneider ist mein Name. ↘*
- *Schillerstr. 37, → gut, → bis gleich. ↘ Auf Wiederhören, Herr Schneider. ↘*
- *Schneider. ↘*
- *Wie viel kostet der denn? ↘*
- *Ja. →*

34

Hören Sie noch einmal und vergleichen Sie. Dann üben Sie zu zweit.

F 4 **Lesen Sie noch einmal die Anzeigen bei F1 und spielen Sie Dialoge.**

Sie brauchen eine Waschmaschine/ ein Fahrrad/ einen Computer.

Dialog A:

Tag	Tag
Fahrrad?	Ja
Wie viel?	80 Mark
Günstig! Funktioniert das?	Ja
Alter?	3 oder 4 Jahre
Wo?	Adresse, Name
Bis gleich	Wiederhören

Alt … teuer …
5 Jahre …, 100 Mark, … ja oder nein?

Dialog B:

Tag	Tag
Waschmaschine?	Ja
Wie viel?	500 Mark
Zu teuer!	erst 1 Jahr alt → 450 Mark
Nein, vielen Dank.	…

ARBEITSBUCH F 3-F 4

G

Zwischen den Zeilen.

Fragen und antworten Sie.

Wie lange sind Sie denn schon verheiratet?
Erst drei Jahre.
Nicht lange.
Schon drei Jahre
Sehr lange.

- ● *Wie lange wohnen Sie denn schon in Ihrer Wohnung?*
- ■ *Schon / erst / fast …*
- ▲ *Wie alt … ?*
- ▼ *Was kostet … ?*

erst ◆ schon ◆ fast ◆ etwa ◆ über

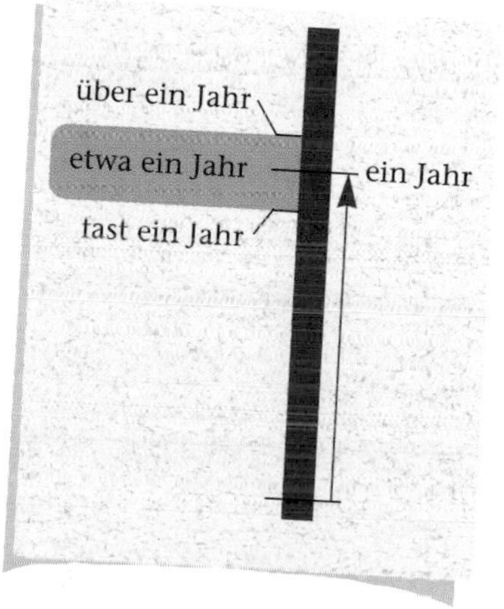

Deutsch lernen ◆ in Ihrer Wohnung wohnen ◆ bei … arbeiten ◆ Gitarre/… spielen ◆ Fahrrad ◆ Radio ◆ Computer ◆ Einbauküche ◆ Kühlschrank ◆ Waschmaschine …

ARBEITSBUCH G 1-G 3

H

Cartoon

Schreiben Sie einen Dialog.

ARBEITSBUCH H 1-H 2

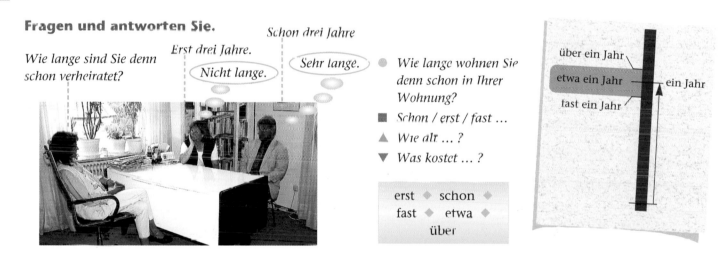

Kurz & bündig

Die Akkusativ-Ergänzung § 13a

unbestimmter Artikel

Wir suchen **einen Tisch**.	**Tische** finden Sie im ersten Stock.
Ich suche **ein Fahrrad**.	**Fahrräder** finden Sie in der Sportabteilung.
Ich suche **eine Lampe**.	Tut mir Leid, wir haben **keine Lampen**.
Wo gibt es **Teppiche**?	**Teppiche** finden Sie ganz da hinten.

Pronomen § 16b

Hat Mirjana **eine Stereoanlage**?	Ja, sie hat **eine**.
Haben Sie **einen Wohnwagen**?	Nein, ich habe **keinen**.
Hast du **ein Fahrrad**?	Ja, ich habe **eins**.

Bestimmter Artikel	**Pronomen § 7f, 16b**
Wie finden Sie **den Tisch** hier?	**Den** finde ich langweilig.
Wie findest du **die Küche**?	**Die** finde ich praktisch. Und sehr günstig.
Wie findest du **das Sofa**?	**Das** finde ich schick. Aber zu teuer.
Und **die Stühle** hier?	**Die** finde ich nicht schön.

Zahlenangaben § 18

In Deutschland gibt es in **98 von 100** Haushalten ein Telefon.
79% (= Prozent) der Deutschen haben einen Kühlschrank.
Über die Hälfte der Haushalte haben inzwischen eine Mikrowelle.
Fast ein Drittel der Deutschen hat einen CD-Player.
Etwa drei Viertel der Haushalte besitzen eine Nähmaschine.
Nur wenige haben einen Wohnwagen.

Der Singular	**Der Plural § 12**
Ich suche einen Sessel.	Bitte, die Sessel sind hier.
Ich suche einen Computer.	Computer? Wir haben keine Computer.
Ich möchte einen Topf.	Ich habe da ein Angebot: 6 Töpfe für 99 DM.
Ich suche eine Waschmaschine.	Wir haben viele Waschmaschine**n**. Wie viel möchten Sie denn ausgeben?
Hast du ein Fahrrad?	Eins? Ich habe drei Fahrräder.
Das Sofa ist zu teuer.	Haben Sie noch andere Sofas?

Nützliche Ausdrücke

Was ist das? ↘ Wie viel Mark bekomme ich für 100 000 Lire? ↘	Das sind Schilling. → Das ist österreichisches Geld. ↘ **Einen Moment**. 100 000 Lire, → das sind 106 Mark. ↘
Kann ich Ihnen helfen? ↗ Nein, → **leider nicht.** ↘ **Tut mir Leid.** ↘ **Doch,** → **natürlich.** ↘ Kommen Sie bitte mit. ↘ **Was für eins** suchen Sie denn? ↘ Hier haben wir ein **Sonderangebot**: → 359 Mark. ↘	**Ja,** → **bitte**. ↘ Haben Sie hier keine Sofas? ↗ **Ich weiß auch nicht genau ...** →. Ja, → **das geht**. ↘ Gut, → **das nehme ich**. ↘
Funktioniert der Kühlschrank? ↗ **Haben Sie jetzt Zeit?** ↗ Gut, → **bis gleich**. ↘ **Auf Wiederhören**. ↘	**Ja,** → **natürlich**. ↘ **Ja,** → **aber** kommen Sie gleich. ↘ **Wiederhören**. ↘
Wie lange wohnst du denn **schon** hier? ↘	**Schon** 10 Jahre. ↘/ **Erst** 6 Monate. ↘/ **Fast** 2 Jahre. ↘/ **Über** 5 Jahre. ↘/ **Etwa** 3 Jahre. ↘

Im Supermarkt

A Papa, kaufst du mir ein Eis?

ARBEITSBUCH A 1-A 2

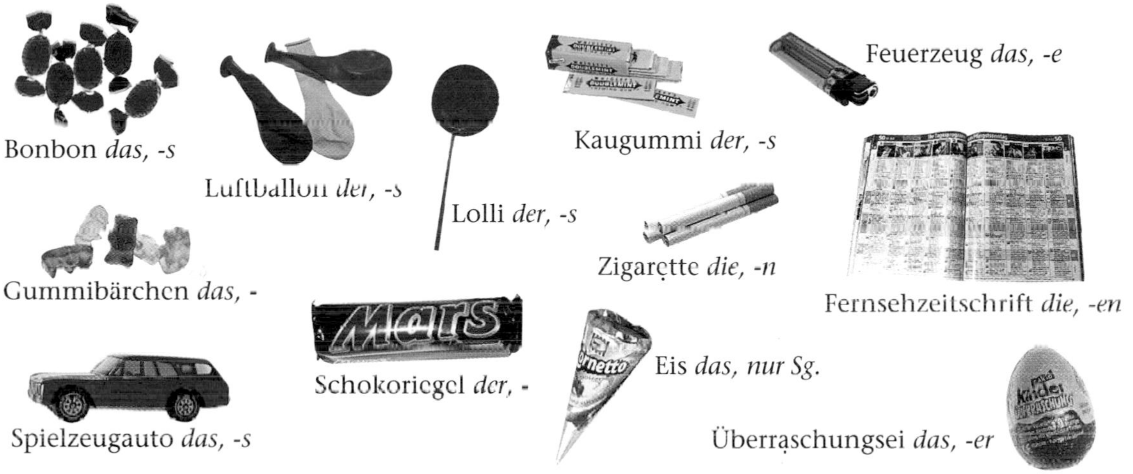

Lerntipp:

Notieren Sie Nomen immer mit Artikel, Plural und Wortakzent, also: die Zigarẹtte, -n (= kurzer Vokal) das Spi̲elzeugauto, -s (= langer Vokal) Spielen Sie mit den neuen Wörtern: Summen Sie die Wörter, sprechen Sie die Wörter laut und leise, langsam und schnell ...

A 1 Was sagen die Kinder? Was antwortet der Vater?

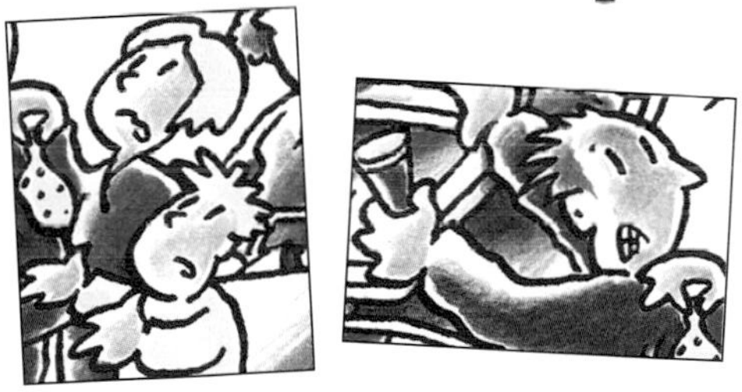

- *Ich möchte einen Lolli.* ↘
  - *Nein,→ heute bekommst du keinen.* ↘
- *Papa,→ schau mal:→ Gummibärchen!* →
  - *Nein,→ heute gibt es keine Gummibärchen.* ↘

...

A 2 Wer möchte was? Hören Sie und markieren Sie.

35

	der Vater	die Kinder		der Vater	die Kinder
Eis		*X*	Zigaretten		
Luftballon			Feuerzeug		
Kaugummi			Lolli		
Spielzeugauto			Überraschungsei		
Fernsehzeitschrift			Gummibärchen		

A 3

Markieren Sie: Wer ist „uns", „euch" ...?

	Merle	Chris	Vater
Merle: Papa, kaufst du **uns** ein Eis?	X	X	
Vater: Nein, ich kaufe **euch** heute kein Eis.			
Merle: Kaufst du **mir** einen (Luftballon)?			
Vater: Nein, Merle, ich kaufe **dir** heute auch keinen Luftballon.			
Chris: Schenkst du **mir** das (Auto) zum Geburtstag?			
Vater: Gebt ihr **mir** mal eine Schachtel Zigaretten?			
Merle: Ich gebe **ihm** das Feuerzeug!			
Vater: Chris! Du gibst **ihr** jetzt sofort das Feuerzeug zurück!			
Merle: Kaufst du **uns** Überraschungseier?			
Der Vater kauft **ihnen** keine Süßigkeiten.			

Was ist richtig? Markieren Sie bitte.

§ 7c, 16a

1 Die Dativ-Ergänzung ist fast immer
- ☐ eine Person.
- ☐ eine Sache.

2 Die Dativ-Ergänzung steht meistens
- ☐ links von der Akkusativ-Ergänzung.
- ☐ rechts von der Akkusativ-Ergänzung.

geben	
ich	gebe
du	gibst
sie, er, es	gibt
wir	geben
ihr	gebt
sie	geben

ARBEITSBUCH A 3

A 4

Markieren Sie das Verb und die Akkusativ-Ergänzung.

1 Kaufst du uns ein Eis ?
2 Ich möchte auch ein Eis !
3 Nein, ich kaufe euch heute kein Eis .
4 Gebt ihr mir mal eine Schachtel Zigaretten ?
5 Ich gebe ihm das Feuerzeug !
6 Schenkst du mir das (Auto) zum Geburtstag?
7 Kaufst du uns Überraschungseier ?
8 Wir haben doch noch Überraschungseier zu Hause.
9 Heute bekommst du keine Zigaretten !

A 5

Schreiben Sie die Sätze aus A 4.

	...	Verb		Dativ-Ergänzung	...	Akkusativ-Ergänzung	...
1		*Kaufst*	*du*	*uns*		*ein Eis?*	
2	*Ich*	*möchte*			*auch*	*ein Eis!*	
3							
4							
5							
6							
7							
8							
9							

Welche Verben haben eine Akkusativ-Ergänzung **und** eine Dativ-Ergänzung?

Verb + Dativ-Ergänzung / Akkusativ-Ergänzung *kaufen,*

Welche Verben haben **nur** eine Akkusativ-Ergänzung?

Verb + Akkusativ-Ergänzung *möchten,*

ARBEITSBUCH A 4

A 6 **Spielen Sie in Gruppen: Gibst du mir … ? Dann geb' ich dir …**

Sie möchten …

Gruppe 1 eine Weltreise machen.
Gruppe 2 gemütlich fernsehen.
Gruppe 3 einen gebrauchten Kühlschrank kaufen.
Gruppe 4 ein Toastbrot machen.

Sie haben …

1 Weltreise	2 Fernsehen	3 Kühlschrank	4 Toastbrot
Telefon	Pass	Sessel	Anzeigenzeitung
Käse und Schinken	Geld	Messer	Tickets
Koffer	Toaster	Zettel & Kuli	Brot
Wasser oder Bier	Fernseher	Reiseschecks	Erdnüsse

Schreiben Sie die Zettel für Ihre Gruppe.

Diskutieren Sie:

Welche 4 Sachen sind wirklich wichtig für unser „Projekt"?
Was haben wir schon?
Was brauchen wir noch?
Wer hat das?

Jetzt tauschen Sie.

Habt ihr … ? *Braucht ihr … ?* *Gebt ihr uns … ? Dann geben wir euch …*
Hast du … ? *Brauchst du … ?* *Gibst du mir … ? Dann gebe ich dir …*

B Beim neunten Nein kommen die Tränen

ARBEITSBUCH B 1-B 2

B 1 **Sprechen Sie über das Bild und erzählen Sie eine Geschichte.**

die Mutter ◆ das Kind ◆ die Leute ◆ die Kassiererin ◆ die Kasse ◆ …

möchten ◆ sein ◆ haben ◆ warten ◆ weinen ◆ lachen ◆ kaufen ◆ geben ◆ nicht funktionieren ◆ …

an der Kasse ◆ im Supermarkt ◆ keine Zeit ◆ kein Geld ◆ (keine) Süßigkeiten ◆ …

(zu) teuer ◆ traurig ◆ fröhlich ◆ nervös ◆ sauer ◆ …

○ *Die Leute sind im Supermarkt. Sie warten an der Kasse Die Kasse funktioniert nicht. …*

▼ *Das Kind weint. Es möchte …*

„weinen" – „lächeln" – „lachen"
„traurig" – „fröhlich"

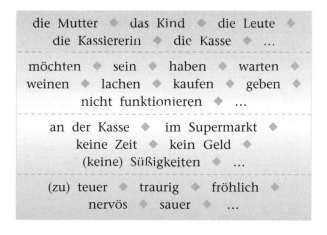

B 2 **Lesen Sie den Text und markieren Sie.**

1 Tanja und ihre Mutter
- [x] warten an der Kasse.
- [ ] kaufen Süßigkeiten.

2 Frau Meier
- [ ] ist die Kassiererin.
- [ ] ist eine Nachbarin.

3 Tanja möchte
- [ ] nach Hause.
- [ ] Gummibärchen.

4 Tanja
- [ ] schreit.
- [ ] weint.

5 Das Kind heißt
- [ ] Tanja Jünger.
- [ ] Tanja Meier.

6 Der Text ist
- [ ] eine Werbung für Süßigkeiten.
- [ ] eine Geschichte aus dem Supermarkt.

leise flüstern

sprechen

laut schreien

Beim neunten Nein kommen die Tränen

Ich warte wieder einmal an der Kasse im Supermarkt. Von drei Kassen ist nur eine geöffnet. Ich beobachte meine Tochter Tanja. Sie steht vor den Süßigkeiten: links Kaugummis, rechts Schokoriegel, oben Gummibärchen, unten Überraschungseier. Und schon geht es los: „Mama? Kaufst du mir… ?“ „Nein.“ „Nur eins, bitte!“ „Nein!“ „Bitte, bitte!“ Die Leute schauen zu uns herüber, aber ich bleibe hart: „Nein, Tanja, nicht vor dem Essen.“ – „…“
Da höre ich eine freundliche Stimme: „Ach, Frau Jünger! Guten Tag. Wie geht es Ihnen?“ „Danke, gut.“, antworte ich. „Und Ihnen, Frau Meier?“ Frau Meier ist unsere Nachbarin. Tanja weiß: Frau Meier ist ihre Chance! „Mama, schau mal, Gummibärchen.“ „Nein.“ „Bitte, bitte!“ „Nein, heute nicht!“
Beim neunten Nein kommen die Tränen. Alle Leute schauen zu Tanja. Tanja gibt ihnen heute eine „Extra-Vorstellung“. Meine Tochter schreit nicht, sie sagt kein Wort. Sie steht einfach nur da und weint … und weint … und weint … Niemand sagt ein Wort, auch Frau Meier ist ganz still. Sogar die Kassiererin flüstert: „Vierzehn Mark einunddreißig, bitte.“ Tanja weint ein bisschen lauter. Jetzt schauen alle Leute zu mir. Was mache ich nur? Kaufe ich ihr jetzt Gummibärchen, oder kaufe ich ihr keine?

B 3 **Diskutieren Sie zu dritt oder zu viert: Was machen Sie in dieser Situation?**

+ Ich kaufe ihr Gummibärchen.	— Ich kaufe ihr keine Gummibärchen.
Ich möchte keinen Streit im Supermarkt.	Kinder möchten immer alles haben. Das geht nicht.
Gummibärchen sind nicht teuer.	Zu viele Süßigkeiten sind nicht gut für Kinder.
Sie weint doch!	Na und? Sie hört auch wieder auf.
Und die Leute? Das ist mir peinlich.	Das ist mir egal. Kinder brauchen manchmal ein „Nein“.
…	…

○ *Ich glaube, ich kaufe ihr die Gummibärchen.*

□ *Das finde ich nicht richtig. Ich kaufe ihr keine Gummibärchen!*

▲ …

B 4 **Lesen Sie weiter und markieren Sie.**

		richtig	falsch
1	Frau Jünger kauft Tanja eine Tüte Gummibärchen.	☐	☐
2	Tanja weint nicht mehr.	☐	☐
3	Alle Leute sagen „Danke" zu Frau Jünger.	☐	☐
4	Der Supermarkt verkauft viele Süßigkeiten an der Kasse.	☐	☐

Ohne ein Wort nehme ich eine Tüte. Jetzt lächelt Tanja wieder. Ich mache die Tüte auf und gebe ihr ein rotes Gummibärchen. Rot ist Tanjas Lieblingsfarbe. Tanja ist zufrieden. Sie sagt nicht „Danke", aber der ganze Supermarkt sagt *„Danke"*.

Es geht um viel Geld. Süßigkeiten an der Kasse verkaufen sich 14mal besser als im Regal. Aber es geht auch um unsere Kinder.

Deshalb:

Keine Süßigkeiten und keine Spielsachen an der Kasse!

V. i. S. d. P.: Renate Jünger, Verbraucherschutzzentrale Nordrhein-Westfalen

„Keine Süßigkeiten und keine Spielsachen an der Kasse!" – Was meinen Sie?

B 5 **Lesen Sie den Text noch einmal, markieren Sie die Personalpronomen und ergänzen Sie die Tabelle.**

Das Personalpronomen steht für Name / Person:

Ich beobachte meine Tochter **Tanja**. **Sie** steht vor den Süßigkeiten. Und schon geht es los:
„Mama? kaufst *du* **mir** … ?"

Nom.:	ich	du	sie	er	wir	ihr	sie	Sie
Dativ:	_______	dir	_______	ihm	_______	euch	_______	_______

B 6 **Ergänzen Sie die passenden Personalpronomen.**

Herr Krause und sein Sohn Patrick sind im Supermarkt, sie warten an der Kasse. Patrick möchte Süßigkeiten: „Papa, kaufst _______ _______ Gummibärchen? Bitte!"

Herr Krause denkt: „Immer Süßigkeiten! Das ist nicht gut für Patrick." _______ sagt: „Nein, Patrick, heute kaufe _______ _______ keine Gummibärchen. Außerdem haben _______ noch Süßigkeiten zu Hause."
Jetzt weint Patrick. _______ denkt: „Papa ist gemein. Gut, dann weine _______ halt. Dann schauen alle Leute zu _______ . Das gefällt _______ nicht. Vielleicht kauft _______ _______ ja dann Gummibärchen?" Patrick weint ein bisschen lauter.

Herr Krause ist nervös: Alle Leute schauen zu _______ . Aber _______ bleibt hart: „Nein, heute nicht! Hör auf zu weinen! Alle Leute schauen schon zu _______ ."

Die Kassiererin denkt: „So ein Theater! Warum kauft _______ _______ nicht endlich die Gummibärchen? Die sind doch nicht teuer!" Aber _______ sagt nur: „Das macht 35 Mark 60."
Herr Krause gibt _______ einen Hundertmarkschein und sagt: „Immer Tränen an der Kasse – das gefällt _______ doch sicher auch nicht. Warum stellen _______ die Süßigkeiten nicht ins Regal?"

ARBEITSBUCH B 3

C

Können Sie mir helfen?

C 1 36

Lesen Sie die Sonderangebote, hören Sie die Durchsagen und ergänzen Sie die Preise.

ARBEITSBUC C 1-C

100 Gramm Camembert	1,49	DM	eine Packung Schokolade	______	DM
Tiefkühl-Pizza	______	DM	fünf Kilo Kartoffeln	______	DM
ein Kilo Lammfleisch	______	DM	ein Kasten Bier	______	DM
3-Kilo-Paket Waschmittel	______	DM	ein halbes Pfund Butter	______	DM
Odenwälder Hefezopf	______	DM	1-Liter-Flasche Orangensaft	______	DM
eine Dose Tomaten	______	DM			
tiefgekühlte Fischfilets	______	DM			

man schreibt	**man sagt**
3,48 DM	drei Mark achtundvierzig
1,– DM	eine Mark
0, 99 DM	neunundneunzig Pfennig

Fragen und antworten Sie.

○ *Wie viel kostet der Camembert ?*
□ *100 Gramm kosten … Mark …*

▲ *Was kosten die Kartoffeln?*
▼ *…*

ARBEITSBUC C 3-C

C 2 Sprechen Sie über das Bild: Wo findet man …?

Wo findet man Fisch? ↘ — *Fisch?* ↗ *Vielleicht bei der Tiefkühlkost.* ↘
Und Waschmittel? ↗ — *Ich glaube,* → *bei den Haushaltswaren.* ↘
Und wo … ? — *Bei …*

§ 7e

Wo?	*f*	*m*	*n*
Singular:	**bei der** Tiefkühlkost	**beim** Käse	**beim** Gemüse / Obst
Plural:	**bei den** Getränken / Gewürzen / Haushaltswaren / Milchprodukten / Spezialitäten …		

ARBEITSBUCH C 5-C 6

C 3 Wer möchte was? Wer sucht was? Hören und markieren Sie.

37

Die Kundin/der Kunde möchte

Dialog	
☐	einen Salat machen.
1	einen Kuchen backen.
☐	leere Flaschen zurückgeben.

Die Kundin/der Kunde sucht

Dialog	
☐	Quark.
☐	Hefe.
☐	Sardellen.
☐	die Leergut-Annahme.
☐	die Kasse.

C 4 Wer sagt das? Markieren Sie.

K *die Kundin / der Kunde* — *A* *die Angestellte / der Angestellte*

K	Entschuldigung …	☐	Vielen Dank.	☐	Entschuldigen Sie bitte …
☐	Können Sie mir helfen?	☐	Keine Ursache.	☐	Ich suche …
☐	Was suchen Sie denn?	☐	Kann ich Ihnen helfen?	☐	Danke.
☐	Wo finde ich denn … ?	☐	Nichts zu danken.	☐	Bitte, bitte.

Entschuldigen Sie **bitte**, …
(So beginnt man oft ein Gespräch.)
Kann ich Ihnen helfen? *(ein Angebot)*
Hefe finden Sie bei den Milchprodukten.
Vielen Dank. *(am Ende)*

Ja, bitte. *(„Ich helfe Ihnen gern. Was möchten Sie?")*
Ja, bitte. *(Antwort auf ein Angebot: „Ja, bitte helfen Sie mir.")*
Wie bitte? *(„Ich verstehe nicht. Bitte noch einmal.")*
Bitte. / Bitte, bitte. / Bitte sehr. *(Antwort auf „danke")*

37 **Hören Sie noch einmal und vergleichen Sie.**

ARBEITSBUCH C 7-C 8

C 5 **Arbeiten Sie zu zweit und spielen Sie „Supermarkt".**

Partner A:
Das ist Ihr Supermarkt. Wo steht was?
Ergänzen Sie.

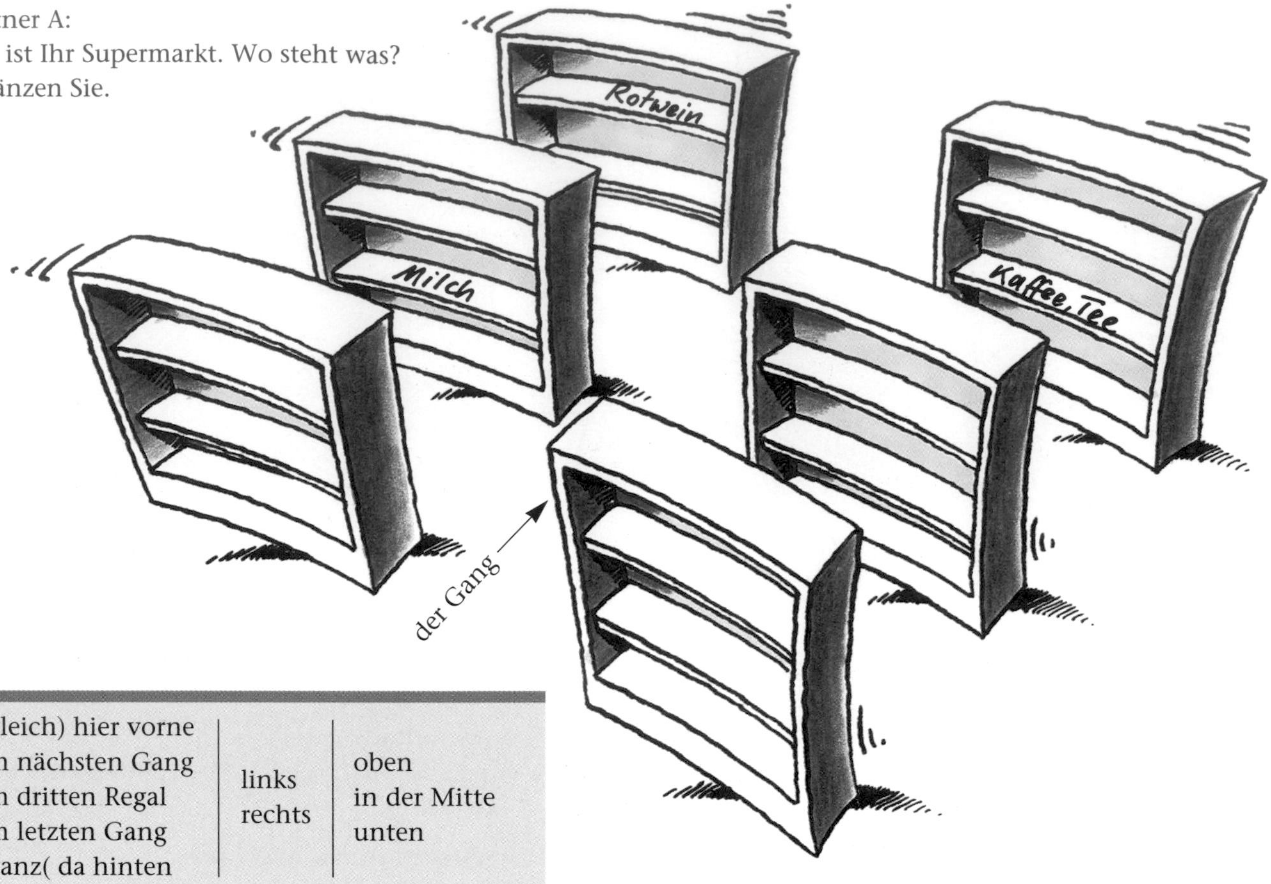

(gleich) hier vorne im nächsten Gang im dritten Regal im letzten Gang (ganz(da hinten	links rechts	oben in der Mitte unten

Partner B:
Was brauchen Sie? Schreiben Sie einen Einkaufszettel.

Brot ◆ Butter ◆ Curry ◆ Eier ◆ Eis ◆ Erdnüsse ◆ Fisch ◆ Gulasch ◆ Joghurt ◆ Kaffee ◆ Kartọffeln ◆ Käse ◆ Kaugummis ◆ Kuchen ◆ Mehl ◆ Milch ◆ Miner<u>a</u>lwasser ◆ Pfeffer ◆ Pizza ◆ Putzmittel ◆ Reis ◆ Sal<u>a</u>t ◆ Schinken ◆ Schokol<u>a</u>de ◆ Tee ◆ Tom<u>a</u>ten ◆ Waschmittel ◆ Wein ◆ Würstchen ◆ Zeitungen ◆ Zigarẹtten ◆ Zucker ◆ ...

Jetzt fragen und antworten Sie. Partner A schreibt dabei den Einkaufszettel von Partner B, Partner B ergänzt den Plan im Buch.

- *Entschuldigen Sie,→ wo finde ich Milch? ↘*
  - *Milch? ↗ Gleich hier vorne links. ↘*
- *Entschuldigung,→ wo gibt es ... ? ↘*
  - *Im nächsten Gang rechts. ↘ Das steht unten,→ bei ... ↘*
- *Können Sie mir helfen? ↗ Ich suche Tee. ↘*
  - *Tee? ↗ Ich glaube, → da hinten rechts. ↘*
    Tut mir Leid,→ das weiß ich auch nicht. ↘

Vergleichen Sie die Pläne und die Einkaufszettel.

D Der Ton macht die Musik

D 1 38

Hören Sie und singen Sie mit.

Bruder Jakob im Supermarkt

1 Oh, Verzeihung ...
Oh, Verzeihung ...

2 Bitte sehr?
Bitte sehr?

3 Können Sie mir helfen?
Können Sie mir helfen?

4 Kein Problem.
Kein Problem.

D 2

Jetzt schreiben Sie ein paar Strophen.

1 Wo gibt's hier denn ... ?
Ich brauch' auch noch ...
Und wo ist | die / der / das | ... ?

2 Erdbeereis ◆ Weizenbier ◆ Dosenmilch ◆
Kopfsalat ◆ Buttermilch ◆ Hammelfleisch ◆
Klopapier ◆ Camembert ◆ Apfelsaft ◆
Magerquark ◆ frische(n) Fisch ◆ Erdnussöl ◆

3 Die / Der / Das | ist ganz da hinten. / ist gleich hier vorne.
Nächster Gang links oben.
In der Tiefkühltruhe.
Weiß ich leider auch nicht.

... ? | Die / Den / Das | gibt's nicht.
Letzter Gang rechts unten.
Kommt erst nächste Woche.

4 Vielen Dank!
Danke sehr!
Danke schön!
So ein Mist!
Dann halt nicht!

ARBEITSBUCH D 1-D 6

E Im Feinkostladen

E 1

Was gibt es im Feinkostladen? Raten Sie mal!

Gibt es hier Waschmittel? ↗
Gibt es hier Gewürze? ↗

– ? +

Nein. ↘ *Das ist doch ein Feinkostgeschäft.* ↘
Ich glaube nicht. ↘
Ich weiß nicht. ↘
Vielleicht. →
Ich glaube, ja. ↘
Ja, natürlich. ↘

E 2

Was kauft die Kundin? Hören und markieren Sie.

39

Butter Butterkäse Dosenmilch Kaffee Tee Orangen Kandiszucker Walnussöl Wein

geschnitten 1 kg 1 Pfund $^1/_2$ Pfund 50g $^1/_4$ l 1 Tüte 1 Paket 1 Dose 1 Flasche

E 3

Wer sagt was? Markieren Sie bitte.

K = Kundin *V = Verkäufer*

_K_ Guten Tag. ↘
_V_ Guten Tag. ↘ Sie wünschen? ↗

___ Darf's sonst noch etwas sein?
___ Nein, danke. Das wär's.
___ Das macht dann 18,20 DM.
___ Möchten Sie vielleicht eine Tüte?

___ Aber natürlich. Eine kleine Flasche?
___ Ja, sehr gut.

___ Ich hätte gern 250 Gramm Butterkäse.
___ Darf's ein bisschen mehr sein?

___ Nein, danke. Das geht so. Wiedersehen!
___ Vielen Dank und auf Wiedersehen!

___ Ja, das ist in Ordnung.
___ Sonst noch etwas?
___ Haben Sie auch Jasmintee?

___ Ja. Ein Paket Kandiszucker, bitte.
___ Bitte sehr. Sonst noch etwas?
___ Ich brauche noch Öl. Haben Sie Walnussöl?

___ 100 Gramm zu 6,75.
___ Ja, gut, den probiere ich mal. Aber bitte nur eine kleine Tüte.
___ Haben Sie noch einen Wunsch?

___ Nein, leider nicht. Aber wir haben zur Zeit einen sehr guten Darjeeling im Angebot.
___ Was kostet der denn?

39 **Was kommt zuerst? Sortieren Sie den Dialog. Dann hören und vergleichen Sie.**

39 **Markieren Sie den Satzakzent (___) und die Satzmelodie (↗, → oder ↘). Dann hören Sie den Dialog noch einmal, vergleichen Sie und sprechen Sie nach.**

ARBEITSBUCH E 1-E 3

E 4

Schreiben Sie einen Einkaufszettel und spielen Sie „Einkaufen".

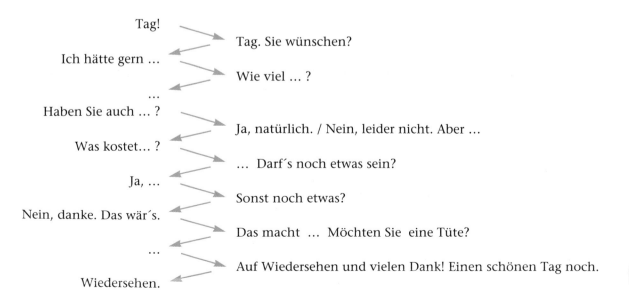

Tag! → Tag. Sie wünschen?
Ich hätte gern … → Wie viel … ?
…
Haben Sie auch … ? → Ja, natürlich. / Nein, leider nicht. Aber …
Was kostet… ? → … Darf´s noch etwas sein?
Ja, … → Sonst noch etwas?
Nein, danke. Das wär´s. → Das macht … Möchten Sie eine Tüte?
… → Auf Wiedersehen und vielen Dank! Einen schönen Tag noch.
Wiedersehen.

ARBEITSBUCH E 4

F Zwischen den Zeilen

F 1

Wie sind die Dialoge? Hören und markieren Sie.

40

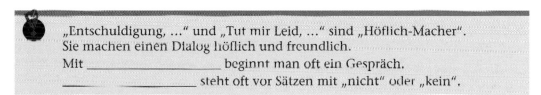

	😊	😐	☹
Dialog 1	X		
Dialog 2			
Dialog 3			

Was macht den Dialog freundlich? Diskutieren Sie.

schnell/langsam sprechen ◆ Entschuldigung, … ◆ Tut mir Leid, … ◆ viel / wenig Information ◆ Satzmelodie nach oben (↗) ◆ Satzmelodie nach unten (↘)

F 2

„Tut mir Leid" oder „Entschuldigung" / „Verzeihung" / „Entschuldigen Sie"

1 *Entschuldigen Sie*, wo gibt es hier Hefe?
Ich weiß auch nicht genau. Schauen Sie doch mal bei den Milchprodukten, ganz da hinten links.

2 ______, können Sie mir helfen? Wo finde ich frischen Fisch?
______, wir haben keinen frischen Fisch. Fisch gibt es nur bei der Tiefkühlkost.

3 ______, ich suche Erdnussöl.
______, das haben wir nicht mehr. Das bekommen wir erst nächste Woche wieder .

4 ______, wo ist denn hier die Leergut-Annahme?
______, das weiß ich auch nicht.

5 ______, was kosten denn die Sardellen hier?
______, das weiß ich auch nicht. Ich bin kein Verkäufer. Fragen Sie doch mal an der Kasse.

41 **Hören und vergleichen Sie. Dann ergänzen Sie die Regel.**

„Entschuldigung, …" und „Tut mir Leid, …" sind „Höflich-Macher".
Sie machen einen Dialog höflich und freundlich.
Mit ______ beginnt man oft ein Gespräch.
______ steht oft vor Sätzen mit „nicht" oder „kein".

Üben Sie zu zweit: zuerst ohne „Höflich-Macher", dann mit „Höflich-Machern".

ARBEITSBUCH F 1-F 3

G Gib mir doch mal einen Tipp!

G 1

42-45

Was passt zusammen? Wie viele Personen sprechen? Wo sind die Leute? Hören und ergänzen Sie.

im Deutschkurs ◆ in der Kneipe ◆ im Büro

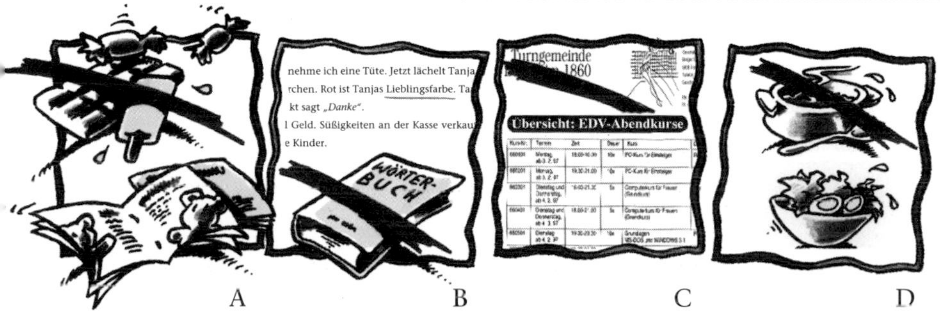

A B C D

Dialog	Bild	Personen	Ort
1	*B*	*3*	*im Deutschkurs*
2			
3			
4			

G 2

Was passt zusammen? Lesen und markieren Sie.

1 Was heißt denn „Lieblingsfarbe"? c, j
2 Ich möchte den Kindern eine Kleinigkeit mitbringen. Hast du eine Idee? ______
3 Nach dem Volleyball habe ich immer Hunger. ______
4 Du kennst doch die Kneipe hier. Gib mir mal einen Tipp. ______
5 Herr Ober! Ich möchte eine Kleinigkeit essen. Geben Sie mir doch mal einen Tipp. ______
6 Wir möchten mehr Deutsch sprechen und mehr Kontakt mit Deutschen haben. ______

a) Macht doch einen Kurs bei der Volkshochschule!
b) Dann iss doch etwas!
c) Schau doch ins Wörterbuch!
d) Bestell doch eine Gulaschsuppe oder ein Paar Würstchen.
e) Kauf ihnen doch ein paar Süßigkeiten!
f) Nehmen Sie eine Gulaschsuppe. Die ist heute sehr gut.
g) Kauf ihnen Bilderbücher – das passt immer.
h) Nimm doch einen Salat! Der ist wirklich gut hier.
i) Geht in einen Verein!
j) Frag doch die Lehrerin!

42-45 **Hören Sie noch einmal und vergleichen Sie. Dann üben Sie zu zweit.**

G 3

Der Imperativ: Vergleichen Sie die Sätze und ergänzen Sie.

	Fragesatz	Imperativsatz (Ratschlag, Bitte)
du	**Kaufst du** ihnen ein paar Süßigkeiten? ↗	**Kauf** ihnen **doch** ein paar Süßigkeiten. ↘
	Gibst du mir einen Tipp? ↗	**Gib** mir **mal** einen Tipp. ↘
ihr	**Macht ihr** einen Kurs? ↗	**Macht** einen Kurs! ↘
	Geht ihr in einen Verein? ↗	**Geht** in einen Verein! ↘
Sie	**Geben Sie** mir einen Tipp? ↗	**Geben Sie** mir **doch mal** einen Tipp! ↘
	Nehmen Sie eine Gulaschsuppe? ↗	**Nehmen Sie** eine Gulaschsuppe. ↘

§ 3

Am Ende ◆ am Anfang ◆ „doch" und „mal" ◆ „du" und „ihr"

Im Imperativsatz steht das Verb ______________________ .
Es gibt kein ______________________ und keine „-st"-Endung.
______________________ steht oft ein Ausrufezeichen („!").
Die Wörter ______________________ machen den Ratschlag oder die Bitte freundlich und höflich.

G 4

Spielen Sie zu zweit oder zu dritt.

Ein wirklich netter Besuch

hereinkommen ◆ Platz nehmen ◆ noch ein Stück Kuchen essen ◆ noch eine Tasse Kaffee trinken ◆ noch etwas bleiben ◆ einen Likör nehmen ◆ zum Abendessen bleiben ◆ noch ein Bier trinken ◆ *noch* ein Bier trinken ◆ ein Taxi nehmen ◆ bald wieder mal zu Besuch kommen ◆ gut nach Hause kommen

Zu zweit:
Komm doch herein. Kommen Sie doch herein.
Nimm Platz. Nehmen Sie …
…

Zu dritt:
Kommt … Kommen Sie …

Ein paar Antworten:
Vielen Dank.
Ja, gerne.
Nein, danke.
Na gut.
Das ist eine gute Idee.
Ach nein.
Lieber nicht.
Gern, danke.
Oh, es ist schon spät!

ARBEITSBUCH G 1-G

G 5

Schreiben Sie ein Problem auf einen Zettel.

Ein paar Probleme:

… hat Geburtstag. Sie möchten ein Geschenk kaufen.
Sie sind im Kaufhaus. Es gibt ein Sonderangebot, aber Sie haben zu wenig Geld dabei.
Sie sind unterwegs und haben Hunger oder Durst.
Sie brauchen einen Teppich, aber Sie haben nicht viel Geld.
Die Kinder möchten immer fernsehen – Sie möchten das nicht.
Sie brauchen die Telefonnummer von …
Sie möchten besser Deutsch lernen.

Meine Kollegin hat nächste Woche Geburtstag. Ich möchte ihr etwas schenken. Habt ihr eine Idee?

Arbeiten Sie zu dritt oder zu viert. Bitten Sie um Rat und geben Sie Ratschläge.

Helft mir doch mal! ◆ Habt ihr eine Idee? ◆ Gebt mir doch mal einen Tipp.

Ein paar Tipps:

Frag doch die anderen Kollegen!
Verkauf doch den Fernseher!
Geh doch zu … – da gibt es günstige Sonderangebote.
Kauf dir doch …
Schau doch mal ins …
…

Ein paar Antworten:

Ich weiß nicht.
Das finde ich nicht so gut.
Habt ihr noch andere Ideen?
Das ist eine gute Idee.
Genau! …
Stimmt! …

ARBEITSBUCH G 4

H

Eine Bildgeschichte

ARBEITSBUCH H 1-H 3

Kurz & bündig

Der Dativ § 7c, 16a

Mama, kaufst du **mir** einen Lolli?	Nein, ich kaufe **dir** keinen Lolli.
Papa, kaufst du **uns** ein Eis?	Nein, ich kaufe **euch** heute kein Eis.
Ich gebe **ihm** das Feuerzeug!	Du gibst **ihr** jetzt sofort das Feuerzeug zurück!
Der Vater kauft **ihnen** keine Süßigkeiten.	

Ortsangaben: § 6b, 7e

Kaffee? **Im nächsten Gang rechts oben.**
Joghurt? **Bei den Milchprodukten.**
Pizza? **Bei der Tiefkühlkost.**
Süßigkeiten? Die finden Sie **an der Kasse.**
Die sind **im ersten, zweiten, nächsten, dritten, ... letzten** Gang/Regal.

Verpackungen, Maße und Preise

Ich hätte gern **ein halbes Pfund** Butterkäse.	**Am Stück** oder **geschnitten**?
Geschnitten. Und **einen Kasten** Bier, bitte.	„Mirdir" ist im Sonderangebot: nur **16 (Mark)** 95.
Dann möchte ich noch eine Tiefkühl-Pizza.	Die **400-Gramm-Packung**?
Ja, bitte. Und **zwei Dosen** Tomaten.	Wir haben nur frische Tomaten. **Ein Pfund**?
Ja, gut. Was kosten die Überraschungseier?	**95 Pfennig** das Stück.
Eins, bitte. Und **einen Liter** Milch.	**Eine Tüte** oder **eine Flasche**?
Eine Flasche. Und **ein Paket** Waschpulver.	Das **3 Kilo-Paket** oder das **5 Kilo-Paket**?
3 Kilo. Und **ein Viertel (Pfund)** Wurst, bitte.	**125 Gramm** Wurst. Noch etwas?
Eine Schachtel Marlboro. Das wär's dann.	Das macht zusammen **27 (Mark) 50.**

Der Imperativ § 3, 8b

Was heißt denn „Lieblingsfarbe?"	**Schau** *doch mal* ins Wörterbuch. ↘ Oder **frag** die Lehrerin. ↘
Wir möchten eine Kleinigkeit essen.	**Nehmt doch** eine Gulaschsuppe. ↘

Sprechen Sie über das Bild und **erzählen Sie** eine Geschichte. ↘

Nützliche Ausdrücke

Entschuldigung, können Sie mir helfen? ↗	**Ja, bitte.** ↘ Was suchen Sie denn? ↘
Wo finde ich Walnussöl? ↘	**Tut mir Leid,** → das weiß ich nicht. ↘
Gibt es hier auch Sardellen? ↗	**Ja, natürlich.** ↘ Bei den Spezialitäten. ↘
Vielen Dank. ↘	**Bitte** (,bitte). ↘
Ich hätte gern ein Pfund Lammfleisch. ↘	**Darf's ein bisschen mehr sein?** ↗
Ja, → **das ist in Ordnung.** ↘	
Haben Sie auch Jasmintee? ↗	**Nein,** → **leider nicht.** ↘ Aber wir haben einen sehr guten Darjeeling **im Angebot.** ↘
Ja, → **gut.** ↘ **Den probiere ich mal.** ↘	**Haben Sie noch einen Wunsch?** ↗
Eine Dose Tomaten, → **bitte.** ↘	**Sonst noch etwas?** ↗
Nein, → **danke.** ↘ **Das wär's.** ↘	**Das macht (zusammen)** 18 (Mark) 65. ↘
Ich möchte ihr etwas schenken. ↘ **Habt ihr eine Idee?** ↗	Kauf ihr doch ein Buch ↘ – **das passt immer.** ↘
Stimmt! ↘ **Das ist eine gute Idee.** ↘	
Kommt herein und **nehmt Platz.** ↘	Vielen Dank. ↘ ... Oh, **es ist schon spät.** ↘
Bleibt doch noch etwas und trinkt noch ein Bier. ↘	**Lieber nicht.** ↘ ... **Na gut.** ↘
Kommt gut nach Hause. ↘	

Arbeit und Freizeit

LEKTION 5

A Traumberufe: Berufsanfänger besuchen Profis

ARBEITSBUCH A 1-A 2

A 1 Was sind die Leute von Beruf? Ergänzen Sie.

A Nina Ruge ________

B Jim Rakete ________

C Jochen Senf ________

D Ricarda Reichart ________

E Jürgen Klinsmann ________

F Claudia Schiffer ________

G Andi Weidl ________

H Martina Schmittinger *Flugbegleiterin*

Ärztin ◆ ~~Flugbegleiterin~~ ◆ Fotograf ◆ Fotomodell ◆ Fußballspieler ◆ Journalistin ◆ Schauspieler ◆ Lokführer

● *Ich glaube, Nina Ruge ist Journalistin.*
■ *Vielleicht ist sie ja auch Fotomodell.*
▲ …

A 2 Was passt zu welchen Berufen? Sprechen Sie über die Berufe.

ARBEITSBUCH A 3-A 4

Stress haben ◆ wenig Zeit für die Familie haben ◆ den Menschen helfen ◆ wenig Freizeit haben ◆ lange Arbeitszeiten haben ◆ alleine arbeiten ◆ keine festen Arbeitszeiten haben ◆ nachts arbeiten ◆ im Team arbeiten ◆ mit vielen Leuten arbeiten ◆ viel unterwegs sein ◆ viel reisen ◆ viele Fans haben ◆ viel Geld verdienen ◆ ein festes Einkommen haben ◆ freiberuflich arbeiten ◆ …

● *Den Beruf Fotomodell finde ich interessant.* ↘
■ *Ein Fotomodell reist viel* → *und verdient viel Geld.* ↘
▲ *Ja,* → *aber ein Fotomodell hat auch viel Stress.* ↘ *Das finde ich nicht so gut.* ↘
▼ …
● *Den Beruf Fußballspieler finde ich …*

A 3 46-49

Hören Sie die Dialoge und ergänzen Sie.

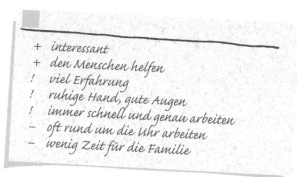

Dialog	Bild	Beruf	Name
1	G		
2			
3			
4			

A 4

Lesen Sie die Notizen zu den Interviews. Wer sagt was?

- \+ nie langweilig
- \+ im Team arbeiten
- – meistens nachts arbeiten
- – immer Stress
- ! alle Texte selbst schreiben
- ! ganz unten anfangen
- ! hart arbeiten
- ! Konkurrenz groß → Glück

- \+ interessant
- \+ den Menschen helfen
- ! viel Erfahrung
- ! ruhige Hand, gute Augen
- ! immer schnell und genau arbeiten
- – oft rund um die Uhr arbeiten
- – wenig Zeit für die Familie

- \+ Traumberuf
- ! Interesse an der Technik
- ! Geduld: Ausbildung dauert 5 Jahre
- \+ abwechslungsreich, interessant
- \+ allein arbeiten („mein eigener Chef")
- – manchmal nachts arbeiten (→ freie Tage)
- – wenig Zeit für Familie (→ kein Problem: ledig)
- ! flexibel bei der Arbeitszeit sein

---

4 Jim Rakete

- \+ viel reisen

46-49 **Hören Sie noch einmal, vergleichen Sie und ergänzen Sie die Notizen zu Dialog 4.**

A 5

Wie finden die Leute ihre Berufe? Welche Vorteile und Nachteile gibt es? Was ist wichtig? Arbeiten Sie zu dritt.

§ 10a

neutral	+ (=Vorteile)	– (=Nachteile)	! (=wichtig)
	„Ich arbeite gerne allein." ↓	„Ich arbeite nicht gerne allein." ↓	
Ich arbeite allein.	Ich **kann** allein arbeiten.	Ich **muss** allein arbeiten.	Man **muss** flexibel sein.

● *Frau Reichart sagt, ihr Beruf ist sehr interessant. Sie kann den Menschen helfen.*

■ *Aber sie muss oft rund um die Uhr arbeiten und sie hat wenig Zeit für die Familie.*

▲ *Sie sagt, ein Chirurg muss viel Erfahrung haben. Er muss eine ruhige Hand und gute Augen haben und …*

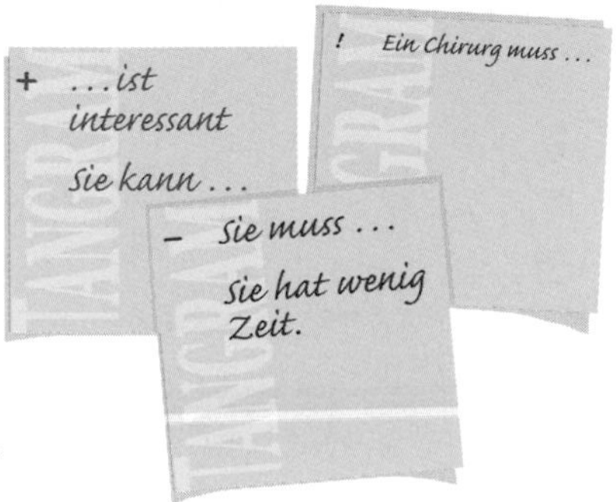

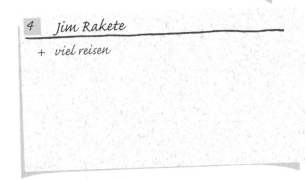

Welche Berufe finden Sie interessant? Warum? Diskutieren Sie.

ARBEITSBUCH A 5

A 6

Wer arbeitet wo? Machen Sie eine Liste.

Journalisten ◆ Schauspieler ◆ Ärzte ◆ Lehrerinnen ◆ Kellner ◆ Verkäufer ◆ Sekretärinnen ◆ …

bei der Zeitung ◆ bei der Deutschen Bahn ◆ bei der Volkshochschule ◆ beim Fernsehen ◆ beim Film ◆ beim Theater ◆ in der eigenen Praxis ◆ in der Schule ◆ im Büro ◆ im Café ◆ im Kaufhaus ◆ im Krankenhaus ◆ im Restaurant ◆ im Supermarkt ◆ im Hotel ◆ zu Hause

§ 7e, 19a

Wo?	*f*	*m*	*n*
bei (+ Dativ)	bei der Zeitung	bei dem → **beim** Film	bei dem → **beim** Fernsehen
in (+ Dativ)	in der Schule	in dem → **im** Supermarkt	in dem → **im** Büro

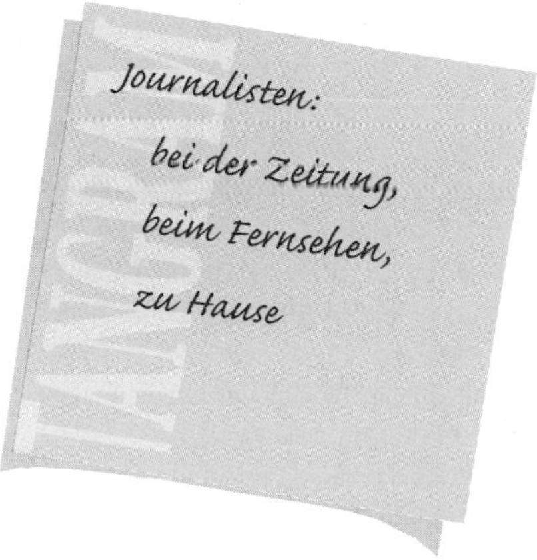

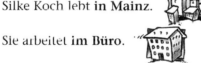

Arbeiten Sie zu zweit oder zu dritt und vergleichen Sie.

● *Journalisten arbeiten bei der Zeitung.* ↘

■ *Und beim Fernsehen.* ↘

▲ *Oder freiberuflich.* ↘ *Dann arbeiten Sie zu Hause.* ↘

▼ …

Und wo arbeiten Sie? Machen Sie eine Kursliste.

A 7

Lesen Sie die Sätze.

Silke Koch lebt **in Mainz**. 

Sie arbeitet **im Büro**. 

Sie ist Sekretärin **bei Becker & Co.** 

Ihre Tochter Julia arbeitet **bei der Ökonbank**. 

Ihr Mann ist Kameramann **beim Fernsehen, beim ZDF**. 

Heute ist er **in der Ökonbank** und dreht dort einen Film. 

Ihr Sohn Patrick studiert **in Italien**. 

Er möchte Schauspieler **beim Theater** werden. 

Er ist oft **im Theater**: er besucht alle Vorstellungen. 

Ergänzen Sie die Regel.

§ 7e

in ◆ in der ◆ im ◆ bei ◆ bei der ◆ beim

Mit den Präpositionen „**bei**" und „**in**" sagt man, wo jemand oder etwas ist.

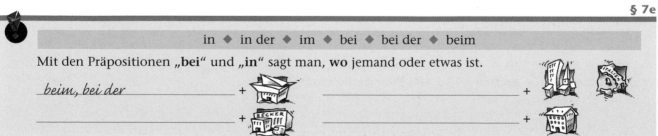

beim, bei der __________ +    __________ +  

__________ +    __________ + 

ARBEITSBUCH A 6–A 7

A 8

Ratespiel: Was bin ich von Beruf?

Arbeitest du im Team? ↗ — *Nein.* ↘
Arbeitest du im Büro? ↗ — *Nein.* ↘
Musst du auch nachts arbeiten? ↗ — *Ja.* ↘
Hast du ein festes Einkommen? ↗ — *Nein.* ↘
…

…
Sind Sie viel unterwegs? ↗ — *Ja.* ↘
Fliegen Sie oft? ↗ — *Nein.* ↘
Brauchen Sie ein Auto? ↗ — *Ja.* ↘
Sind Sie Taxifahrerin? ↗ — *Ja.* ↘

ARBEITSBUCH A 8

B

Wochenende – und jetzt?

B 1

Welche Tipps finden Sie interessant?

ARBEITSBUCH B 1-B

tanzen / essen / spazieren gehen ◆
in den Zoo gehen ◆
einen Einkaufsbummel / Ausflug machen ◆
in die Oper / Disko / Stadt gehen ◆
Musik hören ◆
ins Kino / Theater / Konzert / Museum gehen ◆
zur Fotobörse gehen ◆ zum Flohmarkt gehen ◆
zum Fußball / Eishockey / Pferderennen gehen

Ich finde die Film-Tipps interessant. ↘
Ich gehe auch gern ins Kino. ↘
Ich gehe nicht gern ins Kino. ↘ *Ich gehe gern tanzen.* ↘ *Ich finde …*

§ 7d

→ *Wohin?*	*f*	*m*	*n*
in (+ Akkusativ)	in die Disko	in den Park	in das → **ins** Kino
zu (+ Dativ)	zu der → **zur** Fotobörse	zu dem → **zum** Flohmarkt	zu dem → **zum** Fußballspiel

Was macht man in Ihrem Land am Wochenende?

In … besuchen die Leute am Wochenende oft Freunde, oder sie …
Bei uns geht man am Wochenende …

B 2 50

Hören Sie die Film-Tipps und notieren Sie die Uhrzeiten.

man schreibt	man sagt
17.30 Uhr	siebzehn **Uhr** dreißig
20.15 Uhr	zwanzig **Uhr** fünfzehn

Cinema:	*Echte Kerle:*	um 15.15 Uhr, 17.30 Uhr und ______ Uhr
Eden:	*Nicht schuldig:*	um 18 Uhr und ______ Uhr, am Samstag auch um ______ Uhr
Eldorado:	*Leon – der Profi:*	um ______ Uhr und ______ Uhr, am Samstag auch um ______ Uhr
Elite:	*Der Schutzengel:*	um ______ Uhr, ______ Uhr und ______ Uhr, am Samstag auch um ______ Uhr
Esplanade:	*Birdcage:*	um ______ Uhr, ______ Uhr, ______ Uhr und ______ Uhr
Europa:	*Zwielicht:*	um ______ Uhr, ______ Uhr, ______ Uhr und ______ Uhr

B 3 51

Wie sagen die Leute die Uhrzeiten? Hören und markieren Sie.

	Der Kinodienst sagt:	Die Leute sagen:
Dialog 1	um siebzehn Uhr dreißig	um halb sechs
Dialog 2	um fünfzehn Uhr fünfzehn	______
Dialog 3	um siebzehn Uhr fünfundvierzig	______
Dialog 4	um zwanzig Uhr dreißig	______
	um dreiundzwanzig Uhr	______

ARBEITSBUCH B 3

B 4

Wie spät ist es? Üben Sie zu zweit.

1
● *Entschuldigung, wie spät ist es, bitte?*
■ *Es ist neunzehn Uhr fünfunddreißig.*
● *Danke.*

2
● *Verzeihung, wie viel Uhr ist es, bitte?*
■ *Fünf nach halb acht.*
● *Vielen Dank.*

13.58 Uhr	(Es ist) **gleich** zwei
	(Es ist) **kurz vor** zwei.
14.00 Uhr	(Es ist) **genau** zwei.
14.03 Uhr	(Es ist) **kurz nach** zwei.

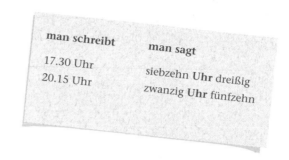

B 5

Was möchten Sie am Samstag machen?

Notieren Sie eine Veranstaltung aus dem Veranstaltungskalender.

am Vormittag	am Mittag	am Nachmittag	am Abend
9–12 Uhr	11–14 Uhr	13–18 Uhr	18–22 Uhr

Samstag, 12. August

Musik

Rock / Pop / Folk

im Al Andalus
20.15 Flamenco-Musik

im Irish Pub
21.30 Mr. Nelly

Mixed Music in der Festhalle
20.00 Die Toten Hosen (Punk)

im Unterhaus (Mainz)
19.30 Peter Horton & Slava Kantcheff (Gitarren-Musik)

Jazz

im Jazzkeller
21.00 Abbey Lincoln

in der Alten Oper
20.30 Maceo Parker, 34,–

Party / Disko

im Bürgerhaus Bornheim
22.00 Salsa Disko

im Ka Eins
21.00 Tango Café, 8,-

im Jazzkeller
22.00 Swingin Latin Funky Disko

TONIGHT
Fisch sucht Fahrrad – die Party mit der Nummer
Sommer-Spezial
im Bürgerhaus Goldstein

im Park Café
21.15 Karaoke mit Michael

im Lindenbaum
21.00 Oldie Abend, frei

Theater

im Schauspielhaus
20.00 Die letzten Tage der Menschheit, von Karl Kraus

im Musical Theater (Offenbach)
20.30 Tommy, Broadway Musical

Querbeet
Frisches Obst & Gemüse aus biologischem Anbau
frei Haus in Frankfurt am Main und OF
Tel. / Fax 06035 / 920075

in der Burg (Friedberg)
19.30 Romeo und Julia, von William Shakespeare

Varieté

im Tigerpalast
20.00, 23.00 internationale Varieté-Revue

im Neuen Theater Höchst
16.00, 20.00 Varieté am Samstag

Programmkino

im Filmforum Höchst
18.00 Eine Couch in New York
20.30 Paris, Texas, von Wim Wenders

im Kommunalen Kino
16.00 Mord und Totschlag, von Volker Schlöndorff
18.00 Funny Bones (OmU)
20.30 Portrait: Buster Keaton

Sport

Eishockey

in der Eissporthalle
19.30 Frankfurt Lions – EHC Eisbären

Fußball

im Waldstadion
15.30 Eintracht Frankfurt – FC St. Pauli

Pferderennen

in Niederrad
13.00 Großer Preis von Hessen

Kunst

im Museum für Moderne Kunst
15.00 Andy Warhol & Joseph Beuys; Führung mit Dr. H. Beck

in der Jahrhunderthalle Höchst
11.00 Otto Mueller, Gemälde & Lithographien, Ausstellungseröffnung

Wohnkultur aus bestem Hause
art life
wohnstudio
61440 Oberursel
Oberhöchstädter Str. 8

Specials

Am Sachsenhäuser Mainufer
9.00 Flohmarkt (bis 16 Uhr)

im Bürgerhaus Bornheim
ab **11.00 Film- und Fotobörse Ankauf-Verkauf-Tausch** (bis 17 Uhr)

in der Hugenotten-Halle (Neu-Isenburg)
ab **10.30 Überraschungseier-Börse** (bis 16 Uhr)

Sonntag, 13. August

Musik

Rock / Pop / Folk

im Kurpark (Wiesbaden)
ab **16.00 Badesalz**

im Sinkkasten
21.30 Wahre Schule, HipHop

B 6

Suchen Sie eine Partnerin / einen Partner für Ihre Veranstaltung.

● *Möchten Sie* ***am*** *Samstagabend mit mir ins Theater gehen?* ↗ *In der Burg Friedberg gibt es „Romeo und Julia".* ↘

■ *Ja,* → *gerne.* ↘ *Und wann?* ↗

● ***Um*** *halb acht.* ↘

■ *Ja,* → *gut.* ↘ *Bis dann.* ↘

▲ *Gehst du am Samstagmittag mit mir zum Flohmarkt?* ↗

▼ *Wann denn?* ↘

▲ *So um zwölf oder eins.* ↘

▼ *Tut mir Leid,* → *da kann ich nicht.* ↘
Da gehe ich zur Fotobörse. ↘

● *Gehst du am Samstagabend mit mir tanzen?* ↗
Im Ka Eins gibt es „Tango Café." ↘

■ *Nein,* → *da habe ich keine Zeit.* ↘
Da gehe ich (mit …) ins Kino. ↘

Wann?	am + Tag (Samstag, Sonntag, …)
	um + Uhrzeit

ARBEITSBUCH B 4

C

Ich möchte ins Konzert gehen, aber ich muss lernen.

C 1

52-54

Hören Sie die Dialoge und ergänzen Sie.

~~essen gehen~~ ◆ für die Mathearbeit lernen ◆ in die Disko gehen ◆ ins Konzert gehen ◆ mitkommen
tanzen gehen ◆ ins Varieté gehen ◆ lesen und fernsehen ◆ zu Hause bleiben und packen

1 Ulrike möchte ________________. Klaus möchte ________________,
er möchte nicht ________ ________.
Ulrike und Klaus *gehen essen* ________ ________.

2 Herr Wingert möchte mit Frau Sander ________________.
Frau Sander kann am Wochenende nicht, sie muss ________________.

3 Miriam möchte ________________. Jan möchte ________________,
aber er muss ________________.
Samstag: Jan und Miriam ________________.
Sonntag: Jan und Miriam ________________.

C 2

Was passt zusammen? Lesen Sie die Sätze und sortieren Sie.

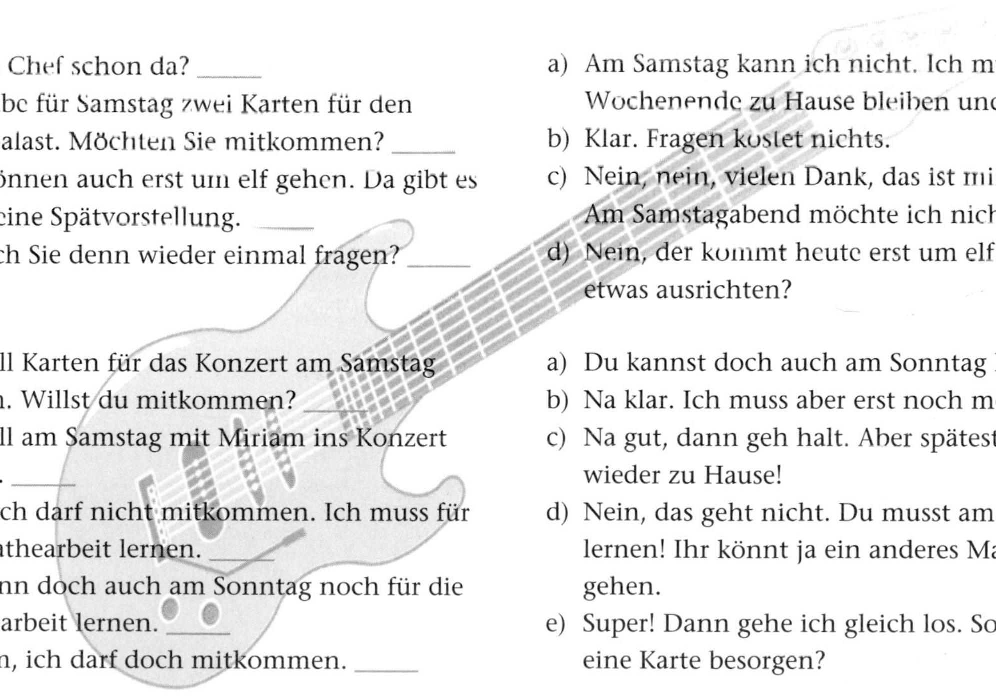

Dialog 1

1 Was machst du denn heute Abend? *d*
2 Das kannst du doch immer machen. Ich will heute in die Disko gehen. ____
3 Wollen wir zusammen essen gehen? ____
4 Soll ich dich abholen? ____

a) Ja, das ist eine gute Idee.
b) Ach nein, dazu habe ich keine Lust. Ich möchte heute nicht tanzen gehen.
c) Ja. Du kannst ja unten klingeln.
d) Ich will ein bisschen lesen und fernsehen.

Dialog 2

1 Ist der Chef schon da? ____
2 Ich habe für Samstag zwei Karten für den Tigerpalast. Möchten Sie mitkommen? ____
3 Wir können auch erst um elf gehen. Da gibt es noch eine Spätvorstellung. ____
4 Darf ich Sie denn wieder einmal fragen? ____

a) Am Samstag kann ich nicht. Ich muss am Wochenende zu Hause bleiben und packen.
b) Klar. Fragen kostet nichts.
c) Nein, nein, vielen Dank, das ist mir einfach zu viel. Am Samstagabend möchte ich nicht ausgehen.
d) Nein, der kommt heute erst um elf. Soll ich ihm etwas ausrichten?

Dialog 3

1 Ich will Karten für das Konzert am Samstag kaufen. Willst du mitkommen? ____
2 Ich will am Samstag mit Miriam ins Konzert gehen. ____
3 Mist, ich darf nicht mitkommen. Ich muss für die Mathearbeit lernen. ____
4 Ich kann doch auch am Sonntag noch für die Mathearbeit lernen. ____
5 Miriam, ich darf doch mitkommen. ____

a) Du kannst doch auch am Sonntag lernen.
b) Na klar. Ich muss aber erst noch meine Eltern fragen.
c) Na gut, dann geh halt. Aber spätestens um 11 bist du wieder zu Hause!
d) Nein, das geht nicht. Du musst am Wochenende lernen! Ihr könnt ja ein anderes Mal ins Konzert gehen.
e) Super! Dann gehe ich gleich los. Soll ich dir auch eine Karte besorgen?

52-54

Hören Sie noch einmal und vergleichen Sie.

C 3 **Was passt wo? Suchen Sie für jede Gruppe zwei Sätze aus C 2 und markieren Sie die Modalverben.**

Wunsch
Modalverben
wollen,
möchten
Ich **will** mit Miriam ins Konzert gehen
TOTE HOSEN
MATHE
Ich **muss** für die Mathearbeit lernen.
Notwendigkeit
Modalverb
müssen
Ich **kann** doch auch am Sonntag lernen.
Möglichkeit
Modalverb
können
TAG / SAMSTAG / SONNTAG
FREI / FREI
Erlaubnis
Modalverb
dürfen
Miriam, ich **darf** mitkommen.
Miriam, ich **darf nicht** mitkommen.
Verbot
Modalverb
nicht dürfen
Jan **will** mit mir ins Konzert gehen. Ich kann ihm eine Karte kaufen. Will er das?
Soll ich dir auch eine Karte besorgen?
Angebot/
Vorschlag
Modalverb
sollen

C 4 **Ergänzen Sie Sätze aus C 2.**

		Verb 1 (Modalverb)			Verb 2 (Infinitiv)
1	*Ich*	*möchte*	*heute*	*nicht*	*tanzen.*
2		*Wollen*	*wir zusammen*		*essen gehen?*
3					
4					
5					
6					
7					
8					

Jetzt ergänzen Sie die Regel.

§ 4

Position 1 ◆ am Ende ◆ Position 2 ◆ zwei

Sätze mit Modalverben haben fast immer ____________ Verben *.
Das Modalverb steht auf ____________ oder auf ____________,
das Verb im Infinitiv** steht ____________.

(* Ausnahmen: Ich möchte ein Bier. Am Samstag kann ich nicht.)
(** Infinitiv: Diese Verbform steht immer im Wörterbuch.)

ARBEITSBUC C 1-C 3

C 5 **Arbeiten Sie zu zweit, wählen Sie eine Situation und spielen Sie den Dialog.**

1 Sie möchten mit einem Freund ins Theater gehen. Aber Ihr Freund möchte essen gehen.
2 Sie möchten mit einer Freundin in die Disko gehen. Sie sagt, sie muss Deutsch lernen.
3 Sie möchten zu Hause bleiben und lesen. Eine Freundin ruft an und möchte mit Ihnen Tennis spielen.
4 Sie möchten mit einem Freund zum Fußballspiel gehen. Aber er muss am Wochenende arbeiten.
5 Ein Freund möchte mit Ihnen zum Eishockeyspiel gehen. Sie haben Zeit, aber Sie finden Eishockey langweilig.
6 Ihr Sohn möchte in die Disko gehen. Sie meinen: Er muss für die Englischarbeit lernen.

D Zwischen den Zeilen

D 1 **Was passt wo? Ergänzen Sie.**

~~immer~~ ◆ manchmal ◆ meistens ◆ ~~nie~~ ◆ oft ◆ selten ◆ ~~nicht oft~~ ◆ ~~fast immer~~ ◆ fast nie ◆ ~~sehr oft~~

immer ______ ______ ______ ______ *nie*
fast immer ______
sehr oft *nicht oft*

D 2 **Was machen Sie wie oft? Machen Sie Notizen.**

am Wochenende arbeiten ◆ nachts arbeiten ◆ Stress haben ◆ ins Kino / Museum / ... gehen ◆ Musik hören ◆ in die Disko / ... gehen ◆ zum Flohmarkt / Fußball / ... gehen ◆ lesen ◆ tanzen / essen / ... gehen ◆ Gitarre / ... spielen ◆ ...

Ich

Was?	*Wie oft?*
am Wochenende arbeiten	*fast nie*
Stress	

Interviewen Sie Ihre Partnerin oder Ihren Partner und machen Sie Notizen.

- *Musst du manchmal am Wochenende arbeiten?* ↗
- *Ich bin Hausfrau,* → *da muss ich immer arbeiten.* ↘
- *Gehst du oft essen?* ↗
- *Nein,* → *nur selten,* → *vielleicht dreimal oder viermal im Jahr.* ↘ *Meistens essen wir zu Hause.* ↘
- ...

Meine Partnerin

Was?	*Wie oft?*
am Wochenende arbeiten	*immer (Hausfrau)*
essen gehen	*nur selten (meistens zu Hause)*

einmal am Tag
zweimal in der Woche
dreimal im Monat
viermal im Jahr

Berichten Sie über Ihre Partnerin oder Ihren Partner.

ARBEITSBUCH D 1-D 3

E

Termine, Termine!

E 1

Ergänzen Sie die fehlenden Monate.

ARBEITSBUCH E 1

April ◆ August ◆ Februar ◆ Juli ◆ November ◆ Oktober

In Deutschland beginnt das neue Jahr am 1. Januar.

Wann ist wo Sommer, ... ? Wann beginnt das neue Jahr?

● *In Chile ist im Dezember, → Januar → und Februar Sommer.* ↘
Das neue Jahr beginnt im Januar ↘ *– wie in Deutschland.* ↘

■ ...

E 2

Wann haben Sie Geburtstag? Machen Sie eine „Monatsschlange".

Ich habe im Januar Geburtstag.
Und ich im März.

Dann komme ich nach dir.
Ich habe im Juni Geburtstag.

Ich habe im August Geburtstag.

Dann kommst du vor mir.
Ich habe erst im September Geburtstag.

E 3

Machen Sie eine Geburtstagsliste für den Kurs.

● *Wann hast du Geburtstag?* ↘

■ *Am siebten Juli.* ↘ *Und du?* ↗

▲ *Wann haben Sie Geburtstag?* ↘

▼ *Am fünfzehnten August.* ↘ *Und Sie?* ↗

Geburtstagsliste
Salih 7. Juli
Ina 15. August

Die Ordinalzahlen

1. der **erste**	7. der **siebte**	19. der neunzehn**te**
2. der zweite	8. der achte	20. der zwanzig**ste**
3. der **dritte**	9. der neunte	21. der einundzwanzig**ste**
4. der vierte	10. der zehn**te**	32. der zweiunddreißig**ste**

man schreibt:	man sagt:
geb. 7.7.1976	Er hat **am** siebt**en** Juli Geburtstag. Er ist **am** siebt**en** Juli (neunzehnhundert)sechsundsiebzig geboren.

ARBEITSBUCH E 2-E 3

E 4

Sprechen Sie zu zweit über die Kalender.

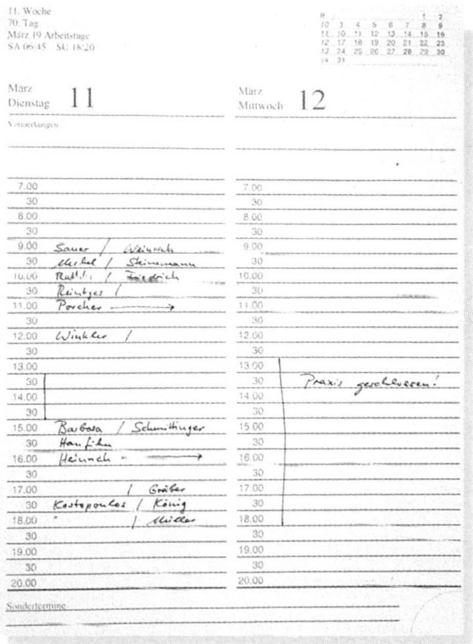

A

Zeitangaben

Sie hat **im Juli** Urlaub.	[<-->]	**im** + Monat
Am 5. August hat sie ein Interview.	•	**am** + Datum
Sie ist **ab 24. August** in Graz.	•—>	**ab** + Datum
Sie ist **bis (zum) 31. August** in Graz.	—>•	**bis (zum)** + Datum
Sie ist **vom 24.-31. August** in Graz.	•<—>•	**vom ... bis (zum)** ...+ Daten
Sie hat **von Montag bis Mittwoch** Proben.	•<—>•	**von ... bis** + Tage
Der Termin beim ZDF ist **von 10 bis 12 Uhr.**	•<—>•	**von ... bis** + Uhrzeiten

B

C

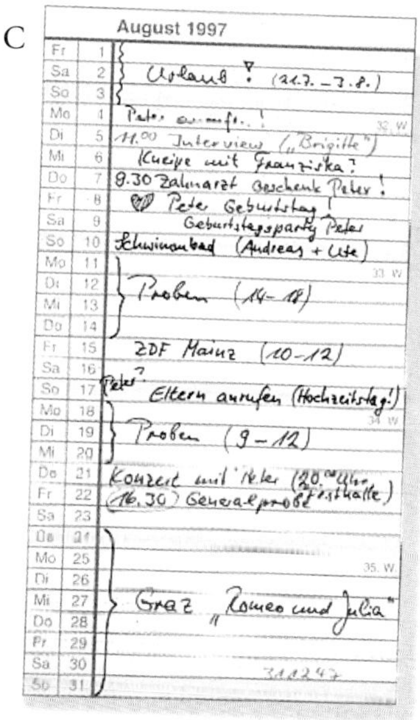

August 1997
Urlaub! (21.7.–7.8.)
11.00 Interview („Brigitte")
Kneipe mit Franziska!
9.30 Zahnarzt
Schwimmbad (Andreas + Ute)
Proben (14–18)
ZDF Mainz (10–12)
Eltern anrufen (Hochzeitstag!)
Proben (9–12)
Graz „Romeo und Julia"

E 5 **Welcher Kalender passt zu welchem Dialog?**

55-56 **Hören Sie, markieren Sie und ergänzen Sie die Berufe.**

Dialog	Kalender	Beruf
1		
2		

E 6

Hören Sie noch einmal und ergänzen Sie die Zeitangaben.

55-56

1 Praxis Dr. Stefanidis

● Praxis Dr. Stefanidis, guten Tag.

■ Guten Tag. Hier ist Schneider. Ich möchte gern einen Termin für *nächste Woche* .

● Wann können Sie denn kommen?

■ Am *elften* oder ______ , möglichst am Vormittag.

● Am ______ um ______ Uhr?

■ Geht es vielleicht etwas später? Um ______ kann ich nicht.

● Sie können auch um ______ Uhr kommen.

■ Ja, das passt gut. Also dann am nächsten Dienstag um ______ , vielen Dank.

● Bitte, auf Wiederhören.

■ Wiederhören.

● Praxis Dr. Stefanidis, guten Tag.

▲ Guten Tag, mein Name ist Kreindl. Ich brauche dringend einen Termin.

● Moment. Geht es am ______ um ______ Uhr?

▲ Das sind ja noch ______ . Nein, so lange kann ich nicht warten. Ich muss unbedingt ______ noch vorbeikommen, ich habe große Schmerzen.

● Ja, ... möchten Sie jetzt gleich kommen? Aber Sie müssen bestimmt etwas warten, wir haben viel Betrieb. Oder sie kommen ______ ______ .

▲ Nein, ich komme ______ . Vielen Dank. Wiederhören.

● Auf Wiederhören.

2 **Der Umzug**

- Wir haben endlich eine neue Wohnung.
- Und wann könnt ihr einziehen?
- Am *1. September* . Aber wir können schon Ende ____________ renovieren. Es ist nicht viel Arbeit, wir müssen nur die Zimmer streichen. Sag mal, kannst du uns vielleicht beim Streichen helfen?
- Natürlich. Wann wollt ihr renovieren?
- Etwa ab ______________ .
- Oh, das ist aber dumm. Da bin ich ja gar nicht in Frankfurt. Vom ______ bis ____________ bin ich in Graz.
- Schade, aber da kann man nichts machen. Und wie sieht's Anfang ____________ aus? Kannst du uns vielleicht beim Umzug helfen?
- Wann denn?
- Am ________ , das ist ein ____________ .
- Ja, da habe ich Zeit. Wann soll ich denn kommen?
- So um ________ ? … Ja, ja, ich weiß: Du willst immer gerne ausschlafen. Du kannst natürlich auch später kommen.
- Ja, ich habe am ____________ Vorstellung, ich komme so um ______ .
- Das ist lieb, danke. Du, ich muss jetzt Schluss machen. Peter ist da, wir wollen noch mal in die neue Wohnung gehen …

Lesen Sie die Dialoge noch einmal und unterstreichen sie alle Modalverben.

E 7

Ergänzen Sie die Tabelle und die Regeln.

Modalverben

	können	müssen	wollen	sollen	dürfen	möchten
ich			*will*			
du		*musst*		*sollst*		
er / sie / es, man		*muss*	*will*		*darf*	*möchte*
wir					*dürfen*	
ihr		*müsst*			*dürft*	*möchtet*
sie	*können*		*wollen*	*sollen*		
Sie						

§ 10b

1 Modalverben mit Vokalwechsel:

Singular	Plural
kann,	
muss, musst	*müssen, müsst*

2 Modalverben sind gleich bei
____________ und ____________ (Singular)
____________ und ____________ (Plural)

3 Modalverben haben keine Verb-Endung bei „ich" und „er / sie / es". **Ausnahme:**
____

ARBEITSBUCH E 4-E 6

E 8

Arbeiten Sie zu zweit und machen Sie ähnliche Dialoge.

ein Termin …	beim Arzt	beim Friseur	mit dem Chef	…
Hilfe …	beim Umzug	beim Renovieren	beim Lernen	…
eine Verabredung …	zum Tennis	zur Disko	zum Einkaufsbummel	…

F

57

Der Ton macht die Musik

Freizeitstomp

Es ist vier Uhr. Und du willst nur
noch eines: raus! Du willst nach Haus.
Die Arbeit ist vorbei, jetzt hast du endlich frei.
Du willst nach Haus.

Es ist soweit. Jetzt hast du Zeit.
Da klingelt schon das Telefon:
„Ich möchte gern mit dir …“ „Willst du heut' mit mir …“
Die Freizeit ruft.

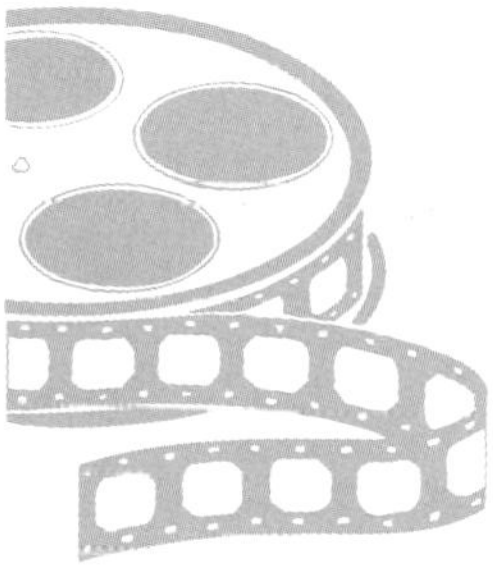

Du kannst ins Kino, ins Theater, in die Disko gehen.
Du kannst lesen, joggen und mit Freunden essen gehen.
Du kannst Tennis spielen, schwimmen und zum Fußballspiel mit Franz.
Mit Klaus und Inge Karten spielen, ins Konzert mit Hans.
Jetzt darfst du alles tun, da kannst du doch nicht ruh'n.
Die Freizeit, die Freizeit ist schön.

Der Wecker klingelt, du musst raus,
um sieben gehst du aus dem Haus.
Die Arbeit ruft, du bist kaputt,
der Freizeit-Stress tut dir nicht gut,
der Tag ist lang, und dann …

Es ist vier Uhr. Und du willst nur
noch eines: raus! Du willst nach Haus.
Die Arbeit ist vorbei, jetzt hast du endlich frei.
Du willst nach Haus.

ARBEITSBUCH F 1-F 4

G

Cartoon

ARBEITSBUCH G 1-G 3

Kurz & bündig

Orts- und Zeitangaben § 7e

Wo?	Wo wohnen Sie?	**In** Köln.
	Wo studiert Ihre Tochter?	**In** Frankreich.
	Und wo arbeiten Sie?	Ich arbeite **bei** Müller & Co.
	Journalisten arbeiten **bei der** Zeitung.	Oder **beim** Fernsehen.
	Ärzte arbeiten **im** Krankenhaus.	Oder **in der** eigenen Praxis.
Wohin?	Gehst du am Samstag mit mir **ins** Kino?	Nein, da gehe ich **zum** Fußball.
	Gehen wir morgen **zur** Fotobörse?	O.K. Und abends gehen wir **in die** Disko.
Wann?	Wann hast du Geburtstag?	**Am 15. August.**
	Wann sind Sie geboren?	**Am 28. Juni 1972.**
	Wann machen Sie Urlaub?	**Im Juli.**
	Wann sind Sie in Graz?	**Vom 24. bis zum 31. August.**
	Wann ist das Interview?	**Am Dienstagvormittag.**
	Um wie viel Uhr?	**Um 11 Uhr.**
	Wann haben Sie Deutschunterricht?	Jeden Tag **von 9 bis 12 Uhr.**
Wie oft?	Ich gehe **oft** ins Kino, aber **fast nie** ins Theater.	Ich gehe nur **selten** ins Kino.
	Am Wochenende besuche ich **immer** Freunde.	Da muss ich **fast immer** arbeiten.
	Wir gehen **manchmal** essen, aber **meistens** essen wir zu Hause.	

Die Uhrzeit § 18a

(genau) sieben (Uhr), **kurz nach** sieben, **fünf nach** sieben, **zehn nach** sieben, **Viertel nach** sieben, **zwanzig nach** sieben / **zehn vor halb** acht, **fünf vor halb** acht, **kurz vor halb** acht / **gleich halb** acht, **halb** acht, **kurz nach halb** acht, **fünf nach halb** acht, **zehn nach halb** acht / **zwanzig vor** acht, **Viertel vor** acht, **zehn vor** acht, **fünf vor** acht, **kurz vor** acht / **gleich** acht, (genau) acht (Uhr)

Die Ordinalzahlen § 18b

der **erste**, der zwei**te**, der **dritte**, der vier**te**, der **siebte**, der ach**te**, der neun**te**, der zehn**te**, der zwanzig**ste**, der dreißig**ste** … Oktober

Heute ist **der** fünfzehn**te** August. Ich habe **am** fünfzehnte**n** August Geburtstag.

Die Modalverben (Präsens) § 10

Eine Ärztin **kann** den Menschen helfen.	Aber sie **muss** oft rund um die Uhr arbeiten.
Ich **will** am Samstag ins Konzert gehen.	Nein, das geht nicht. Du **musst** lernen.
Ich **darf** nicht mitkommen. Ich **muss** lernen.	Du **kannst** doch auch am Sonntag lernen.
Wollen wir zusammen essen gehen?	Ja. **Soll** ich dich abholen?
Ich **möchte** einen Termin für nächste Woche.	Wann **können** Sie denn kommen?

Nützliche Ausdrücke

Wie viel Uhr ist es, bitte? ↘	**Kurz vor** halb fünf. ↘ / **Gleich** halb fünf. ↘
Entschuldigung, **wie spät ist es?** ↘	**Genau** 16 Uhr 28. ↘
Was machst du denn heute Abend? ↘	**Ich weiß noch nicht.** ↘ **Vielleicht** lesen. ↘
Gehst du mit mir in die Disko? ↗	**Ja, gerne.** → **Und wann?** ↗
So um acht? ↗	Ja, gut. ↘ **Bis dann.** ↘
Ich **möchte einen Termin** für nächste Woche. ↘	Am 11. März um 10 Uhr 45? ↗
Nein, **da kann ich nicht.** ↘	
Geht es vielleicht etwas später? ↗	Ja, → um 11 Uhr 30. ↘
Ja, das passt gut. ↘ Vielen Dank. ↘	**Auf Wiederhören.** ↘

Zwischenspiel

Sie brauchen vier Spielfiguren und einen Würfel.

Spielen Sie zu viert.

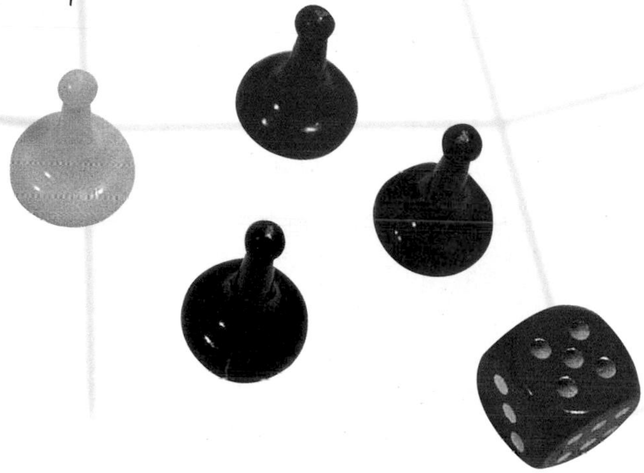

A Das Wiederholungsspiel

Spielregeln:

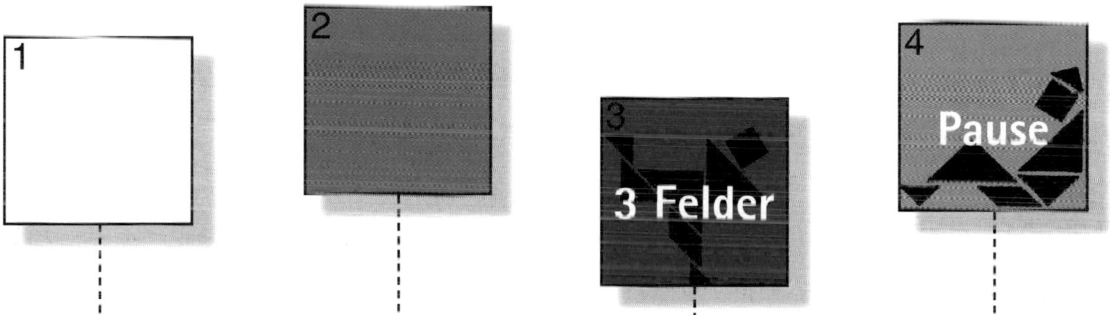

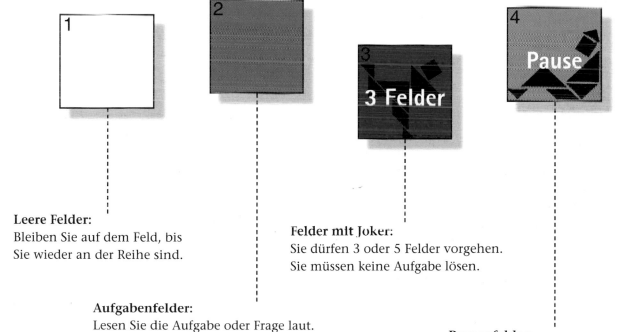

Leere Felder:
Bleiben Sie auf dem Feld, bis Sie wieder an der Reihe sind.

Felder mit Joker:
Sie dürfen 3 oder 5 Felder vorgehen.
Sie müssen keine Aufgabe lösen.

Aufgabenfelder:
Lesen Sie die Aufgabe oder Frage laut.
Lösen Sie die Aufgabe oder beantworten Sie die Frage.

- Richtige Lösung:
  Gehen Sie auf das nächste leere Feld vor.
- Keine oder falsche Lösung: Gehen Sie auf das nächste leere Feld zurück.

Pausenfelder:
Sie müssen einmal Pause machen.

START

1

2 3 Felder

3 Nennen Sie drei Möbel.

4 Nennen Sie drei Wörter mit dem Artikel *der*.

5

6 Woher kommen Ihre Mitspieler?

7 Was ist das Gegenteil von *billig*?

8 Bestellen Sie:

9

10 Sie haben 1000 DM und brauchen Dollar. Sie gehen zur Bank. Was sagen Sie?

11 5 Felder

12 Was sagen die Leute?

13

14 Nennen Sie zwei Haushaltsgeräte.

15 Wie ist Ihre Telefonnummer?

16

17 Pause

18 Was sagt das Kind?

19 Wo arbeiten Sie?

20 Wie finden Sie den Stuhl?

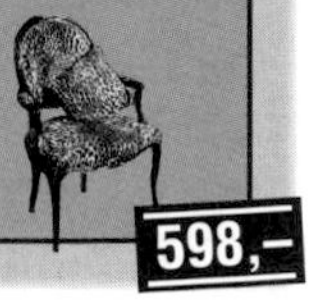

21

22 Welche Sprachen sprechen Sie?

23 Entschuldigung, wie spät ist es?

24 Was machen Sie am Samstagabend?

25

26 5 Felder

27 Was heißt das?

28 Kaufen Sie die Stehlampe?

29

30 Nennen Sie fünf Berufe.

31

32 Was machen die Leute?

33 Wie heißen die Pluralformen?
die Lampe
der Sessel
das Auto

34 Pause

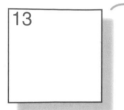

35

36 Fragen Sie: Preis?

37 Wie heißt die Frage?
- ● ... ?
- ■ Fahrer.

38

39 3 Felder

40 Finden Sie eine passende Frage.
- ● ... ?
- ■ Nein, ich habe keins.

41 Buchstabieren Sie Ihren Namen.

42

43 Wie heißt das Wort richtig?
raFhard

44 „Ich suche ein Geschenk für Klaus. ... Tipp!"

45 Nennen Sie fünf Lebensmittel.

46

47
... schreibt man groß.
... haben einen Artikel.
... haben eine Pluralform.
... = ... ?

48
- ● Kann ich Ihnen helfen?
- ■ Ja, bitte. ...

49

50 Pause

51 Nennen Sie drei deutsche Vornamen.

52 Was sagt die Frau?

53

54 „Wir suchen einen Teppich."
Wir = Subjekt
suchen = Verb
einen Teppich = ...

55 Wann haben Sie Geburtstag?

56

57
- ● Kommst du mit ins Kino?
- ■ Nein, ...

58
- ● Ich möchte einen Termin für nächste Woche.
- ■ ... ?
- ● Ja, das passt gut.

59 Welche Zahlen passen? Lesen und ergänzen Sie.
5 • 55 • 555 • _ _ _ _ • _ _ _ _ _

60

61 3 Felder

62 Wann ist das Geschäft geöffnet?

FIAT Krollmann
Mo–Fr: 9–17 Uhr

63 Eine Freundin sucht einen gebrauchten Fernseher. Geben Sie ihr einen Tipp.

64

65 Familienstand? Kinder?

66 Finden Sie die Frage.
- ● ...
- ■ Sonnenstraße 54, in 80331 München

67

68 Pause

ZIEL

ARBEITSBUCH A1-A2

B Kennen Sie Ihr Lehrwerk TANGRAM ?

B 1 Wo finden Sie die Antworten zu den Fragen ?

Diskutieren Sie zu viert und machen Sie Notizen.

Beispiel:

▶ In welcher Lektion finden Sie das deutsche Alphabet?
- ● *Ich glaube, das steht in Lektion 1.*
- ■ *Nein, in Lektion 3.*
- ● *Schau doch mal vorne ins Inhaltsverzeichnis. Da steht doch alles.*
- ■ *Ja, genau. Hier ist es: Das Alphabet steht in Lektion 2.*

▶ In welcher Lektion finden Sie das deutsche Alphabet?
In Lektion 2 (Inhaltsverzeichnis)

Gruppe A:

1 In welcher Lektion finden Sie Texte zum Thema „Einkaufen“?

___

2 Sie sehen das Symbol .
Was müssen Sie hier machen?

___

3 Wie heißt der Artikel von *Supermarkt?*

___

4 In der Wortliste steht: *-̈er.* Wie lesen Sie das?

___

5 Wie spricht man das „ü“? Wo finden Sie Hilfe?

___

6 Sie machen die Übung Lektion 2, B4 im Arbeitsbuch. Sie möchten dann wissen: Ist alles richtig? Wo stehen die Lösungen?

___

7 Im Kursbuch sehen Sie: ARBEITSBUCH F 1-F 3. Was bedeutet das?

___

8 *ich bin, du bist, er …* Wo finden Sie die Formen von *sein?*

___

9 Sie möchten die „Nützlichen Ausdrücke“ von Lektion 5 wiederholen. Wo stehen sie?

___

10 Was ist für Sie wichtig, aber nicht im Buch?
Was fehlt in TANGRAM ?

___

Gruppe B:

11 Im Arbeitsbuch finden Sie das Cassetten-symbol. Wo steht der Hörtext?

___

12 Ist das „a“ in *Zahl* lang oder kurz? Wo finden Sie Übungen zu den Vokalen?

___

13 In welcher Lektion finden Sie Übungen zur Uhrzeit?

___

14 Sie sehen das Symbol . Was müssen Sie hier machen?

___

15 Wie heißt der Artikel von *Waschmaschine?*

___

16 In der Wortliste steht: *Fahrer der, -*
Wie lesen Sie das?

___

17 Im Kursbuch sehen Sie: § 17. Was bedeutet das?

___

18 *ich kann, du kannst, er …* Wo finden Sie die Formen von *können?*

___

19 Sie möchten den Stoff von Lektion 4 wiederholen. Wo finden Sie eine Grammatik-Übersicht und wichtige Sätze?

___

20 Was ist für Sie wichtig, aber nicht im Buch?
Was fehlt in TANGRAM ?

___

Vergleichen Sie im Kurs Ihre Ergebnisse.

B 2

Was passt zusammen? Markieren Sie.

A

B

C

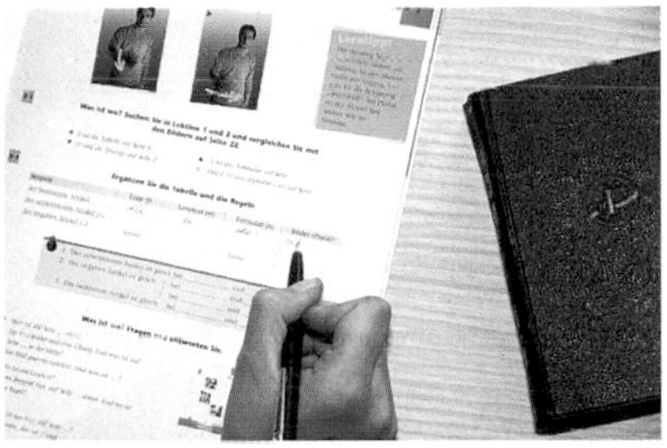
D

E

F

G

H

I

J

K

L

1 Ergänzen Sie die Tabelle und die Regeln.
2 Hören Sie und sprechen Sie nach.
3 Hören Sie noch einmal und vergleichen Sie.
4 Hören und markieren Sie.
5 Lesen Sie den Text noch einmal, markieren Sie die Personalpronomen und ergänzen Sie die Tabelle.
6 Markieren Sie den Satzakzent (__) und die Satzmelodie (↗, → oder ↘).
7 Schreiben Sie jetzt den Dialog.
8 Machen Sie das Puzzle. Was passt zusammen?
9 Spielen Sie den Dialog.
10 Sprechen Sie über das Bild und erzählen Sie eine Geschichte.
11 Üben Sie in Gruppen.
12 Was passt zusammen? Lesen Sie die Sätze und sortieren Sie.

Welche Übungen machen Sie gerne? Welche Übungen machen Sie nicht gerne? Diskutieren Sie.

- ● *Wir müssen immer über Bilder sprechen – das finde ich langweilig.*
- ■ *Das mache ich gerne. Aber „Hören und markieren" finde ich schwierig.*
- ● *Ich mache gerne die Grammatik-Übungen.*
- ■ …

ARBEITSBUCH B 1-B 2

C Der Ton macht die Musik

C 1 **Machen Sie Verse. Lesen Sie laut eine Zeile von A und suchen Sie eine passende Zeile von B. Dann schreiben Sie.**

A

Komm doch einfach mal vorbei,

Ich kann nicht kommen, tut mir Leid,

Ich lerne nur Deutsch, von früh bis spät,

Die deutsche Sprache ist nicht schwer,

Ich gehe gerne zu Möbel-Fun

Ich gehe gern ins Kino, ich sehe gerne fern,

Ich bleibe am liebsten zu Hause und trinke in Ruhe ein Bier.

B

vielleicht am Samstag, so um drei?

aber in ein Möbelhaus geh' ich nicht so gern.

ich gehe nicht aus – er geht, sie geht.

ich habe einfach keine Zeit.

zum Kaffeetrinken – nur wir zwei.

ich lerne täglich etwas mehr.

ich sage einfach „dasdieder ...“ !

Kinos sind teuer, Kneipen sind laut – da bleibe ich lieber hier.

weil man da günstig kaufen kann.

ich brauche ein Super-Schnell-Deutsch-Lern-Gerät.

oder ich komme mit ... – zu zweit.

Probier das doch einfach auch einmal! Vielleicht gefällt es dir.

und in meine Kneipe geh' ich auch sehr gern.

und schaue mir dort die Möbel an.

Komm doch einfach mal vorbei,
vielleicht am Samstag, so um drei?

Komm doch einfach mal vorbei,
zum Kaffeetrinken – nur wir zwei.
...

58 **Hören und vergleichen Sie.**

C 2 **Üben Sie zu zweit oder zu dritt und machen Sie Dialoge.**

Ich lerne nur Deutsch, von früh bis spät
ich gehe nicht aus – er geht, sie geht.

Komm doch einfach mal vorbei,
vielleicht am Samstag, so um drei?
...

Grammatik

Seite G1–G16

Übersicht

Der Satz

§ 1	Die Aussage:	*Ich heiße Nikos Palikaris.*
§ 2	Die Fragen:	*Wie heißen Sie? – Kommen Sie aus Italien?*
§ 3	Der Imperativ-Satz:	*Gib mir doch mal einen Tipp!*
§ 4	Die Verbklammer:	***Kann** ich Ihnen **helfen**?*
§ 5	Das Satzgefüge:	*Achim hat eine große Wohnung, aber keine Küche.*
§ 6	Die Satzteile:	Subjekt, Verb, Akkusativ-Ergänzung, Dativ-Ergänzung, andere Ergänzungen und Angaben
§ 7	Verben und ihre Ergänzungen:	*haben* + AKK, *helfen* + DAT, *kommen* + DIR, *finden* + AKK + QUA, ...

Die Wortarten

Das Verb

§ 8	Die Verb-Konjugation:	*ich komme, du kommst, sie kommt, ...*
§ 9	Unregelmäßige Verben:	*nehmen, lesen, haben, sein, werden, ...*
§ 10	Die Modalverben:	*wollen, möchten, können , sollen, müssen, dürfen*

Die Nomengruppe

§ 11	Die Artikel und Nomen:	*die Kellnerin, der Friseur, das Mädchen, ...* *eine Kellnerin, ein Friseur, ein Mädchen, ...*
§ 12	Die Pluralformen:	*Lampe, -n; Stuhl,- e; Sofa, -s, Kind, -er; Computer, -*
§ 13	Die Deklination:	*der Tisch, den Tisch, ein Tisch, (k)einen Tisch, ...*
§ 14	Die Possessiv-Artikel:	*mein, dein, sein, ihr, unser, ...*
§ 15	Die Artikelwörter:	*jede, diese, alle, ...*
§ 16	Die Pronomen:	*ich, sie, mir, Ihnen, euch, keins, eins, ...*
§ 17	Die Adjektive:	*komplett, neu, hübsch, unpraktisch, ...*
§ 18	Die Zahlwörter:	*eins, zwei, der erste, der dritte, ...*

Die Partikeln

§ 19	Die Präpositionen:	*aus, bei, nach, von, mit, zu, in, um, bis, für, ...*
§ 20	Die Adverbien:	*links, unten, hier, heute, jetzt, gern, ...*
§ 21	Die Modalpartikeln:	*etwa, mal, denn, fast, sehr, doch, ...*
§ 22	Die Konjunktionen:	*aber, und, oder, ...*

Die Wortbildung

§ 23	Komposita	*der Kleiderschrank, der Schreibisch, das Hochbett*
§ 24	Vorsilben und Nachsilben	*der Arzt – die Ärztin, der Japaner – die Japaner**in*** *praktisch – unpraktisch*

Textgrammatische Strukturen

§ 25	Die Negation:	*nicht, kein, nein, doch, nie, ...*
§ 26	Referenzwörter :	*Vera kommt aus Brasilien. **Sie** arbeitet bei TransFair.* *Hast du ein Handy? – Ja, ich habe **eins**.*
§ 27	Kurze Sätze:	*Sind Sie nicht verheiratet? – **Doch**, natürlich.* *Was sind Sie von Beruf? – **Ärztin. Und Sie?***

Der Satz

In einem Satz findet man fast immer ein Verb und ein Subjekt. ➜ §1–§3
Tanja weint.
Wie heißen Sie?

Die meisten Sätze haben weitere Satzteile: Ergänzungen und Angaben. ➜ §6 + §7
Kaufe ich ihr jetzt Gummibärchen?
Sind Sie Frau Beckmann von „Globe-Tours“?

Es gibt aber auch kurze Sätze ohne Subjekt oder Verb. ➜ §27

Woher kommst du?	***Aus Namibia.***
Und was möchten Sie trinken?	***Einen Apfelsaft, bitte.***

§ 1 Die Aussage ➜ §6 + §7

In einer Aussage steht das Verb immer auf Position 2. Das Subjekt steht in einer Aussage links **oder** rechts vom Verb. Am Satz-Ende steht ein Punkt („."): „*Tanja weint.*“ und „*Er arbeitet.*“ sind einfache und sehr kurze Aussagen. Hier gibt es nur ein Subjekt und ein Verb. Fast immer gibt es aber noch andere Satzteile.

1.	***2.***	***… Position***
Das Sofa	*finde*	*ich toll.*
Ich	*kaufe*	*doch kein Sofa für 2500 Mark.*
Heute	*kaufe*	*ich euch kein Eis.*
Peter und Andrea	*gehen*	*am Samstag ins Kino.*

§ 2 Die Fragen ➜ §27

Es gibt **W-Fragen** und **Ja/Nein-Fragen:**

Woher kommst du?
Aus …

Kommst du aus Australien? – ***Ja*** *(, aus Sydney).*
Nein*, aus Irland.*

a) Die **W-Frage** beginnt immer mit einem Fragewort: *woher, wie, wann, …*
Das Fragewort steht auf Position 1 und das Verb auf Position 2. Am Satz-Ende steht ein Fragezeichen („?“).

Wie	*heißen*	*Sie?*	*Yoko Yoshimoto.*
Wie lange	*sind*	*Sie denn schon in Deutschland?*	*Erst sechs Monate.*
Was	*möchten*	*Sie trinken?*	*Einen Kaffee, bitte.*
Wie viel	*kostet*	*der Sessel denn?*	*Zweihundertsechzig Mark.*

b) In einer **Ja/Nein-Frage** steht das Verb immer auf Position 1.
Am Satz-Ende ist ein Fragezeichen („?“).

Kaufst	*du uns ein Eis?*	***Nein****, Merle.*
Nehmt	*ihr Zucker und Milch?*	***Ja****, gerne.*
Hast	*du vielleicht auch Tee?*	*Natürlich, einen Moment.*

§ 3 Der Imperativ-Satz ➜ §8

In Imperativ-Sätzen steht das Verb auf Position 1. Am Satz-Ende steht ein Punkt („.“) oder ein Ausrufezeichen („!“). Den Imperativ-Satz benutzt man für Bitten oder Ratschläge.

per du

Schau *doch mal ins Wörterbuch!*
Bestell *doch eine Gulaschsuppe.*

Gebt *mir mal einen Tipp!*

per Sie

Buchstabieren *Sie bitte !*
Nehmen *Sie doch eine Gulaschsuppe.*

Geben *Sie mir doch mal einen Tipp.*

▶ Die Wörter *doch, mal* oder *bitte* machen Imperativ-Sätze höflicher. ➜ §21

§ 4 Die Verbklammer

a) In Sätzen mit Modalverben steht das „normale" Verb in der Infinitiv-Form **am Satz-Ende.** ➔ § 10

Wir	***wollen***	*am Samstag*	***umziehen.***
	Kannst	*du uns vielleicht beim Umzug*	***helfen?***
Ich	***darf***	*nicht ins Konzert*	***mitkommen.***
Ich	***muss***	*am Wochenende*	***lernen.***
Ich	***will***	*heute in die Disko*	***gehen.***
	Soll	*ich dich*	***abholen?***
Nein, ich	***möchte***	*heute nicht*	***tanzen gehen.***

b) trennbare Verben ➔ 1 B
c) Perfekt ➔ 1 B

§ 5 Das Satzgefüge

a) Hauptsätze
Man kann Hauptsätze mit *und, aber* und *oder* verbinden ➔ § 22
Lesen Sie den Text ***und*** *markieren Sie die Verben.*
Jan möchte ins Konzert gehen, ***aber*** *er muss lernen.*
Treffen wir uns in der Kneipe ***oder*** *soll ich dich abholen?*

▶ Sind Subjekt oder Verb in beiden Sätzen gleich, wiederholt man sie nicht.

Frau Jünger	*macht die Tüte auf*	*Roman*	***bestellt***	*eine Suppe*
und	*gibt Tanja ein Gummibärchen.*	*und Andrea*		*einen Salat.*

b) Nebensätze: „weil"-Sätze (Kausalsätze) ➔ 1 B
„wenn"-Sätze (Konditionalsätze) ➔ 1 B

§ 6 Die Satzteile

Neben Subjekt und Verb haben die meisten Sätze weitere Satzteile: Ergänzungen und Angaben.
a) Das Verb bestimmt die notwendigen **Ergänzungen.** ➔ § 7

Subjekt (Nominativ-Ergänzung)	*Person:* *Sache:*	***Wer?*** ***Was?***	*Nikos Palikaris kommt aus Athen.* *Das Sofa ist zu teuer.*
Einordnungsergänzung.		***Wie ist sein Name?*** ***Was ist er von Beruf?***	*Er heißt Kawena Haufiku.* *Er ist Geschäftsmann.*
Akkusativ-Ergänzung	*Person:* *Sache:*	***Wen?*** ***Was?***	*Andrea ruft den Kellner.* *Sie bestellt einen Salat und ein Bier.*
Dativ-Ergänzung	*Person:*	***Wem?***	*Gib mir doch mal einen Tipp.*
Direktivergänzung:		***Woher?*** ***Wohin?***	*Nikos kommt aus Athen.* *Heute gehen wir ins Kino.*
Situativergänzung	*lokal:*	***Wo?***	*Vera arbeitet bei TransFair.* *Die Möbelabteilung ist im vierten Stock.*
	temporal:	***Wann?*** ***Wie lange?***	*Der Film beginnt um 20 Uhr.* *Die Ausbildung dauert fünf Jahre.*
Qualitativergänzung:		***Wie?***	*Die Wohnung ist wirklich hübsch.* *Das Sofa finde ich sehr bequem.*

b) Neben Ergänzungen gibt es zusätzliche Informationen durch „freie“ Angaben. → § 20

*Wohnst du **schon lange** hier?*	*Nein, **erst zwei Monate.***
*Gehst **du oft** ins Kino?*	*Nein, **nur manchmal.***
*Gehst du **heute Abend** mit mir ins Kino?*	***Heute** muss ich **lange** arbeiten.*
*Haben Sie **hier** noch andere Sofas?*	***Da hinten** haben wir ein paar Sonderangebote.*
*Wir möchten **mehr** Deutsch sprechen.*	*Macht einen Kurs **bei der Volkshochschule!***
*Haben Sie **noch** andere Sofas?*	*Nein, **leider** nicht.*
*Trinken Sie **auch** Wein?*	*Ja, **gern.***

§ 7 Verben und ihre Ergänzungen → § 6

Im Satz stehen Verben immer mit einem Subjekt zusammen. Die meisten Verben haben aber noch andere feste Ergänzungen (vgl. Wortliste).
Hier einige Beispiele:

a) Verben mit Einordnungsergänzung

sein + EIN	*Vera ist Brasilianerin .*
	Herr Haufiku ist Geschäftsmann von Beruf.
werden + EIN	*Patrick möchte Schauspieler werden.*
heißen + EIN	*Ich heiße Jabłońska .*

b) Verben mit Akkusativ-Ergänzung

kaufen + AKK	*Ich kaufe doch kein Sofa für 2500 Mark!*
haben + AKK	*Haben Sie Kinder ?*
möchten + AKK	*Ich möchte einen Apfelsaft .*

c) Verben mit Dativ-Ergänzung

helfen + DAT	*Kann ich Ihnen helfen?*
geben + DAT + AKK	*Du gibst ihm jetzt sofort das Feuerzeug!*
kaufen + DAT + AKK	*Kaufst du uns ein Eis?*

d) Verben mit Direktivergänzung

kommen + DIR	*Vera kommt aus Brasilien .*
gehen + DIR	*Gehen wir morgen zur Fotobörse ?*
	Gehst du mit mir in die Disko ?
fliegen + DIR	*Sie fliegt am liebsten nach Asien .*

e) Verben mit Situativergänzung

wohnen + SIT	*Vera wohnt in Köln .*
arbeiten + SIT	*Sie arbeitet bei TransFair .*
stehen + SIT	*Meine Tochter Tanja steht vor den Süßigkeiten .*
	„Infinitiv“: Diese Verbform steht im Wörterbuch .
beginnen + SIT	*In Deutschland beginnt das neue Jahr im Januar .*
dauern + SIT	*Die Flughafen-Tour dauert 45 Minuten .*

f) Die Qualitativergänzung

sein + QUA	*Der Tisch hier, der ist doch toll .*
finden + AKK + QUA	*Den Tisch finde ich toll .*

Die Wortarten

Das Verb

§ 8 Die Konjugation

Im Wörterbuch stehen die Verben im Infinitiv: *kommen, trinken, wohnen, besuchen, kennen, studieren, …* Im Satz ist das Verb konjugiert. Die **Verb-Endung** orientiert sich am Subjekt – das Subjekt bestimmt die Verb-Endung.

a) Präsens

Ich	***komme***	*aus Mexiko.*
Wie lange	***wohnst***	*du schon hier?*
Vera	***wohnt***	*in Köln.*
Nikos	***studiert***	*Informatik.*
Es	***klingelt***	*an der Wohnungstür.*
Wie	***schreibt***	*man das?*
Wir	***bezahlen***	*mit Scheck.*
Heute	***bekommt***	*ihr keine Süßigkeiten.*
Andrea und Petra	***arbeiten***	*auch bei TransFair.*
Woher	**kommen**	*Sie?*

Singular:		**Verb-Endung**
1. Person	***ich***	***…-e***
2. Person	***du***	***…-st *)***
3. Person	***sie, er, es, man***	***…-t***
Plural:		
1. Person	***wir***	***…-en***
2. Person	***ihr***	***…-t *)***
3. Person	***sie***	***…-en***
Höflichkeitsform		
(Sing. + Plural)	*Sie*	***…-en *)***

Bei einigen Verben braucht man ein „e" vor der Verb-Endung, zum Beispiel bei:

du	*arbei* ***t***	*e*	*st*
die/der/das	*kos* ***t***	***e***	*t*
ihr	*fin* ***d***	*e*	*t*

Bei einigen Verben braucht man kein „s" in der 2. Person Singular, zum Beispiel bei:

du	*tan z*	*~~s~~ t*
du	*hei* ***ß***	*~~s~~ t*
du	*i ss*	*~~s~~ t*

*) *Sie*
Normalerweise benutzt man die Höflichkeitsform *Sie*.

du oder *ihr*
- Erwachsene zu Kindern und Jugendlichen (bis etwa 16 Jahren)
- Studenten und junge Leute untereinander
- in der Familie
- gute Freunde
  manchmal auch Arbeitskollegen

b) Die Konjugation in Imperativ-Sätzen → § 3
Den Imperativ (Bitten, Tipps oder Ratschläge) benutzt man in der 2. Person und in der Höflichkeitsform.

		Singular:	Plural:
per du:	*geben*	***Gib*** *mir einen Tipp!*	***Gebt*** *mir doch mal einen Tipp!*
	fragen	***Frag*** *doch den Verkäufer!*	***Fragt*** *doch die Lehrerin!*
	kaufen	***Kauf*** *ihr doch Blumen!*	***Kauft*** *ihr doch Blumen!*
Höflichkeitsform:		***Geben Sie*** *mir doch mal einen Tipp!*	***Fragen Sie*** *doch den Verkäufer.*

c) Konjugation: Perfekt → 1 B
d) trennbare Verben → 1 B

§ 9 Unregelmäßige Verben

a) Die Verben *haben, sein* und *werden:* (Konjugation Präsens)

	ich	du	sie/er/es	wir	ihr	sie	Sie	Imperativ
haben	*habe*	*hast*	*hat*	*haben*	*habt*	*haben*	*haben*	*hab*
sein	*bin*	*bist*	*ist*	*sind*	*seid*	*sind*	*sind*	*sei*
werden	*werde*	*wirst*	*wird*	*werden*	*werdet*	*werden*	*werden*	*werde*

Konjugation: Präteritum von *haben, sein* und *werden* → § 1 B

b) Verben mit Vokalwechsel in der 2. und 3. Person Singular.
Vokalwechsel „e" zu „i". Zum Beispiel bei:

sprechen	*du*	*sprichst*	*lesen*	*du*	*liest*	*essen*	*du*	*isst*
	sie/er/es	*spricht*		*sie/er/es*	*liest*		*sie/er/es*	*isst*
nehmen	*du*	*nimmst*	*geben*	*du*	*gibst*			
	sie/er/es	*nimmt*		*sie/er/es*	*gibt*			
sehen	*du*	*siehst*	*helfen*	*du*	*hilfst*			
	sie/er/es	*sieht*		*sie/er/es*	*hilft*			

Vokalwechsel „a" zu „ä" → 1 B
Perfekt von unregelmäßigen Verben → 1 B

§10 Die Modalverben → §4

In Sätzen mit Modalverben gibt es meistens zwei Verben: das Modalverb und das Verb im Infinitiv. Das Modalverb verändert die Bedeutung eines Satzes. Vergleichen Sie:

Ich lerne Deutsch. (das mache ich)
Ich will Deutsch lernen. (das ist mein Wunsch)
Ich muss Deutsch lernen. (ich brauche Deutsch für meinen Beruf)

a) Die Bedeutung der Modalverben

1 **Wunsch**

wollen
- ● ***Willst*** *du mit mir ins Konzert gehen?*
- ■ *Nein, lieber in die Disco. Ich* ***will*** *endlich mal wieder tanzen.*

möchten
- ● *Ich habe zwei Karten für den Tigerpalast.* ***Möchten*** *Sie mitkommen?*
- ■ *Nein, danke. Am Samstag* ***möchte*** *ich nicht ausgehen.*

▶ *möchten* ist höflicher als *wollen.*

2 **Möglichkeit**

können
- ● *Wann* ***kann*** *ich denn kommen?*
- ■ *Am 11. März um 10 Uhr 45.*
- ● *Geht es vielleicht etwas später? Um Viertel vor elf* ***kann*** *ich nicht.*
- ■ *Sie* ***können*** *auch um 11 Uhr 30 kommen.*

3 **Angebot/Vorschlag**

sollen
- ● *Ist der Chef schon da?*
- ■ *Nein, der kommt heute erst um 10.* ***Soll*** *ich ihm etwas ausrichten?*

- ● *Wollen wir zusammen essen gehen?*
- ■ *Ja, gern.* ***Soll*** *ich dich abholen?*

4 **Notwendigkeit**

müssen
- ● *Willst du am Samstag mit mir ins Konzert gehen?*
- ■ *Na klar. Ich* ***muss*** *aber erst noch meine Eltern fragen.*
  Darf ich am Samstag mit Miriam zu den „Toten Hosen" gehen?
- ▲ *Nein, du* ***musst*** *am Wochenende lernen.*

5 **Erlaubnis und Verbot**

dürfen
- ● ***Darf*** *ich am Samstag mit Miriam zu den „Toten Hosen" gehen?*
- ▲ *Nein, du musst am Wochenende lernen.*
- ● *Mist, ich* ***darf*** *nicht mitkommen. Ich muss für die Mathearbeit lernen.*

▶ **Es gibt auch Sätze mit Modalverben ohne ein zweites Verb:**

Am Samstag kann ich nicht. (= Am Samstag habe ich keine Zeit.)
Ich möchte ein Bier. (= Ich bestelle ein Bier.)

b) Die Konjugation der Modalverben im Präsens

	müssen	können	wollen	dürfen	sollen	möchten
ich	*muss*	*kann*	*will*	*darf*	*soll*	*möchte*
du	*musst*	*kannst*	*willst*	*darfst*	*sollst*	*möchtest*
sie/er/es	*muss*	*kann*	*will*	*darf*	*soll*	*möchte*
wir	*müssen*	*können*	*wollen*	*dürfen*	*sollen*	*möchten*
ihr	*müsst*	*könnt*	*wollt*	*dürft*	*sollt*	*möchtet*
sie/Sie	*müssen*	*können*	*wollen*	*dürfen*	*sollen*	*möchten*

▶ Die Verb-Endungen sind bei den Modalverben in der 1. und 3. Person Singular gleich.
Im Singular gibt es oft einen Vokalwechsel.

c) Die Konjugation der Modalverben im Präteritum → 1 B

Die Nomengruppe

§ 11 Artikel und Nomen

a) *Lampe, Tisch, Bett* ... sind Nomen. Nicht nur die Namen von Personen und Orten, sondern alle Nomen beginnen mit einem großen Buchstaben.
Bei einem Nomen steht fast immer ein Artikel oder ein Artikelwort.
Nomen haben ein **Genus:** *feminin, maskulin* oder *neutrum.*

definite

Genus	feminin	maskulin	neutrum
bestimmter Artikel	***die*** *Lampe*	***der*** *Tisch*	***das*** *Bett*
unbestimmter Artikel	***eine*** *Lampe*	***ein*** *Tisch*	***ein*** *Bett*
negativer Artikel	***keine*** *Lampe*	***kein*** *Tisch*	***kein*** *Bett*

Manchmal entspricht das Genus dem natürlichen Geschlecht:

die *Frau,* ***die*** *Kellnerin,* ***die*** *Brasilianerin* ***der*** *Mann,* ***der*** *Kellner,* ***der*** *Brasilianer*

b) **Genus-Regeln**
Es gibt einige Regeln, aber viele Ausnahmen. Lernen Sie Nomen immer mit Artikel!

Nomen mit einem -e am Ende	mostly meistens feminin	*die Lampe, die Maschine, die Küche*
Wochentage, Monate und Jahreszeiten	immer maskulin	*der Montag, der Juli, der Sommer*
Nomen mit *-chen* oder *-zeug* am Ende	immer neutrum	*das Mäd**chen**, das Gummibär**chen**, das Spiel**zeug***

c) Einige Nomen benutzt man meistens **ohne Artikel**:

Namen:	*Hallo,* ***Nikos!***	*Sind Sie* ***Frau Bauer?***
Berufe:	*Maria Jablońska ist* ***Ärztin.***	*Ich bin* ***Friseur*** *(von Beruf).*
unbestimmte Mengenangaben:	*Nehmt ihr* ***Zucker*** *und* ***Milch?***	*Wo finde ich* ***Hefe?***
Länder und Städte:	*Kommen Sie aus* ***Italien?***	*Sie wohnt in* ***Rom.***

▶ Bei femininen und maskulinen Ländernamen und bei Ländernamen im Plural benutzt man den bestimmten Artikel.

Country names (lit. land names)

	feminin	maskulin	Plural
	die Schweiz	*der Iran*	*die Vereinigten* ***Staaten*** *(von Amerika)/ die USA*
	die Türkei	*der Irak*	*die Niederlande*
	*die Bundes**republik** Deutschland*	...	
	*die Volks**republik** China*		
	...		
One says Man sagt: *Ich komme aus ...*	*der Schweiz.*	*dem Iran.*	*den Niederlanden.*
	der Türkei.	*dem Irak.*	*den Vereinigten Staaten. / den USA.*

§ 12 Pluralformen von Nomen

-n/-en	-e/¨e	-s	-er/¨er	-/¨
die Lampe, -n	*der Apparat, -e*	*das Foto, -s*	*das Ei, -er*	*der Computer, -*
die Tabelle, -n	*der Tisch, -e*	*das Büro, -s*	*das Bild, -er*	*der Fernseher, -*
die Flasche, -n	*der Teppich, ¨e*	*das Studio, -s*	*das Kind, -er*	*der Staubsauger, -*
das Auge, -n	*das Feuerzeug, -e*	*das Kino, -s*	*das Fahrrad, ¨er*	*der Fahrer, -*
die Regel, -n	*das Problem, -e*	*das Auto, -s*	*das Glas, ¨er*	*das Zimmer, -*
die Nummer, -n	*das Stück, -e*	*das Sofa, -s*	*das Haus, ¨er*	*das Theater, -*
die Wohnung, -en	*der Stuhl, ¨e*	*der Gummi, -s*	*das Land, ¨er*	*der Vater, ¨er*
die Lektion, -en	*der Topf, ¨e*	*der Lolli, -s*	*das Buch, ¨er*	*der Sessel, -*
die Süßigkeit, -en	*der Ton, ¨e*	*der Lerntipp, -s*	*das Wort, ¨er*	*der Wohnwagen, -*
das Bett, -en	*die Hand, ¨e*	*der Luftballon, -s*	*der Mann, ¨er*	*der Flughafen, ¨*
...	...	...	...	...

Aus *a, o, u* wird im Plural oft *ä, ö, ü: der Mann, ¨er* (= die Männer).

▶ Von einigen Nomen gibt es keine Singular-Form (zum Beispiel: *die Leute*) oder keine Plural-Form (zum Beispiel: *der Zucker, der Reis*).

§ 13 Die Deklination von Artikel und Nomen

a) Der bestimmte, unbestimmte und negative Artikel

	Nominativ		Akkusativ
feminin			
die	***Die Tiefkühlkost** ist da hinten.*	*die*	***Die Lampe** finde ich nicht so schön.*
eine	*Das ist **eine** gute **Idee.***	*eine*	*Frau Jünger nimmt **eine Tüte** Gummibärchen.*
keine	*Das ist **keine** gute **Idee.***	*keine*	*Am Samstag habe ich **keine Zeit.***
maskulin			
der	***Der Tisch** ist toll.*	*den*	*Wie findest du **den Teppich** hier?.*
ein	*Das ist **ein** guter **Tipp.***	*einen*	*Ich möchte **einen Apfelsaft.***
kein	*Das ist **kein** guter **Tipp.***	*keinen*	*Wir haben **keinen Apfelsaft.***
neutrum			
das	*Wie viel kostet **das Sofa?***	*das*	*Wie findest du **das Sofa?***
ein	*Das ist **ein Bild.***	*ein*	*Ich möchte **ein Schinkenbrot.***
kein	*Das ist **kein Formular.***	*kein*	*Wir haben **kein Schinkenbrot** mehr.*
Plural			
die	***Die Teppiche** sind gleich hier vorne.*	*die*	*Wie findest du **die Stühle?***
–	***Computer** sind im dritten Stock.*	–	*Wo gibt es **Computer?***
keine	*Das sind **keine Sonderangebote.***	*keine*	*Haben Sie hier **keine Sonderangebote?***

b) Der Dativ ➜ **1 B**

c) Der bestimmte Frage-Artikel: *welch-* ➜ **1 B**

d) Der unbestimmte Frage-Artikel: *was für ein-* ➜ **1 B**

§ 14 Die Possessiv-Artikel

Der Possessiv-Artikel ersetzt den Artikel.
Man dekliniert die Possessiv-Artikel genauso wie die **negativen Artikel.** → § 13

Beispiele: *Ich heiße Yoshimoto.* — ***Mein** Name ist Yoshimoto.*
Du hast ein Feuerzeug. — *Kann ich mal **dein** Feuerzeug haben?*
Sie haben eine neue Wohnung. — *Ich finde **ihre** Wohnung sehr schön.*

Nominativ und Akkusativ

	feminin: *-e*	maskulin: (Nom): -	(Akk): *-en*	neutrum: -	Plural: *-e*
ich	*meine Wohnung*	*mein Kurs*	*meinen Kurs*	*mein Haus*	*meine Bücher*
du	*deine Wohnung*	*dein Kurs*	*deinen Kurs*	*dein Haus*	*deine Bücher*
sie	*ihre Wohnung*	*ihr Kurs*	*ihren Kurs*	*ihr Haus*	*ihre Bücher*
er	*seine Wohnung*	*sein Kurs*	*seinen Kurs*	*sein Haus*	*seine Bücher*
es	*seine Wohnung*	*sein Kurs*	*seinen Kurs*	*sein Haus*	*seine Bücher*
wir	*unsere Wohnung*	*unser Kurs*	*unseren Kurs*	*unser Haus*	*unsere Bücher*
ihr	***eure** Wohnung*	*euer Kurs*	***euren** Kurs*	*euer Haus*	***eure** Bücher*
sie	*ihre Wohnung*	*ihr Kurs*	*ihren Kurs*	*ihr Haus*	*ihre Bücher*
Sie	*Ihre Wohnung*	*Ihr Kurs*	*Ihren Kurs*	*Ihr Haus*	*Ihre Bücher*

b) Possessiv-Artikel im Dativ → 1 B

§ 15 Die Artikelwörter

Das Artikelwort ersetzt den Artikel. Man dekliniert die Artikelwörter genauso wie die **bestimmten Artikel.** → § 13

a) Bestimmte Artikelwörter

***Dieser** Teppich hier ist sehr günstig.*
*Sie müssen **dieses** Formular ausfüllen.*
***Dieses** Sofa finde ich nicht so schön.*
*„Teppich", „Sofa", „Formular": **diese** Wörter sind Nomen.*

b) Unbestimmte Artikelwörter

***Jede** Teilnehmerin hat eine Karte.*
*Vera geht **jede** Woche zum Deutschkurs.*
***Alle** Leute schauen zu Tanja.*
***Jeder** Teilnehmer hat eine Karte.*
*Daniel spielt **jeden** Samstag Fußball.*
*Wiederholen Sie noch einmal **alle** Lektionen.*

▶ Der Plural von *jede-* ist *alle.*

§ 16 Die Pronomen

Pronomen ersetzen bekannte Namen oder Nomen.

Maria Jabłońska kommt aus Polen. — ***Sie** lebt schon seit 1987 in Deutschland.*
Wie findest du den Teppich? — ***Den** finde ich langweilig.*
Tanja weint ein bisschen lauter. — *Kaufe ich **ihr** jetzt Gummibärchen oder kaufe ich ihr keine?*

a) Die Personal-Pronomen ersetzen Namen und Personen.

	Singular					**Plural**			**Höflichkeitsform**
Nominativ	*ich*	*du*	*sie*	*er*	*es*	*wir*	*ihr*	*sie*	*Sie*
Akkusativ	*mich*	*dich*	*sie*	*ihn*	*es*	*uns*	*euch*	*sie*	*Sie*
Dativ	*mir*	*dir*	*ihr*	*ihm*	*ihm*	*uns*	*euch*	*ihnen*	*Ihnen*

b) Die bestimmten und unbestimmten Pronomen ersetzen Artikel und Nomen. Man dekliniert sie genauso wie die Artikel. **→ §13**

Der Tisch *ist doch toll.*	***Den*** *finde ich nicht so schön.*
Wie findest du ***das Sofa?***	***Das*** *ist zu teuer.*
Schau mal, ***die Stühle!***	*Ja,* ***die*** *sind nicht schlecht.*
Wir brauchen noch ***eine Stehlampe.***	*Wie findest du denn* ***die*** *da vorne?*
Wo finde ich ***Erdnussbutter?***	*Tut mir Leid, wir haben* ***keine*** *mehr.* ***Die*** *kommt erst morgen wieder rein.*
Hast du ***einen Wohnwagen?***	*Ja, ich habe* ***einen.***
Hat Tom ***ein Fahrrad?***	*Ich glaube, er hat* ***eins.***
	Nein, er hat ***keins.***

▶ Neutrum (NOM + AKK): *ein Fahrrad* → Pronomen: *eins* oder *keins*

c) weitere unbestimmte Pronomen: *alles, etwas, nichts, jemand, niemand* **→ 1 B**

§ 17 Die Adjektive → §6

Adjektive sind Qualitativergänzungen oder zusätzliche Informationen vor Nomen. Man fragt nach Adjektiven mit dem Fragewort *„Wie ...?"*.

a) Adjektive als Qualitativergänzung dekliniert man nicht.

Die Stühle sind ***bequem.***	*Den Teppich finde ich* ***langweilig.***
Ich finde die Film-Tipps ***interessant.***	*Als Lokführer muss man* ***flexibel*** *sein.*

b) Adjektive vor Nomen: **→ 1 B**

§ 18 Die Zahlwörter

Einfache Zahlen und Zahl-Adjektive stehen vor Nomen.

a) Einfache Zahlen zur Angabe von Menge, Preis, Uhrzeit usw. dekliniert man nicht.
Kommen Sie bitte um ***neun*** *Uhr.*
Ich hätte gern ***250*** *Gramm Butterkäse.*
Unser Angebot der Woche: MirDir-Pils – der Kasten mit ***zwanzig*** *Flaschen für* ***18*** *Mark* ***95.***
Das Sofa kostet ***zweitausendfünfhundert*** *Mark.*
Bei Möbel-Fun gibt es einen Tisch mit ***vier*** *Stühlen für* ***1089*** *Mark.*
In Deutschland haben ***98*** *Prozent der Haushalte ein Telefon.*

b) Zahl-Adjektive werden dekliniert. Die Ordinalzahlen: **→ §19**

1.	2.	3.	4.	5.	...	19.	20.	21.	...	
der ***erste***	*zweite*	***dritte***	*vierte*	*fünfte*	...	*neunzehnte*	*zwanzigste*	*einundzwanzigste*	...	*Stock*

Heute ist der ***erste*** *Januar .*	***Am ersten*** *Januar beginnt in Deutschland das neue Jahr.*
Heute ist der ***zwanzigste*** *März.*	*Sie hat* ***am zwanzigsten*** *März Geburtstag.*

Sie ist ***vom vierundzwanzigsten bis (zum) einunddreißigsten*** *August in Graz.*

Verzeihung, ich suche Olivenöl.	*Öl finden Sie* ***im zweiten*** *Gang rechts oben.*
Wo finde ich Computer?	*Die Elektronikabteilung ist* ***im dritten*** *Stock.*

c) Die Zahlwörter *viel* und *wenig* dekliniert man meistens nur im Plural.

Der Pilot hat ***wenig*** *Zeit für seine Familie.*	***Viel*** *Design für* ***wenig*** *Geld.*
In Deutschland trinkt man ***viel*** *Bier.*	*In meiner Freizeit mache ich* ***viel*** *Sport.*

Als Fotograf lernt man ***viele*** *Menschen kennen.*
In Deutschland besitzen nur ***wenige*** *Menschen einen Wohnwagen.*

Die Partikeln

§ 19 Die Präpositionen → §6 + §7

which?

Präpositionen verbinden Wörter oder Wortgruppen und beschreiben die Relationen zwischen ihnen. Sie stehen links vom Nomen oder Pronomen und bestimmen den Kasus (z.B. Dativ oder Akkusativ).

*Willst du **am** Samstag mit mir **in die** Disko gehen? – Tut mir Leid, da gehe ich **ins** Kino.*
*Wann ist der Termin **beim** ZDF? – **Am** 11. August **um** 10 Uhr.*
***Am** Wochenende gehe ich oft **zur** Fotobörse, **zum** Flohmarkt oder **in den** Zoo.*
*Vera Barbosa kommt **aus** Brasilien. Sie wohnt **in** Köln und arbeitet **bei** TransFair.*

Oft werden die Präposition und der bestimmte Artikel im Singular zu einem Wort.

an dem → ***am***	*in das* → ***ins***	*zu der* → ***zur***
bei dem → ***beim***	*in dem* → ***im***	*zu dem* → ***zum***

a) Präpositionen: Ort oder Richtung

Woher: [□→] (from)	*Wo:* [■] (in/at)	*Wohin:* [→□] (to)
*Herr Fuentes kommt **aus** Spanien.* *Frau Schmittinger kommt **aus** Deutschland.* *Herr Haufiku kommt **aus** Windhuk.* *Herr Simsir kommt **aus** der Türkei.*	*Er arbeitet **beim** Airport-Friseur.* *Sie wohnt **in** Frankfurt und arbeitet **bei** der Lufthansa.* *Er lebt **in** München.* *Er lebt **in** Deutschland und arbeitet **im** Büro **bei** Siemens.*	*Er geht gerne **in** die Disko.* *Sie fliegt oft **nach** Asien.* *Heute fliegt er **nach** München.* *Am Wochenende geht er gerne **zum** Flohmarkt und **ins** Kino.*
aus + DAT	*in*, *bei* + DAT	*in* + AKK *zu*, *nach* + DAT

Präpositionen: vor, hinter, an, auf, über, unter, neben, zwischen → 1 B

b) Präpositionen zur Zeitangabe

*Was möchtest du **am** Samstag machen?*	•	*am* + Tag
*Vera kommt **am** 12. Februar.*	•	*am* + Datum
*Der Film beginnt **um** 20 Uhr.*	•	*um* + Uhrzeit
*Julia hat **im Juli** Urlaub.*	|←→|	*im* + Monat
*Sie ist **ab 24. August** in Graz.*	•→	*ab* + Datum
*Sie ist **bis (zum) 31. August** in Graz.*	→•	*bis (zum)* + Datum
*Sie ist **vom 24. bis 31. August** in Graz.*	•←→•	*vom... bis (zum)...* + Daten
*Sie hat **von Montag bis Mittwoch** Proben.*	•←→•	*von...bis* + Tage
*Wir haben **von 9 bis 13.30 Uhr** Unterricht.*	•← →•	*von...bis* + Uhrzeiten
*Ich lebe **seit 3 Jahren** in Österreich.*	|⇒	*seit* + Zeitangabe

c) Präpositionen: andere Informationen

für + AKK	*Moderne Möbel **für** junge Leute* *Ich kaufe doch kein Sofa **für** 2 500 Mark!* *Ich habe **für** Samstag zwei Karten **für** den Tigerpalast.*
mit + DAT	*Salat **mit** Ei* *Ich fahre immer **mit** dem Bus in die Stadt.* *Gehst du heute **mit** mir tanzen?*
von + DAT	*Ich bin Karin Beckmann, **von** „Globe-Tours".* *Wie ist die Telefonnummer **von** Herrn Palikaris?*

Präpositionen: *durch, ohne* → 1 B

§ 20 Die Adverbien

Adverbien geben zusätzliche Informationen, z.B. zu Ort oder Zeit. Sie ergänzen den Satz oder einzelne Satzteile. Adverbien dekliniert man nicht. → **§6**

a) Ortsangaben

Wo finde ich denn Kaffee?	*Im nächsten Gang **rechts oben**.*
Haben Sie Tomaten?	*Gemüse finden Sie **gleich hier vorne links**.*
Ich suche einen Teppich.	*Teppiche finden Sie **ganz da hinten**.*
*Wo gibt es denn **hier** Computer?*	*Im dritten Stock. Fragen Sie bitte **dort** einen Verkäufer.*
Soll ich dich abholen?	*Ja. Du kannst ja **unten** klingeln.*

b) Zeitangaben

***Wie lange** wohnst du schon hier?*	*Nicht **lange**, erst zwei Monate.*
*Haben Sie **jetzt** Zeit?*	*Ja, aber kommen Sie **gleich**.*
*Hast du **heute** Zeit?*	*Nein, aber **morgen**.*

Adverbien: *früher, damals, gestern, zuerst, dann* → **1 B**

c) Häufigkeitsangaben

*Samstags gehe ich **immer** ins Kino.*	
*Gehst du auch **oft** ins Kino?*	*Nein, nur **manchmal**.*

nie	***selten***	***manchmal***	***oft***	***meistens***	***immer***

d) Andere Angaben

Gehst du mit mir in die Disko?	*Ja, **gerne**. Und wann?*
*Haben Sie **auch** Jasmintee?*	*Nein, leider nicht.*
Ich spreche ein bisschen Englisch.	*Ich **auch**.*
Wo ist denn hier die Leergut-Annahme?	*Tut mir Leid, das weiß ich **auch** nicht.*
Wo finde ich hier Fisch?	***Vielleicht** bei der Tiefkühlkost.*
Ist Yoko zu Hause?	*Ich weiß nicht. **Vielleicht**.*

Adverbien: *nicht mehr, also, deshalb, anders, allein, umsonst, genug, nämlich, so* → **1 B**

§20 Die Modalpartikeln

Modalpartikeln setzen subjektive Akzente. Sie modifizieren den Satz oder einzelne Satzteile. Modalpartikeln dekliniert man nicht. Vergleichen Sie:

Die Wohnung ist ***sehr*** *schön!*	+++
Die Wohnung ist schön.	++
Die Wohnung ist ***ganz*** *schön.*	+
Der Kühlschrank ist günstig. Oh, der ist ***aber*** *günstig.*	zeigt Überraschung

Beispiele mit Modalpartikeln	**subjektiver Akzent**
Wie alt sind ***denn*** *Ihre Kinder?*	zeigt Interesse
Hast du ***vielleicht*** *auch Tee?* *Gebt ihr mir* ***mal*** *eine Schachtel Zigaretten?*	machen Fragen freundlich
Helft mir ***doch mal****!* *Kommen Sie* ***bitte*** *mit.*	machen Aufforderungen freundlich
Schau mal, das Sofa ist ***doch*** *toll.*	*„Findest du nicht auch?“*
Das ist ***doch*** *altmodisch.*	*„Nein, ich finde es nicht toll.“*
Ich finde das Sofa nicht ***so*** *schön.*	höflich für *„nicht schön“*
Das ist ***zu*** *teuer.*	*„So viel Geld möchte ich nicht bezahlen.“*
Sie ist ***schon*** *8 Monate in Deutschland.*	*„Ich finde, das ist eine lange Zeit.“*
Sie ist ***erst*** *8 Monate in Deutschland.*	*„Ich finde, das ist nicht lange.“*
Ich spreche ***etwas*** *Deutsch.* *Kann ich auch* ***etwas*** *später kommen?*	≈ nicht viel, ein bisschen
Roman möchte ***noch*** *ein Cola.*	≈ das zweite, dritte, ... Cola
Lesen Sie den Text ***noch*** *einmal.*	≈ das zweite, dritte, ... Mal
In Deutschland haben ...	*„Ich weiß es nicht ganz genau.“*
... ***fast*** *alle Haushalte eine Waschmaschine.*	< 100% (≈ 95–99%)
... ***über*** *die Hälfte der Haushalte einen Videorekorder.*	> 50% (≈51–55%)
... ***etwa*** *die Hälfte der Haushalte eine Mikrowelle.*	<> 50% (≈45–55%)
Ich komme ***so*** *um zehn.*	<> 10 Uhr (9.45–10.15 Uhr)
Haben Sie auch andere Teppiche? ***So*** *für 500 Mark?*	<> 500 DM (450–550 DM)

weitere Modalpartikeln: *ziemlich, ganz* ➜ 1 B

§22 Konjunktionen ➜ §5

Konjunktionen verbinden Sätze oder Satzteile.

Ich habe keine Kinder.	***Aber*** *ich.*	= Kontrast
Achim hat eine große Wohnung,	***aber*** *keine Küche.*	
Journalisten arbeiten bei der Zeitung	***oder*** *beim Fernsehen.*	= Alternative
Kaufe ich ihr jetzt Gummibärchen	***oder*** *kaufe ich ihr keine?*	
Ich heiße Beckmann.	***Und*** *wie ist Ihr Name?*	= Addition
Ich spreche Italienisch, Spanisch	***und*** *etwas Deutsch.*	

weitere Konjunktionen: *weil, wenn* ➜ 1 B

Die Wortbildung

§ 23 Komposita

Nomen + Nomen	Adjektiv + Nomen	Verb + Nomen
die Kleider (Pl) + der Schrank ***der Kleiderschrank***	*hoch + das Bett* ***das Hochbett***	*schreiben + der Tisch* ***der Schreibtisch***
die Wolle + der Teppich ***der Wollteppich***	*spät + die Vorstellung* ***die Spätvorstellung***	*stehen + die Lampe* ***die Stehlampe***

▶ Das Grundwort steht am Ende und bestimmt den Artikel. Das Bestimmungswort (am Anfang) hat den Wortakzent.

§ 24 Vorsilben und Nachsilben

a) Die Wortbildung mit Nachsilben

-isch für Sprachen
*England – Engl**isch***
*Indonesien – Indones**isch***
*Japan – Japan**isch***
*Portugal – Portugies**isch***

-in für weibliche Berufe und Nationalitäten:
*der Arzt – **die** Ärzt**in**, der Pilot – **die** Pilot**in**, der Kunde – **die** Kund**in**, …*
*der Spanier – **die** Spanier**in**, der Japaner – **die** Japaner**in**, der Portugiese – **die** Portugies**in**, …*

Andere Berufsbezeichnungen:
*Geschäfts**frau** – Geschäfts**mann**, Haus**frau** – Haus**mann**, Kamera**frau** – Kamera**mann**, Bankkauf**frau** – Bankkauf**mann***

weitere Nachsilben: *-heit, -keit* → 1 B

b) Die Wortbildung mit Vorsilben

un- als Negation bei Adjektiven:
*praktisch – **un**praktisch* ≈ *nicht praktisch*
*bequem – **un**bequem* ≈ *nicht bequem*
*pünktlich – **un**pünktlich* ≈ *nicht pünktlich*

▶ Viele Adjektive negiert man mit ***nicht***, z.B. *nicht teuer, nicht billig, nicht viel, …*

Textgrammatische Strukturen

§ 25 Die Negation

a) Mit ***nicht*** oder ***kein*** negiert man Sätze oder Satzteile. → § 13

Kommst du am Samstag mit ins Konzert?	*Ich darf **nicht** mitkommen, ich muss lernen.* *Da habe ich **keine** Zeit. Ich muss arbeiten.*
Wo finde ich hier frischen Fisch?	*Tut mir Leid, das weiß ich auch **nicht**.* *Wir haben **keinen** frischen Fisch.*
Familienstand?	*Ich bin nicht verheiratet und habe keine Kinder.*
Kannst du uns beim Umzug helfen?	*Ende August bin ich nicht in Frankfurt, da bin ich in Graz.*

b) Eine positive Frage beantwortet man mit *ja* oder *nein*, eine negative Frage mit *doch* oder *nein*.

Ist Frau Fröhlich verheiratet? — ***Ja.*** (= Frau Fröhlich ist verheiratet)
Ist Vera verheiratet? — ***Nein.*** (= Vera ist nicht verheiratet)

*Ist Frau Fröhlich **nicht** verheiratet?* — ***Doch.*** (= Frau Fröhlich ist verheiratet)
*Ist Vera **nicht** verheiratet?* — ***Nein.*** (= Vera ist nicht verheiratet)

c) Weitere Negationswörter:

*Gehst du **nie** in die Disko?* — *Nein, ich tanze nicht gerne.*

Weitere Negationswörter: *nichts, niemand.* ➜ 1 B

§ 26 Referenzwörter

a) **Personalpronomen** stehen für Namen und Personen. ➜ § 16

***Maria Jabłońska** kommt aus Polen. **Sie** lebt schon seit 1987 in Deutschland.*

***Rainer Schnell** ist seit drei Jahren Pilot einer Boeing 747 der Lufthansa.*
***Er** ist viel unterwegs und hat wenig Zeit für seine Familie in Hamburg.*

***Tanja** weint ein bisschen lauter. Was mache ich nur?*
*Kaufe ich ihr jetzt Gummibärchen, oder kaufe ich **ihr** keine?*

b) **Bestimmte Pronomen** und **unbestimmte Pronomen** stehen für Nomen. ➜ § 16

*Wie findest du **die Küche**?* — ***Die** finde ich praktisch.*
***Der Teppich** hier ist doch schön.* — *Schön? **Den** finde ich langweilig.*
***Den Tisch von Helberger** finde ich toll.* — *Ich auch. Aber **der** ist zu teuer.*

*Hast du **ein Handy**?* — *Ja, ich habe **eins**.*
*Die Kinder möchten **Süßigkeiten**, aber der Vater kauft ihnen **keine**.*

c) **D-Wörter** stehen für Satzteile und Sätze.
*Kannst du **um acht Uhr**?* — *Nein, **da** habe ich keine Zeit.*
*Wie ist das **in Frankreich**? Wie viele Leute haben **dort** ein Telefon?*
*Sag mal, Vera, **lernst du so Deutsch?*** — *Ah, die Zettel. **Das** ist eine gute Methode.*

d) Der **bestimmte Artikel** steht bei schon bekannten Nomen (und der unbestimmte Artikel bei neuen Nomen). ➜ § 13
*Das ist keine Tabelle. Das ist **eine Liste**.* — *Genau. Das ist **die Liste** auf S. 25.*

*Sie verkaufen **einen Kühlschrank**. Funkioniert der auch?* — *Ja, natürlich. **Der Kühlschrank** ist erst ein Jahr alt.*

§ 27 Kurze Sätze ➜ § 2

In Dialogen gibt es oft kurze Sätze ohne Verb oder Subjekt (kurze Antworten und Rückfragen).

Was sind Sie von Beruf? — ***Ärztin.***
Woher kommen Sie? — ***Aus Polen. Und Sie?***
Haben Sie Kinder? — ***Ja, zwei. Und Sie?***
Wie heißt du? — ***Tobias. Und du?***
Wie geht's? — ***Danke, gut. Und dir?***

Entschuldigung, wie spät ist es bitte? — ***Zehn vor acht.***
Was möchten Sie trinken? — ***Einen Apfelsaft, bitte.***
Haben Sie hier keine Computer? — ***Doch, natürlich. Da hinten rechts.***

Arbeitsbuch

Lektionen 1–6

Hallo! Wie geht's?

LEKTION 1

A Willkommen!

A 1 Ergänzen Sie die Sätze.

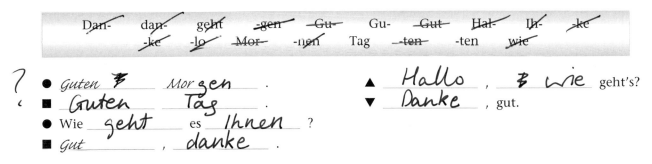

Dan- dan- geht -gen Gu- Gu- Gut Hal- Ih- -ke
-ke -lo Mor- -nen Tag -ten -ten wie

- ● Guten Mor gen .
- ■ Guten Tag .
- ● Wie geht es Ihnen ?
- ■ Gut , danke .

- ▲ Hallo , wie geht's?
- ▼ Danke , gut.

A 2 Sortieren Sie die Dialoge.

Wie geht's? ◆ Entschuldigung, sind Sie Frau Yoshimoto? ◆ Wie geht es Ihnen? ◆ Gut, danke. ◆ Hallo, Lisa! Hallo, Peter! ◆ Danke, gut. ◆ Hallo, Nikos! ◆ Guten Tag, mein Name ist Bauer. ◆ Ja. ◆ Ah, Frau Bauer! Guten Tag.

- ● ~~Hallo, Lisa! Hallo Peter~~
- ■ ~~Hallo~~
- ▲ ________
- ■ ________

- ● ________
- ■ ________
- ● ________
- ■ ________
- ● ________
- ■ ________

A 3 Was „sagen" die Leute? Hören und markieren Sie.

1/1

1 ✓ Guten Morgen. ☐ Guten Tag.	3 ☐ Gut, danke. ✓ Danke, gut.	5 ☐ Wie geht's? ✓ Wie geht es Ihnen?
2 ✓ Guten Tag. ☐ Hallo.	4 ✓ Auch gut, danke. ☐ Gut, danke.	6 ✓ Und Ihnen? ☐ Wie geht es Ihnen?

Schreiben Sie jetzt den Dialog.
Hören und vergleichen Sie. 1/1

Guten Morgen. …
Guten Tag
Wie geht es Ihnen
Danke, gut. Und Ihnen.
Auch gut, danke.

KURSBUCH B 1-B 2

B Und wie ist Ihr Name?

B 1 Ergänzen Sie die Namen.

Doris Meier: *Mein Familienname ist* Meier.
Mein Vorname ist Doris.

Julia Meier: *Mein Familienname ist auch* Meier.
Aber mein Vorname Julia.

Und Sie? ______________
(Vorname)
____
(Familienname)

KURSBUC
B 3-B

B 2 Hören und markieren Sie.

1/2

Dialog	Bild	per du	per Sie
1 (eins)	A	X	X
2 (zwei)	C		X
3 (drei)	B		

A

B

C

● *Dialog eins ist Bild …*

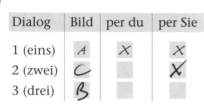

B 3 Per du oder per Sie? Sortieren Sie die Bilder.

Tobias, …

A

Aber Mama, …

B

C

D

Entschuldigung, …

E

F

G

H

per du A, ______________ per Sie ______________

KURSBUCH
B 5

B 4 Frage oder Antwort? Ergänzen Sie „?" oder „ ."

● Wie heißen Sie ? ■ Mein Name ist Raab .

▲ Ich heiße Weininger ___ Und Sie ___ ▼ Spät, Udo Spät ___

◆ Ich heiße Daniel ___ Und wie heißt du ___ ✜ Eva ___

Ich will deinen großen, harten Penis in mir spüren.

B 5 **Bilden Sie Sätze und markieren Sie die Verben.**

Sie / Wie / heißen / ?	Wie heißen Sie?
Yoshimoto / Mein Name / ist / .	*Mein Name ist Yoshimoto.*
du / Wie / heißt / ?	Wie hießt du?
heiße / Ich / Nikos / .	Ich heiße Nikos.
Werner Raab / Ich / heiße / .	Ich heiße Werner Raab.

W-Fragen und Aussagen: Das _______ steht auf Position 2.

KURSBUCH C 1

C Woher kommen Sie?

C 1 **Wie heißen die Länder?**

~~Öster~~-land	Frank-land	Chi-~~reich~~	Eng-da	Argenti-lien
Deutsch-ei	Brasi-chen	Austra-reich	Türk-na	Schweiz-land
	Kana-lien	Ja-nien	Grie-pan	

Österreich, ... Deutschland Frankreich Brasilien Kanada China Australien Japan England Türkei Griechen Argentien ~~Sp...~~ Schweiz

KURSBUCH C 2-C 3

C 2 **Schreiben Sie zwei Dialoge.**

1
KommstduausÖsterreichNeinichkommeausderSchweizUndduWoherkommstduIchkommeausKanadaausToronto

2
WoherkommenSieIchkommeausFrankreichUndSieKommenSieausDeutschlandJaausKöln

1 ● *Kommst du aus Österreich?*
■ *Nein,* ich komme aus der Schweiz Und du? Woher kommst du?
● Ich komme aus Kanada, aus Toronto

2 ▲ Woher kommen Sie.
▼ Ich komme aus Frankreich Und Sie Kommen Sie aus Deutschland
▲ Ja, aus Köln

1/3 **Markieren Sie die Akzente. Dann hören und vergleichen Sie.**

KURSBUCH C 4-C 7

C 3

Suchen Sie die Wörter und ergänzen Sie die Buchstaben.

W	Y	H	C	N	H	F	L	S
Ü	W	A	S	B	E	R	U	F
P	O	L	E	N	I	A	L	L
N	A	L	N	V	ß	U	E	A
A	K	O	M	M	E	N	H	N
M	K	E	L	L	N	E	R	D
E	G	U	T	Ü	R	K	E	I
W	I	E	W	O	H	E	R	R
T	D	A	N	K	E	D	P	T

B *e* r *u* f — d _ nk _
Fr *a* *u* — g _ t
H _ ll _ — h _ _ ß _ n
H _ rr — K _ lln _ r
k _ mm _ n — L _ nd
L _ hr _ r — N _ m _
P _ l _ n — T _ rk _
W _ s — W _ _
W _ h _ r

Sortieren Sie die Wörter.

Hallo	Name	Land	Beruf
wie			
danke			
gut			

C 4

„Frau ..." oder „Herr ..."? Ergänzen Sie die Namen.

Fahrer (Calvino / Italien)
Polizistin (Hahn / Frankfurt)
Friseur (Márquez / Spanien)
Pilot (Born / Hamburg)
Ärztin (Jabłońska / Polen)
Student (Palikaris / Griechenland)
Ingenieurin (Wang / China)
Verkäuferin (Kahlo / Mexiko)

Frau ...	Herr ...
Frau Hahn	*Herr Calvino*

C 5

Fragen und antworten Sie.

● *Woher kommt Herr Born?* ■ *Aus Hamburg.*
▲ *Was ist Frau Wang von Beruf?* ▼ ...
● *Wie heißt der Fahrer?* ◆ ...

C 6

Schreiben Sie bitte.

Herr Calvino kommt aus Italien. Er ist Fahrer von Beruf.
Frau Hahn ______

______

Ich heiße ______ *Ich komme aus* ______
Ich bin ______ *von Beruf.*

KURSBUCH C 8-C 10

C 7

Markieren Sie die Verben und antworten Sie.

Wie heißt du?	______ .
Sind Sie Herr Spät?	*Nein, mein Name ist* ______ .
Woher kommst du?	______ .
Kommen Sie aus Kanada?	______ .
Was sind Sie von Beruf?	______ .
Bist du Pilot von Beruf?	______ .

Ja/Nein-Frage: Das ______ ______ steht auf Position 1.
W-Frage: ______ .

C 8

1/4

Was hören Sie: ↗ oder ↘? Ergänzen Sie ↗ oder ↘.

1 Wie ist Ihr Name? ↘
2 Ich heiße Sandra Bauer. ☐
3 Sind Sie Frau Beckmann? ☐
4 Nein, mein Name ist Bauer. ☐
5 Wie heißt du? ☐
6 Sandra. Und du? ☐
7 Woher kommen Sie? ☐
8 Kommen Sie aus Brasilien? ☐
9 Was sind Sie von Beruf? ☐
10 Sind Sie Ingenieurin? ☐
11 Wie geht es Ihnen? ☐
12 Danke, gut. Und Ihnen? ☐

W-Fragen und Aussagen: ______
Ja/Nein-Fragen und Rückfragen („Und du?" „Und Ihnen?" „Wie bitte?"): ______

KURSBUCH C 11

D Zahlen

D 1 Schreiben Sie bitte oder üben Sie zu zweit.

Sie sind in Deutschland. Wie ist die Vorwahl von … ?

- *Entschuldigung, wie ist die Vorwahl von England?*
  - ■ *(Die Vorwahl ist) null-null-vier-vier.*
- *Wie ist …*
  - ■ …

Sie sind in …

Wie ist die Vorwahl von Deutschland?

INTERNATIONALE TELEFONVORWAHLEN

	A	B	CH	D	DK	E	F	GB	I	USA
A Österreich	–	0032	050	060	0045	0034	0033	0044	040	001
B Belgien	0043	–	0041	0049	0045	0034	0033	0044	0039	001
CH Schweiz	0043	0032	–	0049	0045	0034	0033	0044	0039	001
D Deutschland	0043	0032	0041	–	0045	0034	0033	0044	0039	001
DK Dänemark	00943	00932	00941	00949	–	00934	00933	00944	00939	0091
E Spanien	0743	0732	0741	0749	0745	–	0733	0744	0739	071
F Frankreich	1943	1932	1941	1949	1945	1934	–	1944	1939	191
GB Grossbritannien	01043	01032	01041	01049	01045	01034	01033	–	01039	0101
I Italien	0043	0032	0041	0049	0045	0034	0033	0044	–	001
USA USA	01143	01132	02241	01149	01146	01134	01133	01144	01139	–

ALLE ANGABEN OHNE GEWÄHR

KURSBUCH D 3-D 4

D 2 Zahlenrätsel

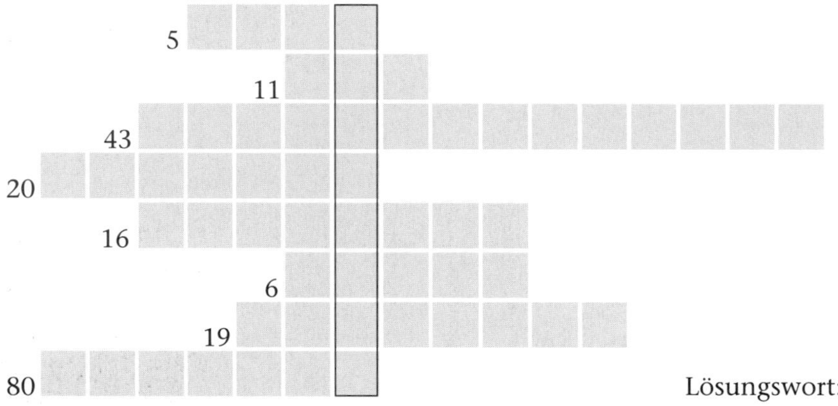

Lösungswort:

D 3 Was hören Sie? Markieren Sie.

1/5

1	☐ 2 ☐ 3	3	☐ 13 ☐ 30	5	☐ 15 ☐ 50	7	☐ 17 ☐ 70	9	☐ 19 ☐ 90	11	☐ 67 ☐ 76
2	☐ 12 ☐ 20	4	☐ 14 ☐ 40	6	☐ 16 ☐ 60	8	☐ 18 ☐ 80	10	☐ 34 ☐ 43	12	☐ 89 ☐ 98

KURSBUCH D 5

D 4 Hören Sie und markieren Sie Ralfs Lottozahlen.

1/6

D 5 Hören und ergänzen Sie.

1/7

Gewinnzahlen

Zusatzzahl

Superzahl

Ralf hat nur ___ richtige Zahlen.
Gewinn: 0 DM.

Nicht traurig sein, Ralf!

KURSBUCH E 1-E 3

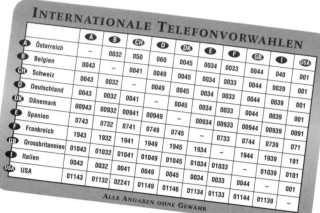

E

Zwischen den Zeilen

E 1

1/8

Wie sagen die Leute die Telefonnummern? Hören Sie und markieren Sie.

Entschuldigung, ist da nicht 45 61 23?

Nein, hier ist 4-5-6-1-2-3.

4-2-7 oder 4-3-7?

Am Telefon: zwo = zwei

1 Meine Telefonnummer ist
- a) 33 44 76
- b) 3- 3- 4- 4- 7- 6

2 Er hat die Telefonnummer
- a) 2- 8- 3 5- 6 4- 1
- b) 2- 8 3- 5 6- 4- 1

3 Turngemeinde Bornheim – das ist die
- a) 4- 5- 3 4- 9- 0
- b) 45 34 90

4 Restaurant „Waldschänke“:
- a) 0- 6- 1- 8- 3 4- 2- 0 3- 5- 9
- b) 0 61 83 42 0 3 59

5 Die gewünschte Rufnummer lautet
- a) 0- 2- 3- 7- 1 2- 5- 3- 9- 5- 9- 4
- b) 0- 2- 3- 7- 1 2- 5- 3 9- 5 9 4

E 2

Wie sagen Sie Ihre Telefonnummer? Schreiben Sie.

☎ 0 6 0 7 1 / 3 4 5 6 2 8
(Vorwahl) (Telefonnummer)

= null-sechs-null-sieben-<u>eins</u> ↗ drei-vier-<u>fünf</u> ↗ sechs-zwo-<u>acht</u>. ↘

oder null-sechs-null-sieben-<u>eins</u> ↗ drei-<u>vier</u> ↗ fünf-<u>sechs</u> ↗ zwo-<u>acht</u>. ↘

oder null-<u>sech</u>zig-<u>ein</u>undsiebzig ↗ <u>vier</u>unddreißig ↗ <u>sechs</u>undfünfzig ↗ <u>acht</u>undzwanzig ↘

☎ ______________________
(Vorwahl) (Telefonnummer)

= ______________________
(Vorwahl) (Telefonnummer)

KURSBUCH F

F Der Ton macht die Musik

F 1 Hören Sie und sprechen Sie nach.

1/9

Vokale = **a**, **e**, **i**, **o**, **u**
D**e**r T**o**n m**a**cht d**i**e M**u**sik

a	da	Tag	ja	Japan	Kanada
e	der	er	es	geht	zehn
i	wie	Sie	dir	bin	bitte
o	von	Ton	wo	oder	Pilot
u	du	und	gut	zum	Beruf

F 2 Ergänzen Sie die Vokale.

H___ll___	d___nke	d___s	N___me	m___cht	d___e
___st	w___h___r	k___mmen	w___s	s___nd	___hnen
h___er	___ch	F___hrer	L___fth___ns___	___ntsch___ldig___ng	
r___cht___g	Fl___gsteig	M___rgen	j___tzt	___lle	

1/10 **Jetzt hören und vergleichen Sie.**

F 3 Hören Sie und sprechen Sie nach.

1/11

Wie ist Ihr Name?	*Woher kommen Sie?*	*Was sind Sie von Beruf?*	*Wie geht es Ihnen?*
…	…	…	…
Wie bitte?	*Woher?*	*Ah ja.*	*Auch gut, danke.*
…	…		

Ergänzen Sie den Dialog und üben Sie zu zweit.

F 4 Hören und sprechen Sie.

1/12

Hallo, wie geht's. Wie geht es dir?
Wie heißt du? Woher kommst du? Oder bist du von hier?

Guten Tag. Mein Name ist Kanada.
Ich bin Fahrer von Beruf, bei der Lufthansa.

Hallo. Ich bin Yoko Yoshimoto.
Ich komme aus Japan, aus Kioto.

Entschuldigung, mein Name ist Behn.
Bin ich hier richtig? Ist hier Flugsteig zehn?

Guten Morgen, Herr Behn. Jetzt sind alle da.
Jetzt bitte zum Check-In der Lufthansa.

Üben Sie zu zweit oder zu dritt.

G

Deutsche Wörter – deutsche Wörter?

G 1

Was passt? Ergänzen Sie die Sprache(n).

Arabisch ◆ Chinesisch ◆ Englisch ◆ Französisch ◆ Griechisch ◆ Italienisch ◆ Deutsch ◆ Polnisch ◆ Portugiesisch ◆ Suaheli ◆ Spanisch ◆ Türkisch ◆ ...

Brasilien		Marokko	
China		Österreich	
Deutschland		Portugal	
Frankreich		Polen	
Griechenland		Schweiz	
Italien		Spanien	
Kanada		Türkei	
Kenia	*Suaheli, Englisch*	...	

Ihr Land: __________
Ihre Sprache: __________

1/13 **Hören Sie, sprechen Sie nach und vergleichen Sie.**

KURSBUCH G1-G4

G 2

Kennen Sie das Wort? Wie heißt das Wort in Ihrer Sprache?

	Meine Sprache:	Bild
der Kindergarten	Nursery	C
das (Sauer)Kraut	F	
das Schnitzel	Fillet in Breadcrumbs	
der Zickzack	Zig-Zag	
der Walzer	Waltz	
das Bier	Beer	

A

B

F

E

D

C

G 3

Sortieren Sie die Wörter.

Flughafen ◆ Nummer ◆ Name ◆ Beruf ◆ ~~Zahl~~ ◆ ~~Text~~ ◆ Rätsel ◆ Wort ◆ Taxi ◆ Pass ◆ Information ◆ Frage ◆ Übung ◆ Land ◆ ~~Telefon~~

der Artikel

die	der	das
die Zahl	*der Text*	*das Telefon*

Zahl *die*; -, *-en*; **1** ein Element des Systems, mit dem man rechnen, zählen u. messen kann ⟨e-e einstellige, zweistellige *usw*, mehrstellige Z.; eine hohe, große, niedrige, kleine Z.⟩: *die Zahl 1; die Zahlen von 1 bis 100* ‖ K-: ***Zahlen-, -angabe, -folge, -kolonne, -kombination, -lotterie, -reihe, -symbolik, -sy-***

Zahl ⟨f. 20⟩ **1** *der Mengenbestimmung dienende, durch Zählen gewonnene Größe; Menge, Gruppe, Anzahl* **2** die ~ Neun; die ~ der **Mitglieder,** Zuschauer **3** eine ~ **abrunden,** aufrunden; ~en **addieren,** subtrahieren **4 arabische,** römi-

Text *der*; *-(e)s, -e*; **1** e-e Folge von Sätzen, die miteinander in Zusammenhang stehen ‖ K-: ***Text-, -ausgabe, -buch, -stelle, -teil, -vergleich, -vorlage*** **2** die Worte, die zu e-m Musikstück gehören ⟨der T. e-s Liedes⟩ ‖ ID ***Weiter im T.!*** mach weiter!

Text I ⟨m. 1⟩ **1** *Wortlaut (z. B. eines Vortrags, einer Bühnenrolle, eines Telegramms); Unterschrift (zu Abbildungen, Karten usw.); Worte, Dichtung (zu Musikstücken;* Opern ~, Lieder ~ *); Bibelstelle als Grundlage für eine Predigt* **2** einen ~ (auswendig) **lernen,** lesen **3** ein

Te·le·fon ['te:lefo:n, tele'fo:n] *das*; *-s, -e*; ein Apparat (mit Mikrophon u. Hörer), mit dem man mit anderen Personen sprechen kann, auch wenn diese sehr weit weg sind; *Abk* Tel. ⟨ein T. einrichten, benutzen, ans T. gehen; das T. läutet; ein öffentliches T.⟩

Te·le'fon ⟨n. 11⟩ = *Fernsprecher* [zu grch. *tele* „fern, weit" + *phone* „Stimme"]
Te·le'fon·an·ruf ⟨m.⟩ *Anruf mittels Telefons,* ⟨meist kurz⟩ *Anruf*
Te·le·fo'nat ⟨n. 11⟩ *Telefongespräch, Anruf*

f → die *m* → der *n* → das

KURSBUCH H 1

H

Woher und wohin?

H 1

Sortieren Sie die Dialogteile und schreiben Sie 2 Dialoge.

● *Entschuldigung, ich suche Olympic Airways.*
● *Guten Tag. Ich möchte bitte ein Ticket nach Athen.*
● *Weininger, Max Weininger.*
● *B 46. Danke. Auf Wiedersehen.*
● *Danke.*

■ *Athen, kein Problem. Und wie ist Ihr Name, bitte?*
■ *... So, Ihr Ticket, Herr Weininger. Gehen Sie bitte gleich zu B 46.*
■ *Auf Wiedersehen und guten Flug.*
▲ *Halle B, Schalter 55.*

1 ○ *Entschuldigung, ich suche Olympic Airways.*
△ ...
○ ...

2 ○ *Guten Tag. ...*
□ ...

1/14 **Hören und vergleichen Sie.**

H 2

Ergänzen Sie Name, Land ... Dann hören und sprechen Sie.

1/15

Sie sind am Flughafen und warten auf Ihren Flug nach Stockholm.
Ein Passagier spricht Sie an. Hören Sie und wiederholen Sie die Antworten.

▲ *Achtung bitte, alle Fluggäste gebucht auf Lufthansa-Flug 47-0-2 nach Madrid werden umgehend zu Flugsteig B 38 gebeten. All passengers booked for Lufthansa flight 4-7-0-2 to Madrid ...*
● *Entschuldigung, ist das der Flug nach Athen?*
■ *Nein, das ist der Flug nach Madrid.*

Wiederholen Sie bitte.
...

Familienname: ______
Vorname: ______
Land: ______
Beruf: ______
Abflug: *Flug LH 3072 nach Stockholm*

KURSBUCH H 2

H 3 **Ergänzen Sie die Kurzinformation.**

Der Flughafen Frankfurt am Main

In Frankfurt gibt es seit 1936 einen Flughafen. Von hier flogen die Zeppeline nach USA und Südamerika, zum Beispiel die Luftschiffe „Graf Zeppelin" und „Hindenburg".

Heute ist der Frankfurter Flughafen ein internationaler Verkehrsknotenpunkt. Jede Stunde starten und landen etwa 70 Flugzeuge, jeden Tag über 1000. Mehr als 80000 Passagiere besuchen jeden Tag den Flughafen, das sind etwa 32 Millionen pro Jahr. Und die Zahl der Passagiere steigt weiter: Für das Jahr 2000 rechnet man erstmals mit 40 Millionen Fluggästen.

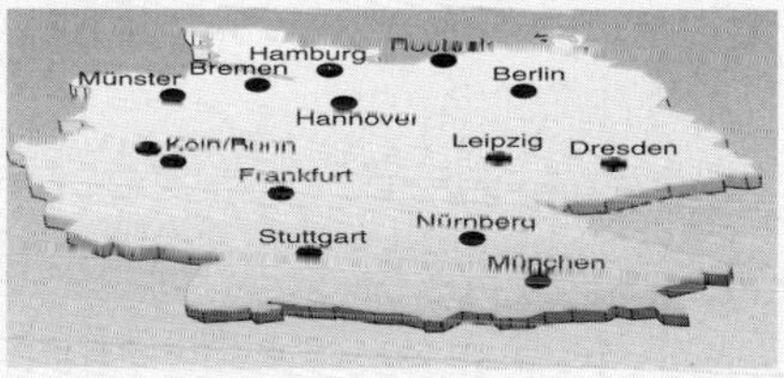

Doch der Frankfurter Flughafen ist nicht nur internationaler Verkehrsknotenpunkt, durch seine zentrale Lage verbindet er auch die wichtigsten Städte Deutschlands: Täglich gehen mehrere Flüge nach Hamburg, Bremen, Köln/Bonn, Stuttgart, Nürnberg, München, Berlin, Hannover, Münster, Leipzig, Dresden und Rostock. Mit der S-Bahn ist der Flughafen auch ohne Auto schnell zu erreichen: Bis zum Frankfurter Hauptbahnhof sind es nur 12 Minuten.

Mit 400 Firmen und Behörden ist der Frankfurter Flughafen so groß wie eine Stadt und zugleich Deutschlands größter Arbeitgeber: Hier arbeiten nicht nur Piloten und Flugbegleiterinnen, sondern auch Polizisten, Verkäufer, Fahrer, Kellner, Techniker und viele andere – insgesamt mehr als 52 000 Menschen.

Und die Zukunft? „Ein Flughafen wird niemals fertig", sagen die Planer und Ingenieure. Für den Frachtverkehr wird gerade ein neues Zentrum gebaut, die „Cargo City Süd" mit über 6000 neuen Arbeitsplätzen.

Flughafen - Kurzinformation

Eröffnungsjahr: 1936 ______
Luftschiffverkehr nach ______
und ______

Internationaler Großflughafen
täglich ______ *Starts / Landungen*
und ______ *Passagiere*

Prognose: im Jahr 2000
______ *Passagiere*

Verbindung zu ______ *Städten*
in Deutschland

nur ______ *S-Bahn-Minuten zur City*

Deutschlands größter Arbeitgeber
______ *Firmen und Behörden*
______ *Arbeitsplätze*

Pläne für die Zukunft:
neues Frachtzentrum
„ ______ *"*

Kurz & bündig

	Frage	Antwort
per Sie		
per du	*Hallo! Wie geht's?*	
Name:		
per Sie	*Wie*	
per du		
Land:		
per Sie	*Woher*	
per du		
Beruf:		
per Sie	*Was*	
per du		

Verben

Welche Verben kennen Sie schon?

heißen, ______

Wo steht das Verb?

W-Fragen: Das Verb steht auf Position ______

Beispiel: ______

Aussage (Antworten): Das Verb steht auf Position ______

Beispiel: ______

Ja- / Nein-Fragen: Das Verb steht auf Position ______

Beispiel: ______

Die Artikel

die	der	das
die Nummer	*der Name*	*das Foto*

Die Zahlen

0 ______		
1 ______	11 ______	21 ______
2 ______	12 ______	32 ______
3 ______	13 ______	43 ______
4 ______	14 ______	54 ______
5 ______	15 ______	65 ______
6 ______	16 ______	76 ______
7 ______	17 ______	87 ______
8 ______	18 ______	98 ______
9 ______	19 ______	99 ______
10 ______	20 ______	100 ______

Der Wortakzent

●•	•●	•●•		
danke	*Beruf*	*Französisch*		

Interessante Wörter und Ausdrücke

______

______

______

Auf Wiedersehen!

per Sie *Auf Wiedersehen!*

per du ______

Ich spreche ______ und etwas Deutsch.

Begegnungen

LEKTION 2

A ## Zahlen & Buchstaben

A 1 ### Sprechen und schreiben Sie diese Zahlen.

16 *sechzehn* ____________

17 ____________

60 ____________

66 ____________

70 ____________

98 ____________

134 *einhundertvierunddreißig* ____________

277 ____________

391 ____________

409 ____________

615 ____________

856 ____________

1/16 **Hören und vergleichen Sie.**

A 2 1/17 ### Was ist das? Hören Sie und verbinden Sie die Zahlen.

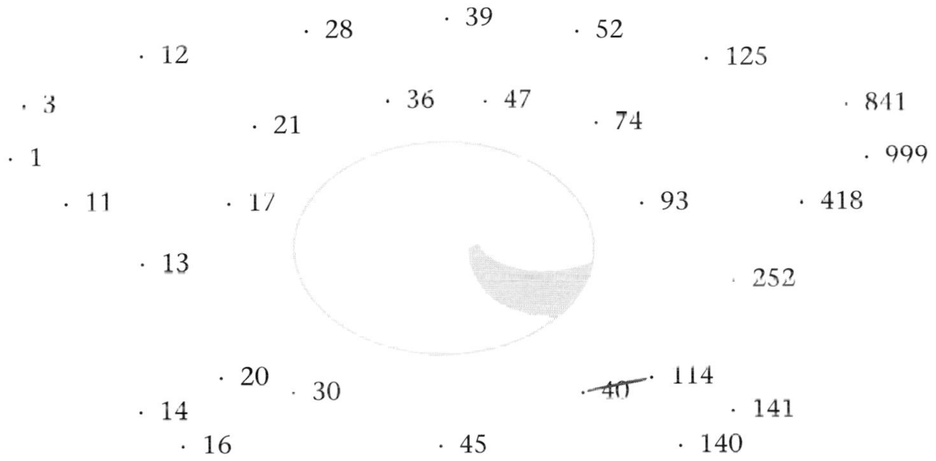

Das ist ein ____________

Ergänzen Sie.

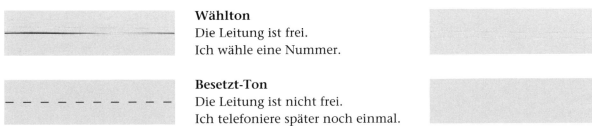

in Deutschland

in meinem Land

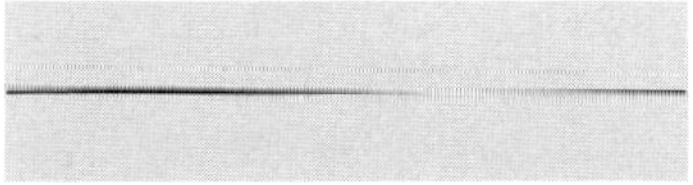

Wählton
Die Leitung ist frei.
Ich wähle eine Nummer.

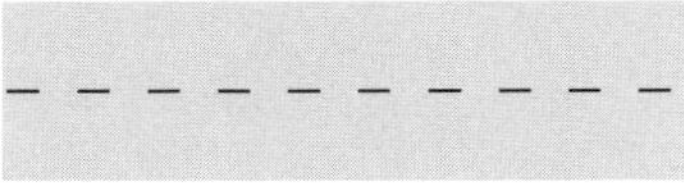

Besetzt-Ton
Die Leitung ist nicht frei.
Ich telefoniere später noch einmal.

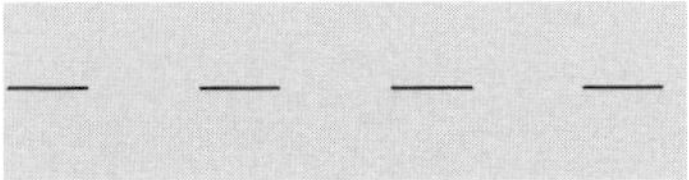

Rufton
Das Telefon klingelt.
Ist er/sie zu Hause?

A 3

Deutsche Zahlen

Sieben-und-achtzig

Drei-und-zwanzig

Die Deutschen lieben kleine Zahlen.

Wie bitte?

Ja. Die Deutschen lieben kleine Zahlen. Sie schreiben Zahlen ganz normal, aber sie sprechen Zahlen anders.

Wieso?

Zum Beispiel die Zahl **87**. Also 80 + 7. Die Deutschen sagen erst „**sieben**", dann sehen sie den Fehler und sagen noch schnell: „und achtzig", also: „**sieben**undachtzig".

Aha.

Oder die Zahl **23**. Also 20 + 3. Die Deutschen sagen erst „**drei**" und dann schnell „und zwanzig" – „**drei**undzwanzig". Die Zahlen 1 bis 9 sind nie am Ende.

Komisch. Stimmt das immer?

Na ja, sie sagen nicht „einszehn" und „zweizehn", sondern „elf" und „zwölf". Und bei 13 bis 19 vergessen sie das „und". Aber sonst stimmt es immer.

KURSBUCH A 2-A

A 4

Was passt zusammen? Ergänzen Sie.

~~ADAC~~ ◆ DGB ◆ DM ◆ EU ◆ FAZ ◆ ICE ◆ KFZ ◆ VHS ◆ VW ◆ ZDF

ADAC	der **A**llgemeine **D**eutsche **A**utomobil-**C**lub	______	das **Z**weite **D**eutsche **F**ernsehen
______	die **F**rankfurter **A**llgemeine **Z**eitung	______	die **D**eutsche **M**ark (D-Mark)
______	der **I**nter **C**ity **E**xpress	______	der **D**eutsche **G**ewerkschafts**b**und
______	das **K**raft**f**ahr**z**eug (= Auto)	______	die **V**olks**h**och**s**chule
		______	die **E**uropäische **U**nion
		______	der **V**olks**w**agen

Lerntipp:

Bei Abkürzungen mit Buchstaben ist der Akzent fast immer am Ende.

Lesen Sie diese Abkürzungen laut.

ADAC DGB EU FAZ ICE KFZ VHS VW ZDF

A 5

Buchstabieren Sie bitte.

- *Wie heißen Sie?*
- *Polt.*
- *Wie schreibt man das? Buchstabieren Sie bitte.*
- *P wie Paula, O wie Otto, L wie Ludwig, T wie Theodor. Polt.*

A	wie Anton	J	wie Julius	Sch	wie Schule
Ä	wie Ärger	K	wie Kaufmann	T	wie Theodor
B	wie Berta	L	wie Ludwig	U	wie Ulrich
C	wie Cäsar	M	wie Martha	Ü	wie Übermut
Ch	wie Charlotte	N	wie Nordpol	V	wie Viktor
D	wie Dora	O	wie Otto	W	wie Wilhelm
E	wie Emil	Ö	wie Ökonom	X	wie Xanthippe
F	wie Friedrich	P	wie Paula	Y =	Ypsilon
G	wie Gustav	Q	wie Quelle	Z	wie Zeppelin
H	wie Heinrich	R	wie Richard		
I	wie Ida	S	wie Samuel		

Und Sie? Wie heißen Sie? ______

Wie schreibt man das? ______

KURSBUCH A 4-A

A 6

Schreiben Sie die Buchstaben in Druckschrift.

Lieber Tobias,

leider kann ich nicht zur Party kommen. Ich bin wieder unterwegs: zwölf Tage quer durch Südamerika, dann vier Tage Japan. Kommen Max und Eva? Viele Grüße an alle, und alles Gute zum Geburtstag!

Deine Karin

A a A, a ___	H h ___	Ö ö ___	Ü ü ___
Ä ä ___	I i ___	P p ___	V v ___
B b ___	J j ___	Q q ___	W w ___
C c ___	K k ___	R r ___	X x ___
D d ___	L l ___	S s ___	Y y ___
E e ___	M m ___	ß ___	Z z ___
F f ___	N n ___	T t ___	___
G g ___	O o ___	U u ___	___

A 7

Wörter suchen

Sie suchen das Wort „Lied" in der Wortliste im Anhang.

Der 1. Buchstabe von „Lied" ist „L". Sie suchen den Buchstaben „L"/„l" im Wörterverzeichnis.

…
Kursliste die, -n 16, 22, 59
kurz 14, 28, 42, 43, 56

L
lächeln 45, 47
lachen 45
Lampe die, -n 37, 20, 30

Hier ist der Buchstabe „L"/„l": alle Wörter hier beginnen mit „L"/„l". Der 2. Buchstabe von „Lied" ist ein „i". Sie suchen „Li". Hier ist „La" / „la" – also weiter!

…
langweilig 32, 33, 34, 42
lassen 39
laut 27, 43, 46, 71, 76
leben 6, 59
Lebensmittel das, - 73
Ledersofa das, -s 31

Hier ist „Le"/„le" – also weiter!

…
lesen 2, 5, 6, 20, 30, 31,
letzte 50, 56, 62, 51
Leute die (nur Plural) 3, 6
Licht das (nur Sing.) 54, 6
lieb 68
lieben 6
lieber 54, 56, 76
Lieblingsfarbe die, -n 47
Lied das, -er 22

Hier ist „Li" / „li"! Der 3. Buchstabe von „Lied" ist ein „e". Sie suchen jetzt „Lie". Hier ist es schon. Der 4. Buchstabe von „Lied" ist „d". Sie suchen jetzt „Lied".

Hier ist es! „Lied das, –er" heißt: „das Lied, Plural: die Lieder".

Suchen Sie die Wörter in der Wortliste im Anhang und ergänzen Sie.

	Singular	Plural
Adresse	*die Adresse*	*die Adressen*
Liste		
Wohnung		
Übung		
Problem		
Verein		
Kind		
Bild		
Würstchen		
Sessel		
Zettel		

A 8 1/19

Wo ist der Satzakzent? Hören und markieren Sie.

1 [X] Wie **heißt** du?
  [ ] Wie heißt **du**?

2 [ ] **Wie** heißen Sie?
  [ ] Wie **hei**ßen Sie?

3 [ ] Wie ist Ihre Telefon**num**mer?
  [ ] Wie ist Ihre Tele**fon**nummer?

4 [ ] Wie ist deine A**dres**se?
  [ ] Wie ist deine **A**dresse?

5 [ ] Bitte **noch** einmal.
  [ ] Bitte noch **ein**mal.

6 [ ] Bitte **lang**sam.
  [ ] Bitte lang**sam**.

7 [ ] **Wie** bitte?
  [ ] Wie **bit**te?

8 [ ] **Buch**stabieren Sie bitte.
  [ ] Buchsta**bie**ren Sie bitte.

9 [ ] Barbosa – wie **schreibt** man das?
  [ ] Barbosa – wie schreibt man **das**?

KURSBUCH A 6-A 7

B

Ein Visum für Deutschland

B 1

Lesen Sie das Formular auf S. 19: Was passt? Markieren Sie bitte.

Frage	*Nr.*	*Frage*	*Nr.*
Wie heißen Sie?		Was sind Sie von Beruf?	
Haben Sie noch andere Namen?		Wann und wo sind Sie geboren?	
Wie ist Ihr Vorname?	*3*	Wie ist Ihre Adresse?	
Welche Staatsangehörigkeit haben Sie?		Sind Sie verheiratet?	

Schreiben Sie die Antworten in das Formular.

Deutsch – Englisch
Französisch – Spanisch

ANTRAG AUF ERTEILUNG EINES VISUMS

APPLICATION FOR A VISA/FORMULAIRE DE DEMANDE DE VISA/IMPRESO DE SOLICITUD DE VISADO
Botschaft/Generalkonsulat der Bundesrepublik Deutschland

1. NAME ……
FAMILY NAME/NOM/APELLIDOS
2. SONSTIGE NAMEN ……
(Geburtsname, alias, Pseudonym, vorherige Namen)
OTHER NAMES (name given at birth, assumed name, previous names)
AUTRES NOMS (nom à la naissance, alias, pseudonyme, noms portés antérieurement)
OTROS APELLIDOS (apellidos de soltera, alias, pseudónimo, apellidos anteriores)
3. VORNAMEN ……
GIVEN NAMES/PRENOMS/NOMBRES
4. GESCHLECHT (M) ☐ (M)/(M)/(V) (W) ☐ (F)/(F)/(M)
SEX/SEXE/SEXO
5. GEBURTSDATUM UND -ORT ……
DATE AND PLACE OF BIRTH/DATE ET LIEU DE NAISSANCE/
FECHA Y LUGAR DE NACIMIENTO
6. GEBURTSLAND ……
COUNTRY OF BIRTH/PAYS DE NAISSANCE/PAIS DE NACIMIENTO
7. STAATSANGEHÖRIGKEITEN ……
NATIONALITY(IES)/NATIONALITE(S)/NACIONALIDAD(ES)
8. FAMILIENSTAND
PERSONAL STATUS/SITUATION DE FAMILLE/ESTADO CIVIL
ledig ☐ single/célibataire soltero(a)
verheiratet ☐ married/marié(e) casado(a)
geschieden ☐ divorced/divorcé(e)/divorciado(a)
verwitwet ☐ widowed/veuf(ve)/viudo(a)
9. ANSCHRIFT ……
ADDRESS/ADRESSE/DIRECCION
10. BERUF ……
TRADE OR PROFESSION/PROFESSION/PROFESION
11. ARBEITGEBER ……
EMPLOYER/EMPLOYEUR/EMPLEADOR

Bearbeitungsvermerke

Lichtbild neueren Datums
Recent photograph
Photographie récente
Fotografia reciente

DATUM UND NUMMER DES ANTRAGS:

BELEGE:
Aufenthaltsnachweis ☐
finanzielle Mittel ☐
Beförderungsausweis ☐
Unterkunft ☐
Rückkehrvisum ☐
Krankenversicherung ☐
weitere Belege

KURSBUCH B 7

B 2

Vergleichen Sie die Leute und ergänzen Sie.

Anja Puhl
*1975 in Hamburg
Studentin
ledig, 1 Kind
deutsch

Antonio Musso
*1972 in Stuttgart
Ingenieur
verheiratet, 2 Kinder
italienisch

Oliver Puhl
*1972 in Hamburg
Ingenieur
verheiratet, –
deutsch

Ricarda Brandt,
geb. Musso
*1974 in Stuttgart
Flugbegleiterin
geschieden, –
italienisch

… haben … ◆ … hat … ◆ … sind … ◆ … ist …

1 *Anja und Oliver sind* ______ in Hamburg geboren.
______ in Stuttgart geboren.
2 ______ Jahre alt, ______ Jahre alt,
und Oliver und Antonio ______ Jahre alt.
3 ______ Studentin, ______ Flugbegleiterin,
______ Ingenieure.
4 ______ verheiratet, ______ nicht verheiratet.
5 ______ Kinder, ______ keine Kinder.
6 ______ die deutsche Staatsangehörigkeit,
______ die italienische Staatsangehörigkeit.

B 3

Ergänzen Sie den Dialog.

bin ◆ bist ◆ ist ◆ sind ◆ seid ◆ habe ◆ hast ◆ hat ◆ haben ◆ habt

1 *Anja* „Wir *sind* in Hamburg geboren, Oliver 1972 und ich 1975.
Und ihr? ________ ihr aus Italien?"

2 ________ „Nein, die Familie ________ aus Italien. Ricarda und ich ________ in Stuttgart geboren. Aber wir ________ die italienische Staatsangehörigkeit."

3 ________ „Antonio ________ Ingenieur, ich ________ Flugbegleiterin bei der Lufthansa. Was ________ ihr von Beruf?"

4 ________ „Ich ________ Studentin. Oliver ________ auch Ingenieur."

5 ________ „Auch Ingenieur? Und auch 1972 geboren! ________ du verheiratet, Oliver? ________ du Kinder?"

6 ________ „Ja, ich ________ verheiratet, aber ich ________ keine Kinder. Anja ________ ein Kind. Und ihr? ________ ihr Kinder?"

7 ________ „Antonio ________ verheiratet und ________ zwei Kinder. Ich ________ geschieden. Und ich ________ keine Kinder."

Wer sagt was? Ergänzen Sie die Namen.

B 4

1/20

Hören und antworten Sie.

Hören und antworten Sie. Sprechen Sie schnell und undeutlich.
Die Leute verstehen nicht gut und fragen „Wie bitte?".
Wiederholen Sie dann noch einmal langsam und deutlich.

Beispiel:

- ● *Ihr Name, bitte.*
- ■ *Ich heiße Müller-Thurgau.*
- ● *Wie bitte?*
- ■ *M ü l l e r - T h u r g a u .*
- ● *Ah, Müller-Thurgau. Danke.*

Beispiel	Name:	Müller-Thurgau			
1	Frau Dr. Krüger:	310 74 53	9	Ihr Name:	???
2	Meldestelle:	Ludwigstr. 28	10	Ihr(e) Vorname(n):	???
3	Herr Obutu:	aus Nigeria	11	Ihr Land:	???
4	Herr Schnelle:	Taxifahrer	12	Ihr Beruf:	???
5	Frau Schneider:	* 1949 in Hannover	13	Ihr Familienstand:	???
6	Herr Wecker:	Konstantin	14	Ihre Adresse:	???
7	Frau Schmidt:	verheiratet, 3 Kinder			
8	Herr Haufiku:	namibisch und britisch			

KURSBUCH C 1-C 4

C

Die Eröffnung

C 1

Ergänzen Sie die Verben.

geht ◆ kommst ◆ ~~kommen~~ ◆ gehe ◆ arbeitet

HIPHOP
DIE Disko in München

HipHop
Ludwigstraße 212,
München Schwabing,
Tel.: 233 29 46
V.i.S.d.P. Karsten Wecker

Markus und Peter *kommen* immer zusammen ins HipHop.

Jasmin ____________ nie vor 2 nach Hause. Auch ich

____________ oft ins HipHop.

Und sie ____________ im HipHop. Wann ____________

du ins HipHop?

C 2

Unterstreichen Sie die Verb-Endungen.

Ich spiele ...

Du spielst ...

Er spielt ...

Sie spielt ...

Wir spielen ...

Ihr spielt ...

Alle spielen ...

TANGRAM

Das Spiel für Kreative

Das Spiel für dich?

Moment mal! Ich lerne doch Deutsch mit Tangram! ...

C 3

Jetzt schreiben Sie eine Werbung.

Ich gehe ____________ ____________ ____________

Du ____________ ____________

____________ *Alle* ____________ *ins Alabama.*

____________ *Wann* ____________ *Sie?*

C 4

Ergänzen Sie die Verb-Endungen und die Regeln.

	Subjekt	*kommen*	*gehen*	*spielen*	*arbeiten*
	ich	komm___	geh___	spiel___	arbeit___
	du	komm___	geh___	spiel___	arbeite___
	er/sie/es	komm___	geh___	spiel___	arbeite___
	wir	komm___	geh___	spiel___	arbeit___
	ihr	komm___	geh___	spiel___	arbeite___
	sie	komm___	geh___	spiel___	arbeit___
Höflichkeitsform					
	Sie	komm___	geh___	spiel___	arbeit___

Diese Zeitform nennt man Präsens.

1 Das Subjekt bestimmt die ________________________ .

2 Im Präsens haben „wir“ und „sie“ / „Sie“ die Endung ______ ,
„er“ / „sie“ / „es“ und „ihr“ die Endung ______ .

3 Bei Verben mit _d_ oder mit ___ kommt vor die Endungen -st und -t ein „e“
(du find**e**st, er / sie / es arbeit**e**t).

C 5

Ergänzen Sie die Verben und die Verb-Endungen.

- ● Ich _bin_ Ihr neuer Nachbar. Ich wohn_e_ in der Wohnung nebenan.
- ■ Komm____ Sie doch herein. ____________ Sie schon lange hier in Deutschland?
- ● Nein, ich ____________ erst 2 Wochen hier.
- ■ Wir wohn____ jetzt schon 20 Jahre hier. Mein Mann ____________ nicht zu Hause. Er arbeit____ heute bis 7 Uhr. Komm____ Sie doch mal zum Kaffeetrinken vorbei.

- ● Woher komm____ ihr?
- ■ Wir komm____ aus Chile. Aber wir ____________ schon 5 Jahre in Deutschland.

- ● ____________ du auch Student?
- ■ Nein, ich ____________ Angestellter.
- ● Arbeit____ du hier an der Universität?
- ■ Nein. Ich arbeit____ bei der Volkshochschule.

- ● Wo wohn____ Anja und Oliver?
- ■ Ich weiß nicht genau. Sie ____________ in Hamburg geboren, aber ich glaube, sie wohn____ jetzt in Bremen.

KURSBUCH C 5

D

Rätsel

D 1

Lesen Sie den Text und ergänzen Sie.

eine ◆ ein ◆ keine ◆ kein ◆ – ◆ die ◆ der ◆ das

Auf der Meldestelle

Eine Zahl, _____ Dialog und _____ Formular sind auf der Meldestelle.
„Guten Tag, mein Name ist 38", sagt *die* Zahl. „Guten Tag", sagt die Angestellte. „Sie sind _____ Zahl? Das ist gut. _____ Zahlen sind hier immer willkommen. Dann sind Sie ja verheiratet. Wie heißt Ihr Partner? Alter, oder Hausnummer, oder Postleitzahl, oder ... ?" „Ich bin ledig", sagt _____ Zahl. „Oh nein!", sagt _____ Angestellte. „ _____ ledige Zahl? Hier auf der Meldestelle? Das geht nicht! Auf Wiedersehen!" Traurig geht _____ Zahl nach Hause. „Hallo, wie geht's?", sagt _____ Dialog. „Guten Tag. Wie ist Ihr Name?", sagt _____ Angestellte. „Ich weiß nicht," sagt _____ Dialog. „Ich bin _____ Dialog." „So, so", sagt _____ Angestellte." „Und wo wohnen Sie?" „Hier!", sagt _____ Dialog. „Wir sprechen – also wohne ich hier." „Oh nein!", sagt _____ Angestellte. „ _____ Name? Das geht nicht. Hier ist kein Platz für Sie." Traurig geht _____ Dialog nach Hause.
„Guten Tag! Bin ich hier richtig?", fragt _____ Formular. „Sie sind _____ Formular? Sehr gut.", sagt _____ Angestellte. „Und wie heißen Sie?" „Ich heiße »Anmeldung«", sagt _____ Formular. „Oh, wie schön!", sagt die Angestellte, „da sind Sie hier richtig. _____ Formulare sind hier immer richtig."
Deshalb sind auf der Meldestelle viele Formulare, aber _____ Dialoge, und nur verheiratete Zahlen.

D 2

Ergänzen Sie die Regeln.

die	Der unbestimmte Artikel ist _____	, der negative Artikel *keine* .
der und das	Der unbestimmte Artikel ist _____	, der negative Artikel _____ .
die (Plural)	Der unbestimmte Artikel ist *–*	, der negative Artikel _____ .

Eine Zahl, **ein** Dialog und **ein** Formular sind auf der Meldestelle.
„Guten Tag, mein Name ist 38", sagt **die** Zahl. ...
„Hallo, wie geht's?", sagt **der** Dialog. ...
„Guten Tag! Bin ich hier richtig?", fragt **das** Formular.

In Texten, Dialogen, ... steht
zuerst der _____ Artikel,
dann der _____ Artikel.

D 3

Was ist das? Raten und ergänzen Sie.

~~halZ~~ ◆ lirsteKus ◆ rAdeses ◆ marloFur ◆ dilB ◆ tooF ◆ giloDa ◆ rahFer ◆ fonleeT

1 Sie sagt immer ihre Größe. *eine Zahl*
2 Es spricht ohne Worte. _____
3 Er ist nie allein (immer zu zweit). _____
4 Er arbeitet im Auto. _____
5 Sie hat viele Namen. _____
6 Es möchte alles von Ihnen wissen. _____
7 Sie ist auf allen Briefen. _____
8 Es ist in jedem Pass. _____
9 Sein Name ist eine Nummer. _____

● *Nummer 1 ist eine Zahl. Was ist Nummer 2?*
■ *Nummer 2 ist ...*
Was ist Nummer ... ?

sie ↔ die / eine ...
er ↔ der / ein ...
es ↔ das / ein ...

KURSBUCH D 5

E	Zwischen den Zeilen

E 1 1/21

Hören und markieren Sie.

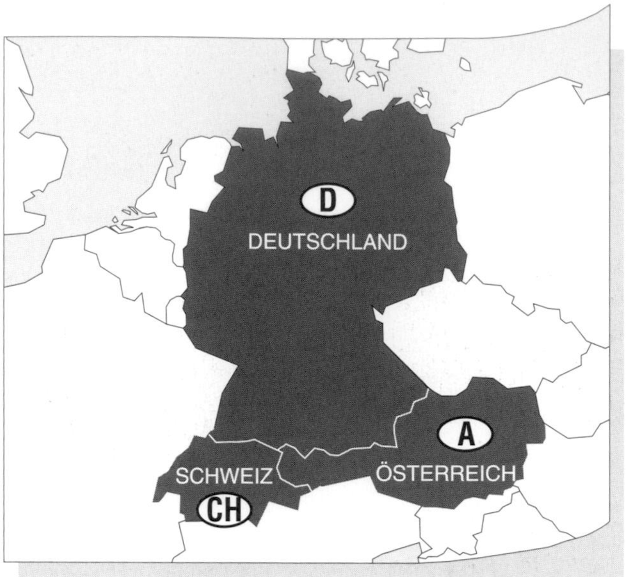

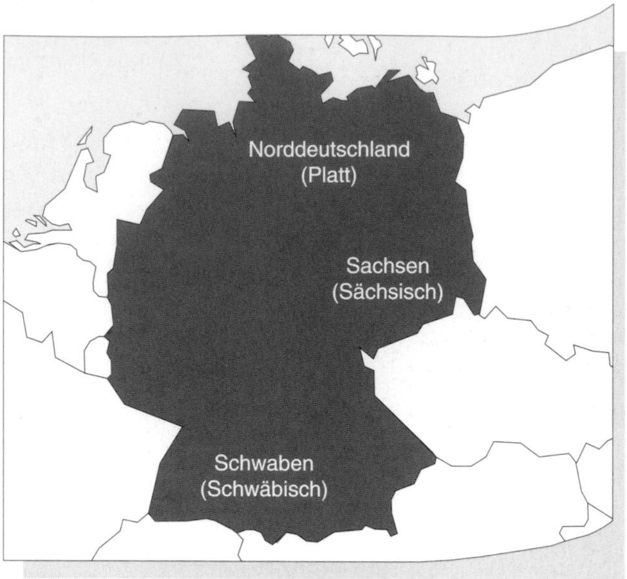

Die Leute kommen aus Ländern und Regionen, wo man Deutsch spricht. Sie begrüßen sich und sagen „Guten Tag" oder „Hallo!", aber es klingt immer anders.

1	Grüezi!	in der Schweiz
	Gudn Daach!	
	Gris Gott!	
	Moin, moin!	
	Servus!	

1/21 **Wo sagt man was? Raten Sie und ergänzen Sie die Länder, dann hören und vergleichen Sie.**

E 2 1/22

Wo ist das? Hören und markieren Sie.

Nr.	Land (Sprache)	„du"	„Sie"
	Österreich (Wienerisch)		
	Schweiz (Berndeutsch)		
	Schwaben (Schwäbisch)		

Nr.	Land (Sprache)	„du"	„Sie"
1	Norddeutschland (Platt)	X	
	Sachsen (Sächsisch)		

1/22 **Per du oder per Sie? Hören Sie noch einmal und markieren Sie.**

E 3

Was passt wo? Ergänzen Sie die Überschriften.

Hallo! / Guten Tag! (Danke,) gut. Tschüs! / Auf Wiedersehen!

______	______	______
Pfiat di!	Et mut.	Servus!
Baba!	Dange, guad.	Grüezi!
Uf Wiederluege!	Ha gued.	Moin, moin!
Adiä!	Gans guud.	Grüaß Gott!
Mach's guud!	Nu ja, es geed.	Daach!

F Was darf's denn sein?

F 1 Was passt wo? Ergänzen Sie die Namen.

Apfelsaft *(m)* ◆ Bier *(n)* ◆ Cola *(n)* ◆ Eier *(n)* ◆ Gulaschsuppe *(f)* ◆ Käsebrot *(n)* ◆ Kaffee *(m)* ◆ Kuchen *(m)* ◆ Mineralwasser *(n)* ◆ Orangensaft *(m)* Rotwein *(m)* ◆ Salat *(m)* ◆ Schinkenbrot *(n)* ◆ Tee *(m)* ◆ Weißwein *(m)* ◆ Würstchen *(n)*

1 

____

2 

____

3 

____

4 

____

5 

____

6 

____

7 

____

8 

____

9 

____

10 

____

11 

____

12 

____

13 

____

14 

____

15 

____

1/23 **Hören Sie und sprechen Sie nach.**

Welche Wörter haben den Wortakzent nicht am Anfang? Ergänzen Sie.

KURSBUCH F 1-F 3

Salat ______________________

F 2 1/24

Was bestellen die Gäste? Hören und ergänzen Sie.

Gast 1 ______________________________

Gast 2 ______________________________

nehmen / möchten / trinken

	f	*m*	*n*
Ich **nehme**	eine Gulaschsuppe	ein**en** Salat	ein Schinkenbrot.
	keine Gulaschsuppe	kein**en** Salat	kein Schinkenbrot.

F 3 1/25

Hören und antworten Sie.

Sie bestellen im Lokal.

Nein, kein Bier. Ein Cola, bitte.

Beispiel:

- ● *Was darf's sein?* ↗
- ■ *Ich nehme ein Schinkenbrot* ↘ …
  Nein, → *kein Schinkenbrot,* → *ein Käsebrot, bitte.* ↘
- ● *Und was möchten Sie trinken?* ↗
- ■ *Ein Bier.* ↘ *… Nein, kein Bier,* → *einen Rotwein, bitte.* ↘
- ● *Also ein Käsebrot und einen Rotwein.* ↘ *Danke.* ↘

Beispiel	Schinkenbrot	→	Käsebrot	Bier	→	Rotwein
1	Würstchen	→	Gulaschsuppe	Mineralwasser	→	Cola
2	Gulaschsuppe	→	Salat mit Ei	Apfelsaft	→	Tee
3	Eis	→	Apfelkuchen	Cola	→	Kaffee
4	Salat	→	Würstchen	Weißwein	→	Bier
5	Kuchen	→	Eis	Orangensaft	→	Mineralwasser
6	Käsebrot	→	Schinkenbrot	Rotwein	→	Apfelsaft

F 4

Schreiben Sie kleine Dialoge oder üben Sie zu dritt.

- ● *Was darf's sein?*
- ■ *Ein Schinkenbrot und …*
- ● *Was möchten Sie trinken?*
- ■ *Ein Bier und einen Tee, bitte.*

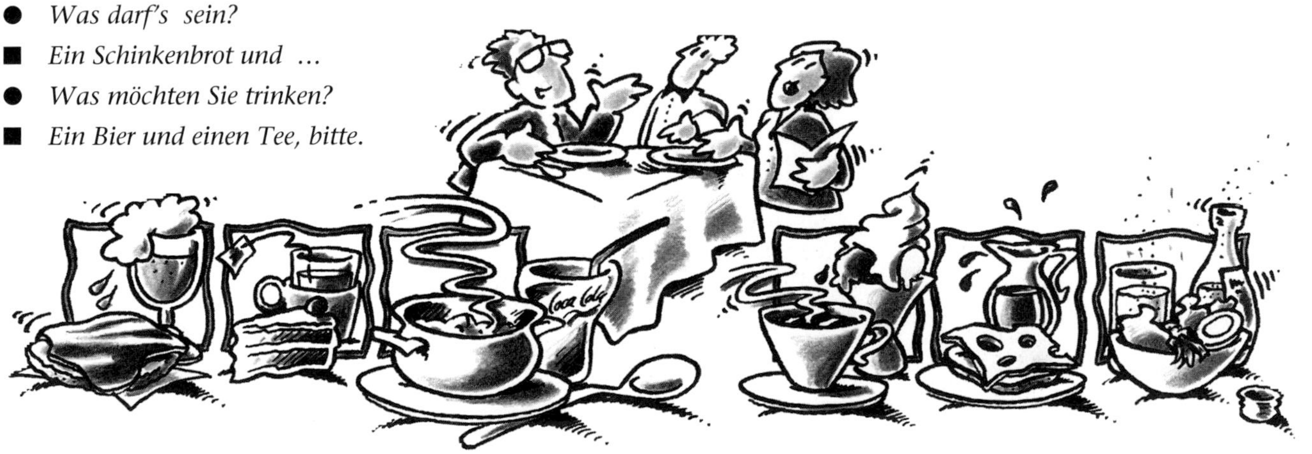

KURSBUCH F 4

G

Der Ton macht die Musik

G 1

Hören Sie, sprechen Sie nach und markieren Sie.

1/26

Die Vokale **a**, **e**, **i**, **o** und **u** spricht man im Deutschen lang (a, e ...) oder kurz (ạ, ẹ ...)

a	Zahl	Hạmburg	Datum	dann	Paar	Name	Stadt
e	geht	Student	Tee	den	denn	etwas	ledig
i	Spiel	Bild	bitte	Lied	ist	Tipp	viel
o	Brot	kommen	von	doch	Cola	wohnt	Zoo
u	Buchstabe	gut	Gruppe	Stuhl	Beruf	du	hundert

G 2

Lang oder kurz? Ergänzen Sie die Regeln.

schreiben
„ah" (wie in „Zahl") und „aa" (wie in „Paar") [a:]
„eh" (wie in „geht") und „ee" (wie in „Tee") spricht man ______ [e:]
„oh" (wie in „wohnt") und „oo" (wie in „Zoo") [o:]
„uh" (wie in „Stuhl") [u:]

„ie" (wie in „Spiel", „Lied" oder „viel") spricht man ______ [i:]

„i" (wie in „Bild" oder „ist") spricht man ______ [ɪ]

Vokal (a, e, i, o, u) + Doppel-Konsonant (mm, nn, tt, ...)
wie in „dann", „denn", „bitte", „Tipp"
„kommen" oder „Gruppe" spricht man immer ______ [a], [ɛ], [ɪ], [ɔ], [ʊ]

Lang oder kurz? Markieren Sie.

Jahr	hallo	Staatsangehörigkeit		Wasser	Fahrer
steht	Sessel	Idee	Lehrer	kennen	zehn
stimmt	hier	richtig	Bier	sieben	
oh	Boot	Lotto	Wohnung	kommen	
Suppe	Stuhl	Nummer	Uhr	null	

1/27

Hören Sie, sprechen Sie nach und vergleichen Sie.

G 3

Hören und sprechen Sie.

1/28

Vokal-Interview	a	Hallo, da sind Sie ja. Name? Staatsangehörigkeit? Aha.
	e	Ledig? Sehr nett. Sprechen Sie denn etwas Englisch?
	i	Wie ist die Anschrift hier in Innsbruck, bitte?
	o	Wo wohnen Sie? ... Woher kommen Sie?
	u	Und Ihr Beruf? Studentin? Gut.
	a / e / i / o / u	Oh, es ist schon vier Uhr. Ich muß jetzt weg. Kommen Sie doch bitte morgen noch mal vorbei.

KURSBUCH H

H

Ein Verein stellt sich vor

H 1

Was ist das? Markieren Sie.

1 Der Text ist

☐ ein Brief ☐ eine Werbung ☐ ein Formular ☐ ein Dialog

2 Die Turngemeinde Bornheim ist

☐ eine Firma ☐ eine Schule ☐ ein Sportverein ☐ eine Kneipe

Turngemeinde Bornheim 1860

Geschäftsstelle:
Berger Straße 294
6000 Frankfurt/Main 60
Telefon: 069/453490
Geschäftszeiten:

Mo. – Fr.: 13.00 – 14.00 Uhr
Di. u. Do.: 20.00 – 21.00 Uhr

Volleyball

Es gibt bei uns zwei Gruppen: die Montagsgruppe und die Mittwochsgruppe. Die Montagsgruppe trainiert intensiv und macht auch Wettkämpfe. Die Mittwochsgruppe ist eine Hobby- und Freizeitgruppe – alle können mitmachen.
Wir machen 30 Minuten Gymnastik zum Aufwärmen und dann 30 Minuten Training zur Verbesserung der Volleyball-Techniken und der Spiel-Taktik. Dann spielen wir eine Stunde.
Am Freitag und Samstag gibt es weitere Möglichkeiten zum Volleyball-Spielen: die Spielgruppen. Wir machen erst etwa 30 Minuten Gymnastik zum Aufwärmen, dann spielen wir bis ... Wie lange? Das kommt darauf an ...
Spielt ihr gerne Volleyball? Trefft ihr gerne nette Leute?
Dann kommt doch mal vorbei!

Montag:	*21 - 23 Uhr*	*in der Turnhalle der*
Mittwoch:	*21 - 23 Uhr*	*Turngemeinde Bornheim 1860 e.V.*
Samstag:	*18 - 21 Uhr*	*Berger Str. 294*
und		
Freitag:	*18 - 20 Uhr*	*in der Turnhalle der Helmholzschule*
		Habsburger Allee 57

H 2

Lesen Sie noch einmal und markieren Sie.

1 Karin sucht eine Volleyballgruppe. Sie spielt sehr gut Volleyball. Sie möchte intensiv trainieren. Für Karin passt

☐ die Montagsgruppe
☐ die Mittwochsgruppe
☐ die Spielgruppe (Freitag oder Samstag)

2 Wolfgang sucht auch eine Volleyballgruppe. Er spielt nicht so gut Volleyball. Er möchte nicht trainieren, er möchte spielen. Für Wolfgang passt

☐ die Montagsgruppe
☐ die Mittwochsgruppe
☐ die Spielgruppe (Freitag oder Samstag)

I

Kurz & bündig

Fragen mit „Wo", „Woher", „Wie", „Wann" und „Was"

Herr Obutu wohnt in Aschaffenburg.	*Wo wohnt Herr Obutu?* ?
Er kommt aus Nigeria.	?
Er ist 2[illegible] Jahre alt.	?
Herr Palikaris ist Student.	?
Er ist 197[illegible] in Griechenland geboren.	?
Seine Adresse ist Ludwig-Landmann-Str. 2[illegible]7.	?
Frau Barbosa arbeitet bei TransFair.	?
Ihre Telefonnummer ist [illegible] [illegible] 98 7[illegible] 04.	?
Sie ist schon drei Monate in Deutschland.	?
Wir spielen Volleyball bei der TG Bornheim.	*ihr* ?
Ich möchte einen Orangensaft.	?

Ich

Ich komme aus ______ . Ich bin *19* ______ in ______ geboren.

Meine Staatsangehörigkeit: ______ .

Ich bin ______ (von Beruf) und arbeite bei ______ .

Ich bin ______ und habe ______ Kinder.

Ich buchstabiere meinen Namen:

______

Meine Adresse ist:

______

Meine Telefonnummer ist

(Vorwahl) ______ (Rufnummer) ______

Antworten Sie.

(„Ich auch." / „Ich nicht." / „Ich auch nicht." / „Aber ich.")

Ich lebe in Deutschland. ______

Ich bin verheiratet. ______

Ich habe zwei Kinder. ______

Ich spreche Englisch. ______

Ich esse gerne Kuchen. ______

Ich trinke gerne Cola. ______

Ich trinke nicht gerne Bier. ______

Ich esse kein Eis. ______

Das Präsens

9 Uhr	10 Uhr	11 Uhr
Ich höre.	Ich frage.	Ich verstehe nicht.
Du markierst.	Du ______________ .	Du verstehst nicht.
Er fragt.	Er ______________ .	Er versteht nicht.
Sie antwortet.	Sie ______________ .	Sie fragt: „Versteht ihr"?
Wir schreiben.	Wir ______________ .	Wir verstehen nicht.
Ihr ergänzt.	Ihr ______________ .	Aber das macht nichts.
Alle lernen Deutsch.	Alle lernen Deutsch.	Alle machen Pause.

Interessante Wörter (Nominativ)

der (ein, kein)	die (eine, keine)	das (ein, kein)
______________	______________	______________
______________	______________	______________
______________	______________	______________
______________	______________	______________
______________	______________	______________

Ich bestelle im Lokal

(„nehmen", „möchten" + Akkusativ)

____

Interessante Ausdrücke

____

____

____

Guten Tag, ich suche...

LEKTION 3

A Schilling, Franken, Mark ...

A 1 Wie heißt das Geld in ... ? Ergänzen Sie.

Dollar ◆ Franken ◆ Lire ◆ Peseten ◆ ~~Schilling~~ ◆ Rupien ◆ Yen ◆ Mark ◆ Pesos

Österreich	*Schilling*	Türkei	________	Australien	________
Schweiz	________	Italien	________	Japan	________
USA	________	Deutschland	________	Chile	________
Indien	________	Spanien	________	...	________

KURSBUCH A 2-A 3

A 2 Ergänzen Sie die Zahlen auf den Schecks.

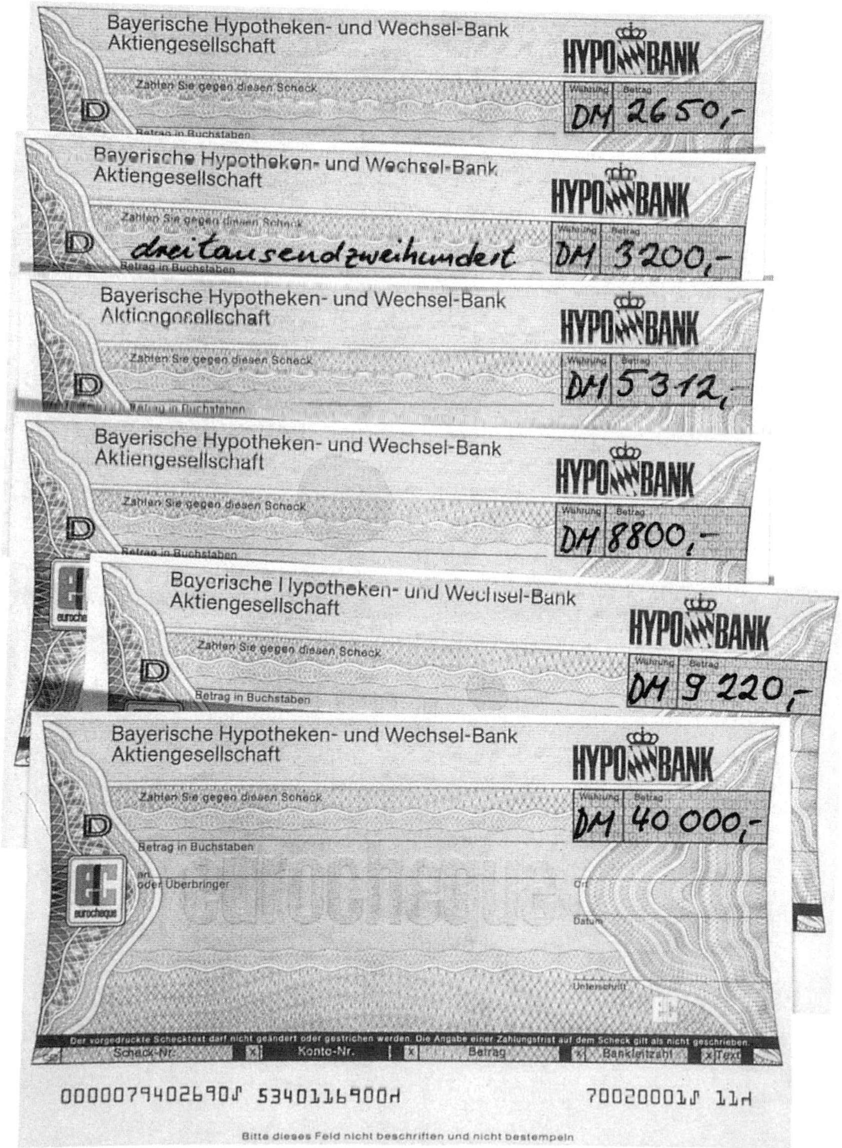

~~dreitausendzweihundert~~

zweitausendsechshundertfünfzig

vierzigtausend

fünftausenddreihundertzwölf

neuntausendzweihundertzwanzig

achttausendachthundert

3 000 = drei**tausend**
200 000 = zweihundert**tausend**
1 000 000 = eine **Million**

A 3

1/29

Hören Sie und ergänzen Sie die Zahlen.

1 Das Sofa kostet *12 500* Schilling.
2 Der Kunde wechselt ______ Lire in Franken.
3 Das Menü kostet ______ Peseten.
4 Im Jackpot sind ______ Mark.
5 Das Bild von Picasso kostet ______ Franken.
6 Frau Hansen gewinnt ______ Mark.

KURSBUCH A 4-A

A 4

Lesen Sie den Text und ergänzen Sie die Fragen.

[1] eröffnet [2] das erste IKEA-Möbelhaus in [3]. Heute ist IKEA ein internationales Unternehmen mit einem Umsatz von etwa [4] pro Jahr und mit fast [5] Mitarbeiterinnen und Mitarbeitern. 1996 gibt es [6] IKEA-Möbelhäuser in [7].
Über [8] Besucher kommen pro Jahr zu IKEA. Das Angebot umfaßt heute nicht nur Möbel, sondern auch [9]. Das wichtigste Werbemittel ist [10].

~~Wann~~ ◆ Was ◆ Wer ◆ Wie hoch ◆ Wie viele ◆ Wo

1 *Wann* eröffnet das erste IKEA-Möbelhaus? *1958.*
2 ______ ist der Gründer von IKEA? ______
3 ______ steht das erste IKEA-Möbelhaus? ______
4 ______ ist der Jahresumsatz von IKEA? ______
5 ______ Mitarbeiter hat IKEA? ______
6 ______ IKEA-Möbelhäuser gibt es 1996? ______
7 ______ gibt es IKEA-Möbelhäuser? ______
8 ______ Besucher kommen pro Jahr zu IKEA? ______
9 ______ gibt es bei IKEA? ______
10 ______ ist das wichtigste Werbemittel? ______

Was passt wo? Ergänzen Sie jetzt die Antworten.

10 Milliarden Mark ◆ 35 000 ◆ 125 Millionen ◆ 134 ◆ ~~1958~~
Älmhult/Schweden ◆ der IKEA-Katalog ◆ Europa, Amerika, Asien und Australien
Ingvar Kamprad ◆ Lampen, Teppiche, Geschirr und Haushaltswaren

KURSBUCH B 1-B

B

Im Möbelhaus

B 1

Finden Sie die Fehler. Üben Sie zu zweit oder schreiben Sie.

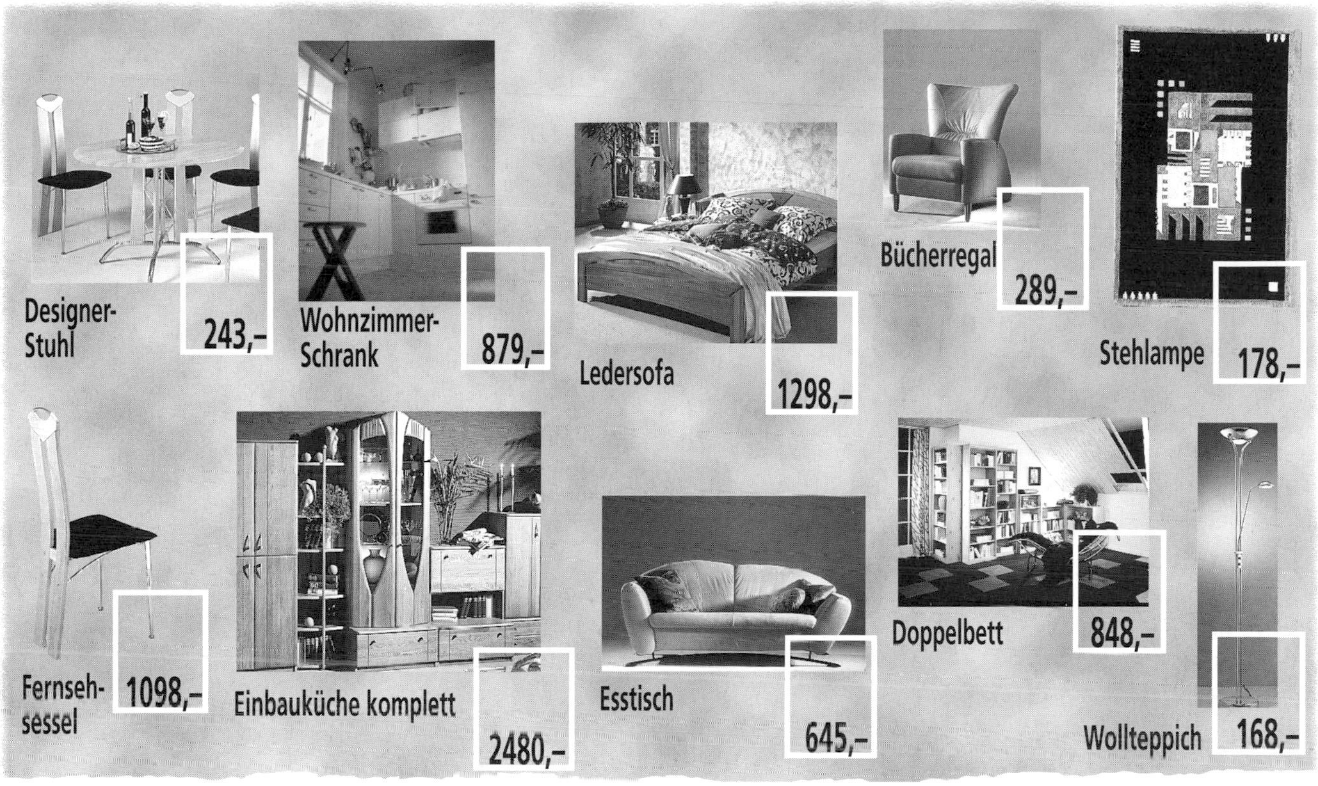

Nr. 1 ist kein Stuhl,→ das ist ein Tisch. ↘
Ich glaube,→ das ist der Esstisch für 645 Mark. ↘

B 2

Wie heißt das Möbel? Ergänzen Sie.

der Schreib*tisch*

_____ Hoch__________

_____ Kleider__________

_____ Garten__________

_____ Küchen__________

_____ Einbau__________

der Tisch   der Schreibtisch

1/30 **Markieren Sie die Wortakzente. Dann hören Sie, sprechen Sie nach und vergleichen Sie.** KURSBUCH B 3-B 4

B 3

Hören und sprechen Sie.

1/31

altmodisch	bequem	ganz hübsch	günstig	interessant	langweilig
modern	nicht billig	nicht schlecht	nicht so schön	originell	praktisch
sehr günstig	super	unbequem	unpraktisch	zu teuer	

1/31

Markieren Sie jetzt die Wortakzente.
Dann hören Sie noch einmal und vergleichen Sie.

B 4

Wie heißt das Gegenteil? Ergänzen Sie die passenden Adjektive.

altmodisch	*modern*	langweilig	______
bequem	______	praktisch	______
günstig	______	super	______
hübsch	______	originell	______

KURSBUCH B 5

B 5

Widersprechen Sie! Schreiben Sie oder üben Sie zu zweit.

Artikel + Nomen (Nominativ)				Artikel ohne Nomen (= Pronomen) (Akkusativ)		
Die	**Lampe**	ist ganz hübsch.	Hübsch?	**Die**	~~Lampe~~	finde ich nicht so schön.
Der	**Sessel**	ist originell.	Originell?	**Den**	~~Sessel~~	finde ich langweilig.
Das	**Regal**	ist günstig.	Günstig?	**Das**	~~Regal~~	finde ich zu teuer.
Die	**Stühle**	sind praktisch.	Praktisch?	**Die**	~~Stühle~~	finde ich unpraktisch.

1 Schau mal, der Kleiderschrank. Sehr modern! *Moderne? Den finde ich altmodisch.*
2 Das Sofa finde ich ganz hübsch. *Hübsch? Das finde ich*
3 Das Hochbett ist doch praktisch! ______
4 Der Sessel ist sehr bequem. ______
5 Die Stehlampe ist günstig, nur 385 Mark. ______
6 Der Wollteppich ist interessant. ______
7 Die Gartenstühle sind zu teuer. ______
8 Den Küchenschrank finde ich nicht so schön. ______
9 Die Futon-Betten finde ich langweilig. ______
10 Die Einbauküche ist super. ______

Ergänzen Sie die Tabelle und die Regeln.

Singular	*f*		*m*		*n*		**Plural** *f, m, n*	
Nominativ	*die*	Küche	______	Teppich	______	Sofa	______	Betten
Akkusativ	______	Küche	______	Teppich	*das*	Sofa	______	Betten

1. Der bestimmte Artikel
Nominativ *der* Akkusativ ______
Nominativ und Akkusativ gleich: ______ und ______

2. Die Verben „sein" und „finden":
Verb mit Akkusativ: ______
Verb ohne Akkusativ: ______

KURSBUCH B 6-B 8

B 6

Sortieren Sie die Dialoge.

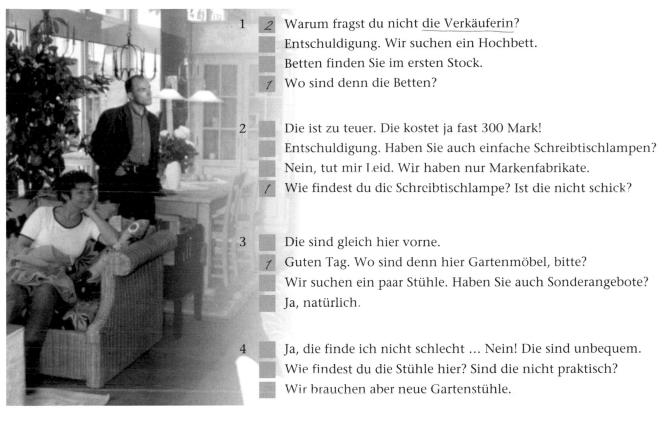

1
- 2 Warum fragst du nicht die Verkäuferin?
- ☐ Entschuldigung. Wir suchen ein Hochbett.
- ☐ Betten finden Sie im ersten Stock.
- 1 Wo sind denn die Betten?

2
- ☐ Die ist zu teuer. Die kostet ja fast 300 Mark!
- ☐ Entschuldigung. Haben Sie auch einfache Schreibtischlampen?
- ☐ Nein, tut mir Leid. Wir haben nur Markenfabrikate.
- 1 Wie findest du die Schreibtischlampe? Ist die nicht schick?

3
- ☐ Die sind gleich hier vorne.
- 1 Guten Tag. Wo sind denn hier Gartenmöbel, bitte?
- ☐ Wir suchen ein paar Stühle. Haben Sie auch Sonderangebote?
- ☐ Ja, natürlich.

4
- ☐ Ja, die finde ich nicht schlecht ... Nein! Die sind unbequem.
- ☐ Wie findest du die Stühle hier? Sind die nicht praktisch?
- ☐ Wir brauchen aber neue Gartenstühle.

1/32

Jetzt hören und vergleichen Sie.
Dann markieren Sie die Akkusativ-Ergänzungen.

mit Akkusativ-Ergänzung:	fragen, suchen, finden, kosten, haben, brauchen , ...
ohne Akkusativ-Ergänzung:	sein, heißen, ...

B 7

Markieren Sie die Akkusativ-Ergänzungen und ergänzen Sie.

Nomen ohne Artikel ◆ Artikel + Nomen ◆ Artikel ohne Nomen (= Pronomen)

	Akkusativ-Ergänzung
1. Wir suchen Gartenstühle.	*Nomen ohne Artikel*
2. Gartenstühle finden Sie gleich hier vorne.	
3. Haben Sie auch Sonderangebote?	
4. Wie findest du die Lampe?	
5. Die finde ich nicht schlecht.	
6. Haben Sie auch einfache Lampen?	
7. Wir haben nur Markenfabrikate.	
8. Warum fragst du nicht die Verkäuferin?	
9. Wir suchen ein Hochbett.	
10. Betten finden Sie im ersten Stock.	

B 8

Was passt wo? Ergänzen Sie die Sätze aus B 7.

A.

Subjekt	Verb	(…)	Akkusativ-Ergänzung	
Wir	*suchen*		*Gartenstühle*	.

B.

Akkusativ-Ergänzung	Verb	Subjekt	…
Gartenstühle	*finden*	*Sie*	*gleich hier vorn.*

C.

…	Verb	Subjekt	(…)	Akkusativ-Ergänzung	
Wie	*findest*	*du*		*die Lampe*	?

D.

Verb	Subjekt	(…)	Akkusativ-Ergänzung	
Haben	*Sie*	*auch*	*Sonderangebote*	?

KURSBUCH B 9

B 9

Welche Möbel kennen Sie? Markieren Sie bitte.

Frankfurt kauft ein – 1998

MöbelFun Hanauer Landstr. 424, Tel. 2847596
Mo-Fr 9-20 Uhr, Sa 9-16 Uhr (eigener Parkplatz)

Möbel-Fun ist ein preiswertes Möbelhaus für den jugendlichen Geschmack. Hier finden Sie günstige Kompletteinrichtungen, moderne Systemmöbel und interessante Einzelstücke. Eine einfache, aber komplette Einbauküche kostet knapp 1600,– DM, einen praktischen Schreibtisch für Büro oder Arbeitszimmer bekommen Sie für 1289,– DM. Ein flottes Ledersofa (in vielen aktuellen Farben) gibt es für 1498,– DM und – dazu passend – einen Sessel für 899,– DM (sehr schön, aber nicht sehr bequem). Lieben Sie Asien? Dann empfehlen wir den Verkaufshit „Yin & Yang", einen Beistelltisch mit asiatischem Charme für „nur" 888,– DM. Sie haben keinen Platz für große Möbel? Dann empfehlen wir das Modell „Sesam", einen originellen und praktischen Kombi-Schrank mit Regaltüren für 999,– DM. Ein zeitloses und solides Bücherregal (Modell „Esprit") gibt es ab 390,– DM (Basis-Einheit mit nur 3 Böden, weitere Böden extra!). In der 3. Etage finden Sie farbenfrohe Teppiche und schicke Lampen für jeden Geschmack. Kleinigkeiten zur Verschönerung Ihrer Wohnung und Geschenkartikel aller Art bekommen Sie in der Boutique im Erdgeschoss. Leider gibt es keine Gartenmöbel – doch sonst ist das Angebot wirklich komplett.

Möbel-Studio Thomas Bergen-Enkheim, Hessen-Center, Tel. 06109/35982
Mo-Fr 9-13 Uhr + 15-19.30 Uhr, Sa 9-14 Uhr (FVV: U7, Parkplatz Hessen-Center)

Klassisches Mobiliar auf gehobenem Niveau für den anspruchsvollen Kundenkreis. Sie finden das komplette Einrichtungsangebot in den

B 10

Ergänzen Sie die Artikel und die Regeln.

Bei Möbel Fun gibt es ________ Einbauküche für 1568,– DM, ________ Schreibtisch für 1289,– DM, ________ Ledersofa für 1498,– DM und ________ Sessel für 899,– DM. Sie finden ________ Beistelltisch für 888,– DM, ________ Kombi-Schrank für 999,– DM und ________ Regal-System für 390,– DM. Im 3. Stock finden Sie ________ Teppiche und ________ Lampen.

Singular	*f*		*m*		*n*		Plural *f, m, n*	
Nominativ	*eine*	Küche	*ein*	Sessel	*ein*	Sofa	—	Teppiche
Akkusativ		Küche		Sessel		Sofa		Teppiche

1 Der unbestimmte Artikel — Feminin und Neutrum: Nominativ und Akkusativ sind gleich.
Maskuline Nomen: Nominativ *ein* ________ Akkusativ ________

2 Neue Verben mit Akkusativ: *es gibt,* ________

KURSBUCH C 1

C

Haushaltsgeräte

C 1

Schreiben Sie den Text richtig.

Fast alle Haushalte in Deutschland haben eine Waschmaschine, einen Fernseher und ein Telefon. Fast alle – aber nicht mein Freund Achim.

die Waschmaschine	→	Er hat **keine** Waschmaschine.
der Fernseher	→	Er hat **keinen** Fernseher.
das Telefon	→	Er hat **kein** Telefon.

Achim hat eine große Wohnung, aber  1). Er hat  2) und  3), aber  4) und  5). Er hat  6) und  7), aber  8) und  9). Achim liest gerne. Er hat viele, viele Bücher, aber  10). Achim hört auch gerne Musik. Er hat  11) und viele, viele CDs, aber  12). Er hat auch  13),  14),  15) und  16), aber er hat  17),  18),  19) und  20). Achim hat  21),  22) und natürlich auch  23), aber er hat  24).

Bei Achim ist eben alles etwas anders.

Achim hat eine große Wohnung, aber keine Küche. Er hat keine Waschmaschine und keinen Staubsauger, aber eine Spülmaschine und ...

1	die Küche	7	der Kühlschrank	13	das Telefon	19	der Computer
2	die Waschmaschine	8	die Mikrowelle	14	der Video-Recorder	20	die Videokamera
3	der Staubsauger	9	die Tiefkühltruhe	15	der Fotoapparat	21	das Fahrrad
4	die Spülmaschine	10	das Bücherregal	16	der Fernseher	22	der Wohnwagen
5	die Bügelmaschine	11	die Stereoanlage	17	das Fax-Gerät	23	das Auto
6	der Herd	12	der CD-Player	18	das Handy	24	der Führerschein

C 2

Machen Sie das Kreuzworträtsel und ergänzen Sie die passenden Wörter.

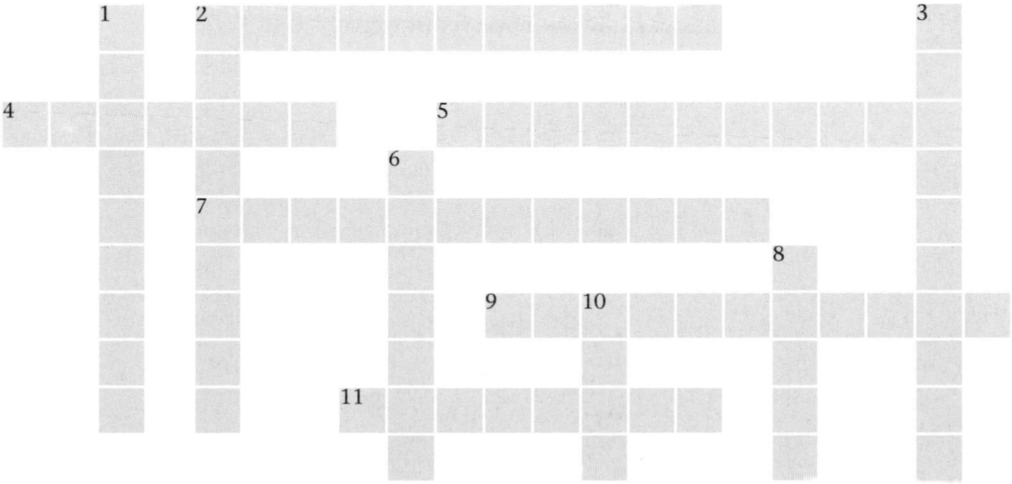

Waagerecht:
2 Ich möchte Bilder machen. Ich brauche einen ~.
4 Man braucht keinen Führerschein für ein ~.
5 Schrank für Bier, Cola, Schinken, Käse, ...
7 Musik von rechts und links
9 Er ist laut. Er isst Staub.
11 Maschine für Texte, Zahlen und Spiele

Senkrecht:
1 Wohnung ohne Adresse
2 Die Welt im Wohnzimmer
3 Moderner Herd
6 Kommunikationsgerät
8 Modernes Telefon
10 Volkswagen, Honda, BMW, ...

KURSBUCH C 2

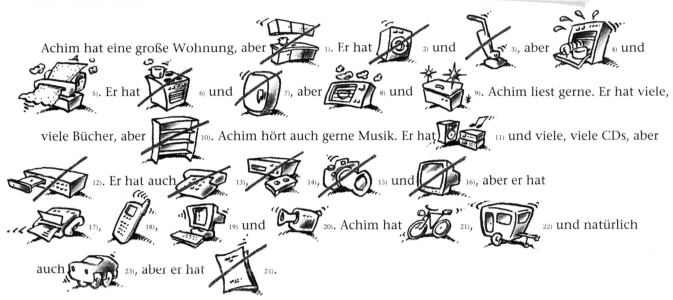

Was passt wo? Ergänzen Sie bitte.

~~fast alle~~ ◆ fast 80% ◆ etwa 80% ◆ über 80% ◆ ~~über die Hälfte~~ ◆ fast die Hälfte ◆ ~~ein Drittel~~ ◆ zwei Drittel ◆ ein Viertel ◆ ~~etwa ein Viertel~~ ◆ drei Viertel ◆ nur wenige

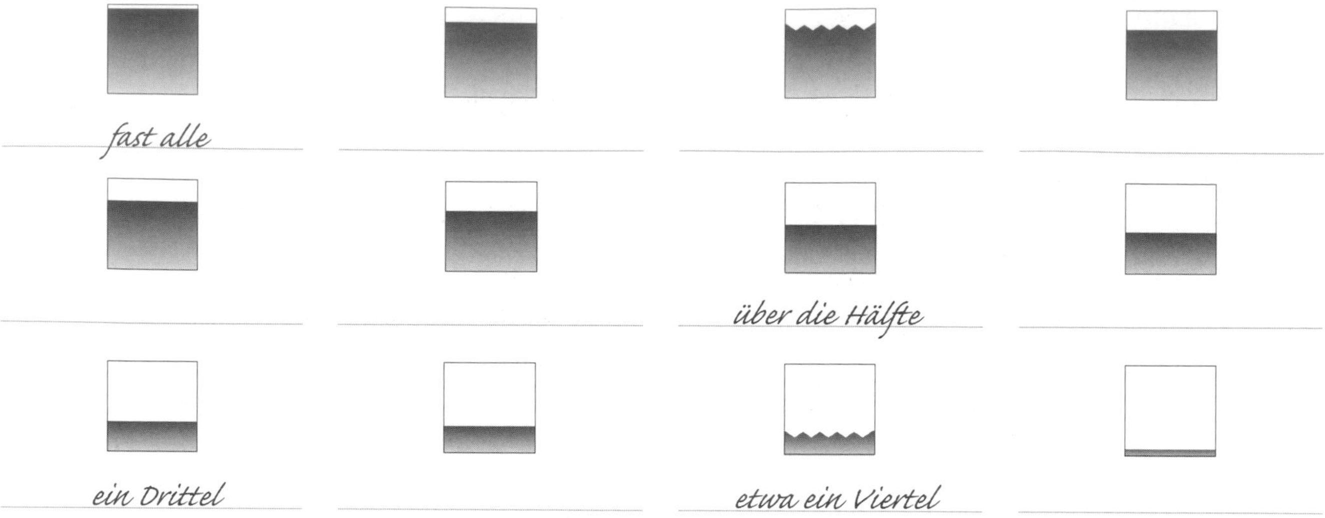

Jetzt schreiben Sie einen Text.

In … haben fast alle Leute …
Etwa … % haben …
… der Haushalte besitzen …
Ich habe …, aber ich habe kein …

In Japan haben fast alle Leute einen Fernseher. Etwa drei Viertel der Haushalte besitzen

KURSBUCH C 3

C 4 1/33

Hören und antworten Sie.

Es klingelt. Sie öffnen die Wohnungstür.

Guten Tag. Mein Name ist Spät. Ich komme von der Firma Allkauf – Haushaltsgeräte, Sport und Elektronik. Wir führen erstklassige Geräte zu wirklich günstigen Preisen. Zum Beispiel unser Staubsauger, der Vampir Deluxe: ein Spitzenfabrikat für nur 398 Mark – mit allem Zubehör.

Ein Staubsauger? Nein, danke.
Ich brauche keinen, ich habe schon einen.

Sie brauchen keinen, Sie haben schon einen. Aha. Sie haben aber doch sicher viel Bügelwäsche. Da sparen Sie viel Zeit mit unserer Bügelmaschine „Performa".

Eine Bügelmaschine? Nein, danke.
Ich habe keine, und ich brauche auch keine.

Sie haben keine, und Sie brauchen auch keine. Nun ja …

f	**Eine** Bügelmaschine? ↗	Ich habe **keine**, → und ich brauche auch **keine**. ↘
m	**Ein** Staubsauger? ↗	Ich brauche **keinen**, → ich habe schon **einen**. ↘
n	**Ein** Fahrrad? ↗	Ich brauche **keins**, → ich habe schon **eins**. ↘

Das brauchen Sie nicht, das haben Sie schon

Staubsauger	Spülmaschine	Video-Recorder
Fotoapparat	Handy	

Das haben Sie nicht und brauchen Sie auch nicht

Bügelmaschine	Mikrowelle	Videokamera
Fax-Gerät	Computer	

KURSBUCH D 1-D

D

Kann ich Ihnen helfen?

D 1

Was ist wo? Ergänzen Sie und markieren Sie die Plural-Endungen.

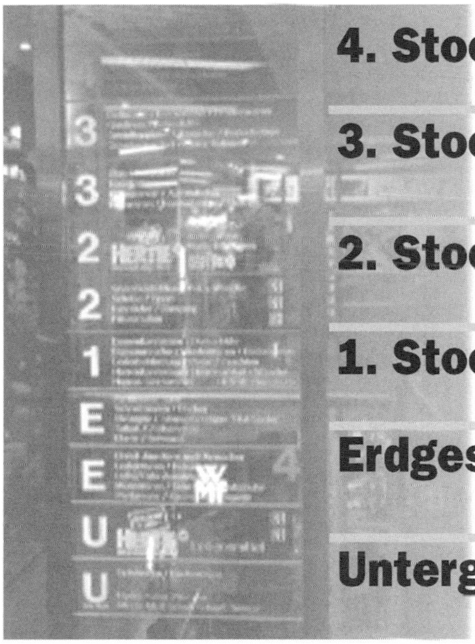

4. Stock:	Möbel, Lampen, Teppiche, Bilder
3. Stock:	Foto, TV & Video, Musik, Computer, Elektronik
2. Stock:	Sportbekleidung, Sportgeräte, Fahrräder
1. Stock:	Textilien, Damen- und Herrenbekleidung
Erdgeschoss:	Information, Lederwaren, Schreibwaren, Zeitungen, Zeitschriften, Bücher, Kosmetik
Untergeschoss:	Haushaltswaren, Haushaltsgeräte

Betten ◆ ~~Weingläser~~ ◆ Bilder ◆ Computer ◆ Fahrräder ◆ Fernseher ◆ Fotoapparate ◆ Handys ◆ Kühlschränke ◆ Kulis ◆ Mäntel ◆ ~~Schals~~ ◆ Sessel ◆ Sofas ◆ Spülmaschinen ◆ Staubsauger ◆ Stehlampen ◆ Stereoanlagen ◆ Stühle ◆ Teppiche ◆ Töpfe ◆ Jogginganzüge ◆ Videokameras ◆ Wörterbücher ◆ Zeitungen

4. Stock: ______
3. Stock: ______
2. Stock: ______
1. Stock: *Schals,* ______
Erdgeschoss: ______
Untergeschoss: *Weingläser,* ______

Ergänzen Sie die Plural-Endungen.

Teppich___ Bett___ Stehlampe___ Bild___ Schal___ Staubsauger___

D 2

Spielen Sie „Information" oder schreiben Sie vier Fragen und Antworten.

Entschuldigung, wo finde ich … ?	… finden Sie im …
Haben Sie hier keine … ?	Doch, natürlich. … finden Sie im …

● *Entschuldigung, wo finde ich Betten?*

■ *Betten finden Sie im vierten Stock.*

KURSBUCH D 3

D 3

Wörter suchen

Sie suchen das Wort „Töpfe". Aber „Töpfe" steht nicht in der Wortliste.
→ „Töpfe" ist vielleicht Plural.

Tipp der, -s 53, 54, 55, 73
Tisch der, -e 31, 32, 33, 39
Toastbrot das, -e 45
Toaster der, - 45
toll 32, 33, 39
Ton der, ¨-e 11, 27, 39, 51
Topf der, ¨-e 36, 37, 38, 42
Tourist der, -en 3
Träne die, -n 45, 46, 47

Bei „ä", „ö", „ü" probieren Sie immer „a", „o" und „u", also „Topf" oder „Topfe".

Hier steht es: „Topf der, ¨-e", das heißt „der Topf, Plural: die Töpfe".

Sortieren Sie die Wörter aus D 1 nach den Plural-Endungen.

-e / ¨-e	-(e)n	-er / ¨-er	-s	- / ¨-
der Fotoapparat	*das Bett*	*das Weinglas*	*das Handy*	*der Computer*
		das Bild		*der Fernseher*
		das Fahrrad		

D 4

Ergänzen Sie die Regeln und finden Sie Beispiele aus D 3.

1. ____ wird im Plural oft zu „ä" *das Weinglas, die Weingläser*
   ____ wird im Plural oft zu „ö" ____
   ____ wird im Plural oft zu „ü" ____
2. Fast alle Wörter auf -e bilden den Plural mit -n ____
3. Wörter auf -er haben oft keine Plural-Endung ____

D 5

Schreiben Sie Wortkarten für die Möbel und Haushaltsgeräte aus Lektion 3.

Zum Beispiel: der Fernseher, (die) Fernseher →

der Stuhl, (die) Stühle →

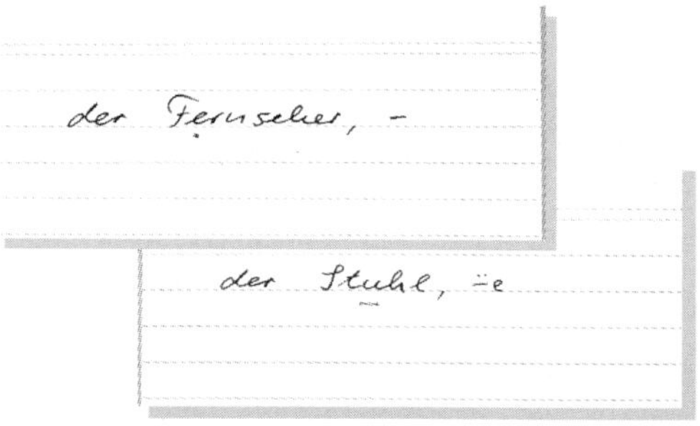

Sortieren Sie die Wortkarten in Gruppen.

Zum Beispiel: Büro – Küche – Schlafzimmer – Wohnzimmer
Bilder – Musik – Sprache
Groß oder klein
Alt oder modern
Artikel: die – der – das
...

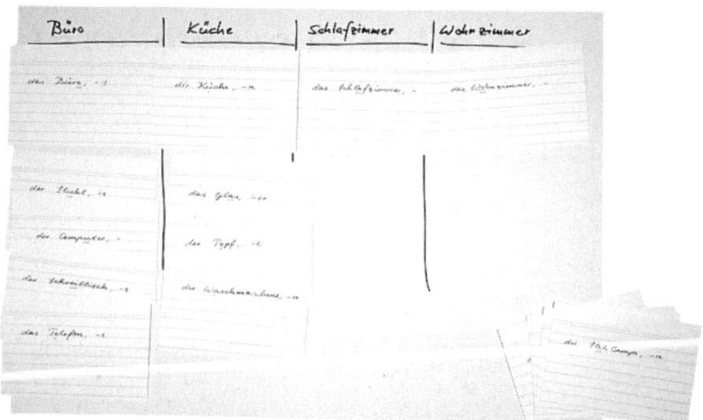

Lesen Sie Ihre Wortkarten-Gruppen ohne Überschriften vor.
Die anderen raten die Überschriften.

KURSBUCH D 4-D 5

D 6 1/34

Was „sagen" die Leute? Lesen Sie, dann hören und markieren Sie.

1 [X] Guten Tag.
  [ ] Entschuldigung.

2 [ ] Kann ich Ihnen helfen?
  [ ] Haben Sie hier keine Computer?

3 [ ] Ja, bitte. Ich suche ein Handy.
  [ ] Doch, natürlich.

4 [ ] Computer finden Sie da hinten rechts.
  [ ] Handys sind gleich hier vorne.

5 [ ] Was für eins suchen Sie denn?
  [ ] Fragen Sie doch bitte dort einen Verkäufer.

6 [ ] Vielen Dank.
  [ ] Ich weiß auch nicht genau.

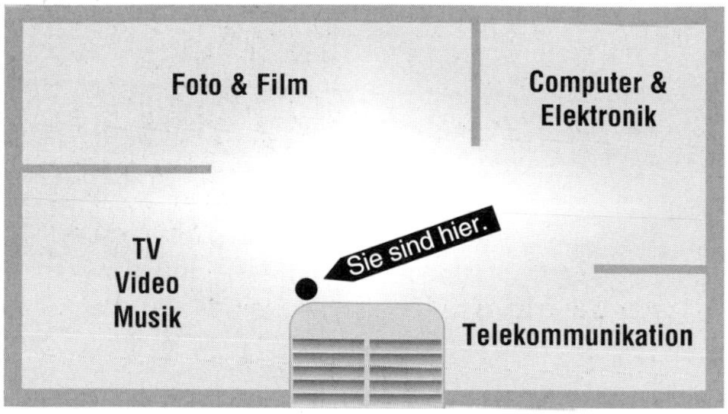

Stereoanlagen	*(die Stereoanlage)*	Was für	eine	suchen Sie denn?
Computer	*(der Computer)*		einen	
Handys	*(das Handy)*		eins	

Schreiben Sie jetzt zwei Dialoge.

1 ● *Guten Tag. Kann ich* ____________
■ *Ja, bitte. Ich* ____________
● ____________
____
■ ____________

2 ■ *Entschuldigung. Haben Sie hier* ____________
____
● *Doch, natürlich.* ____________
____
____
■ ____________

1/34 **Hören Sie, vergleichen Sie und sprechen Sie nach.**

Schreiben Sie ähnliche Dialoge.

KURSBUCH E 1-E 2

E

Der Ton macht die Musik

E 1 1/35

Lang (_) oder kurz (.)? Hören Sie, sprechen Sie nach und markieren Sie.

a	Land	Plan	Glas	Mantel	Schrank
ä	Länder	Pläne	Gläser	Mäntel	Schränke

o	Ton	Topf	Wort	froh	schon
ö	Töne	Töpfe	Wörter	fröhlich	schön

E 2 1/36

Welche Laute klingen gleich? Markieren und ergänzen Sie.

1	2	3	4	5
[ ] a) Gast	[ ] a) Sätze	[ ] a) schenke	[ ] a) Sessel	[ ] a) Städte
[X] b) Gäste	[ ] b) Satz	[ ] b) Schränke	[ ] b) Pässe	[ ] b) Betten
[X] c) Geste	[ ] c) setzen	[ ] c) Schrank	[ ] b) Pass	[ ] b) Stadt

Ein kurzes „ä" spricht man immer wie ein kurzes ______ [ε].

E 3 1/37

Üben Sie.

Ein langes „ä" spricht man so: [ɛ:] *)

Sagen Sie:
Gläser, Rätsel, Pläne, ähnlich, erzählen, Käse, spät

*) Oft sagt man auch [e:] statt [ɛ:].

Sagen Sie: „eeeeeeeeeeeeeeee" [e:]

Öffnen Sie dabei den Mund: „eeeeee" wird zu „äääää". [e:] → [ɛ:]

E 4

Ergänzen Sie „a" oder „ä" und sprechen Sie.

Gl_ä_ser	Gl_a_s	Fahrr__d	Fahrr__der	m__nnlich	M__nn
g__nz	erg__nzen	n__mlich	N__me	T__g	t__glich

1/38 **Jetzt hören und vergleichen Sie.**

E 5 1/39

Lang (_) oder kurz (.)? Hören Sie, sprechen Sie nach und markieren Sie.

mọchte hö̲ren Töpfe öffnen Töne Französisch schön Möbel zwölf höflich

E 6 1/40

Üben Sie.

Langes „eeeee" = [e:]
Sagen Sie „Teeeeee"

Langes „ööööö" = [ø:]
Sagen Sie weiter „eeeeee" und machen Sie die Lippen rund (wie bei „o"): „eeeee" wird zu „ööööö". Sagen Sie „schöööööööööön!"

Kurzes „ö" = [œ]
Sagen Sie „öööööö" – „öööö" – „öö" – „ö" – „ö" – „ö" ...

Sagen Sie: „schö̲ne Töpfe" – „schö̲ne Töpfe" – „schö̲ne Töpfe"...

E 7 1/41

Hören und sprechen Sie.

Lernen
Sätze ergänzen,
Rätsel raten
Pläne markieren,
Wörter lernen,
Töne hören,
Texte sortieren.

Schön
Späte Gäste,
volle Gläser,
Käse essen,
Musik hören ...

Information
Wo gibt es hier Möbel?
Wo finde ich Töpfe?
Ich suche ein Faxgerät.
Haben Sie Schränke?
Wo finde ich Gläser?
Was kosten die? – Das geht.

Ende
Es ist sehr schön, es ist sehr spät,
es ist schon zwölf – sie geht.

F

Gebrauchte Sachen

F 1

Lesen Sie die Anzeigen und schreiben Sie die Zahlen in die Liste.

Möbel, Haushalt

1030 Küchenzeilen, Einbauküchen

EBK, m. Bosch Einbaugeräten, grau/weiß. Anschauen lohnt sich, 2500,– DM VB. 069/563412

EBK über Eck, 5 Unter-/Oberschränke, weiß, rot abgesetzt, m. Spüle u. Armatur, ohne Arbeitsplatte, ohne E-Geräte, 650,– DM. 069 /613715

Küchenzeile, 280 cm, beige-braun, m. Spüle, AEG-Umluftherd, Dunstabzugshaube, Kühlschrank, 4 Ober- u. 4 Unterschränke

1080 Kühl- und Gefrierschränke

Kühlschrank, 2-Sterne-Gefrierfach, 150,– DM. 069/ 230340

Kühl-Gefrierkombination von Liebherr, 4 Jahre alt, sehr gut erhalten, 380,– DM VB. 069/ 356149

Kühlschrank, 85 x 60 x 45 cm, 100,– DM, 069/ 357153

2 Kühlschränke je 80,– DM. 069/ 416572

1090 Waschmaschinen, Trockner

Waschmaschine, Miele, an Selbstabholer, 90,– DM VB. 069/ 309912

WaMa, Markengerät, VB. 069/ 412540

Kl. WaMa, Frontlader, gt. Zust., 280,– DM. 069/ 441408

Nagelneue Waschmaschine, 30 Proz. billiger, NP 870, DM. 069/ 444334

1200 Polster, Sessel, Couch

Liegesessel, schwarzer Stoff, Armlehnen, modernes Design, NP 298,– 80, DM. 069/ 302747

Kunstledersofa, schwarz, 4er, 1 Sessel, 250,– DM. 069/317802 ab 16.30

Ledercouch mit Bettkasten, rotbraun, für 1100,– DM 2 Ledersessel, cremefarben, für 900,– DM VB. 069/ 342179

Gesucht

Suche Kuschelsofa oder Sofagruppe oder/und Sessel. 069/ 444385 ab 19 Uhr

Suche Bettsofa, ca. 130x150 cm, gerne auch Futon Sofa von Ikea. 069/ 525583

Suche Ledersofa, 3-Sitzer, gefedert, in gt. Zust. 0611/ 425279

1220 Sonstige Wohnzimmereinrichtung

Couchtisch, 150x70 cm, Kiefer massiv, 80,– DM, kl. Fernsehtisch Kiefer m. Rollen, 40,– DM. 069/ 301451

Dunkelbrauner Wohnzimmertisch. Möbel Thomas, 1 Jahr alt, sehr modern, NP 220,– DM, für 120,– DM, 069/ 307027

Weißer Marmor-Bistrotisch, Durchm. 60 cm, VB, außerdem zwei fast neue Chrom-Stühle, Sitzbezug ist aus Leder, für je 60,–. 069/ 307027

1290 Gardinen, Lampen

Halogen-WZ-Lampe, aufziehbar, Gestell schwarz, auf Glasplatte, 100,– DM. 069/ 469244

Stehlampe m. Messingfuß. 0172/ 6109713

Ikea Fotolampe, Dulux Energiesparlampe, 50,– DM. 0611/ 401145

Weiße WZ-Lampe m. 6 weißen Kugeln, f. 70,– DM. 0611/ 42579

2x Jalousien, wie neu, 110 cm breit, 300,– DM. 0611/ 609479

Wunderschöne Mahagoni WZ-Pendelleuchte, Glasscheiben mit geschliffenem Dekor, 1-flammig, 55 cm Durchm., gleiche Beistellleuchte, 3-flammig, NP 1000,– DM 300,– DM. 06002/ 1672

Stehlampe, 06187/ 91565

1300 Regale

Ikea Onkel Regal, NP 89,– DM für 50,– DM. 069/ 250973

2 schwarze mod. Regale f. 250,– DM. 069/ 456908

10 Holzregale, braun, 105x128x34cm, VB. 069/ 598101

Kleines Bücherregal für 20,– DM. 069/ 702709

TV, Radio, Video

1700 Fernseher

Farb-TV, Multisystem, 100,– DM. 069/ 29843

TV-Gerät m. FB, Schlafmodus, 28er Bild, 200,– DM. 069/ 235668

Grundig Supercolor Stereo, 63/260 CTI, gt. Zust. m. FB, NP 1500,– DM. 350,– DM. 069/ 366927

Computer

8300 Apple-Computer und Zubehör

Performa 475 mit 8 MB RAM, 270 MB FP, System, 1400,– DM VB. 069/ 231807

Nagelneues Powerbook 190, 33/66 Mhz, Garantie, wg. Doppelschenkung für 25 Proz. unter NP. 069/ 818522

8315 PC 386 / 486 / P5

Intel 486 DX4/100 4 MB RAM, 2 MB VLB, VGA-Karte, Minitowergehäuse, 3 1/2 Zoll Laufwerk, 350 MB u. 260 MB Festplatte, DOS u. Windows, Tastatur, 14-Zoll strahlungsarmer Monitor, 1250,– DM, 069/ 344376

High Screen Desktopgehäuse 368 DX 40 2 MB RAM, VGA-Karte, 3 1/2" Laufwerk, 170 MB Festplatte, DOS u. Windows, Tastatur, ohne Monitor, 450,– DM, 069/ 344376

Sie suchen ...	Nummer
ein Bücherregal	1300
eine Waschmaschine	
einen Computer	
einen Fernseher	
eine Einbauküche	
einen Kühlschrank	
eine Stehlampe	
einen Sessel	
ein Sofa	
einen Tisch	

F 2

Markieren Sie 5 Geräte oder Möbel und notieren Sie.

	Gerät	Alter	Preis	Telefon-Nummer
1	*Waschmaschine*	*?*	*280,–*	*069/ 441408*
2				
3				
4				
5				

KURSBUCH F 1-F

F 3

Was bedeuten die Abkürzungen? Ergänzen Sie.

~~Einbauküche~~ ◆ Prozent ◆ guter Zustand ◆ mit ◆ Neupreis ◆ und ◆ Verhandlungsbasis ◆ klein ◆ für ◆ Waschmaschine

EBK	*Einbauküche*	NP	
f.		Proz.	
gt. Zust.		u.	
kl.		VB	
m.		WaMa	

F 4

Sie möchten Möbel oder ein Gerät verkaufen. Schreiben Sie ein Fax.

Peter Johannson
Tel. + Fax: +49 7201 686192
18–07–97

TELEFAX

1 Seite

An
das Inserat
Fax-Nummer 06195 - 928-333

Sehr geehrte Damen und Herren,

bitte veröffentlichen Sie folgende Kleinanzeige in Ihrer Zeitung:

Mit freundlichen Grüßen

KURSBUCH G

G

Zwischen den Zeilen

G 1

„Finden" oder „finden"? Markieren und ergänzen Sie.

A **finden** Ich **finde** meinen Kuli nicht.

B **finden** Deutsch **finde** ich **super**.

1 Bei Möbel Fun finden Sie günstige Möbel für wenig Geld. *A*
2 Ich finde das Regal zu teuer. *B*
3 Wie findest du die Schreibtischlampe?
4 Betten finden sie im ersten Stock.
5 Ergänzen Sie die Regeln und finden Sie Beispiele.
6 Wo finde ich Fernseher?
7 Die Stühle finde ich unpraktisch.
8 Mist! Ich finde meinen Pass nicht.
9 Wie findest du die Stühle hier?
10 Entschuldigung, wo finde ich Frau Meyer?
11 Wie findest du Picasso?
12 Lesen Sie den Text und finden Sie die Fehler.

Was heißt „finden" in Ihrer Sprache? A ______________ B ______________

G 2

„Sprechen" oder „sagen"? Ergänzen Sie die richtige Form.

1 Hören und *sprechen* Sie.
2 *sagen* Sie: „schöne Töpfe".
3 In der Schweiz ______________ man meistens „Grüezi!".
4 ______________ Sie über die Bilder.
5 Was ______________ die Leute?
6 Du ______________ aber gut Deutsch.
7 Die Deutschen ______________ nicht „einszehn", sondern „elf".
8 ______________ Sie Englisch?
9 Ich ______________ Spanisch, Englisch und etwas Deutsch.
10 In Österreich ______________ wir „Servus!".

In meiner Sprache heißt **sprechen** ______________ und **sagen** ______________

G 3

Ergänzen Sie „finden", „sprechen" oder „sagen".

Salih und Mirjana ______________(1) über den Deutschkurs. „Wie *findest*(2) du den Kurs?", fragt Salih. „Nicht schlecht", ______________(3) Mirjana, „wir hören und ______________(4) viel, das ______________(5) ich gut." „Das ______________(6) ich auch gut", ______________(7) Salih, „aber Deutsch ist schwierig. Ich ______________(8) oft nicht die richtigen Wörter."
„Die Grammatik ______________(9) ich auch schwierig.", ______________(10) Mirjana. „Du ______________(11) doch auch Englisch. Was ______________(12) du schwieriger: Deutsch oder Englisch?", fragt Salih. „Ich weiß nicht", ______________(13) Mirjana, „vielleicht Deutsch. Auf Englisch ______________(14) man nur ‚you', auf Deutsch heißt es ‚du' oder ‚Sie'."

KURSBUCH H

H Das Inserat

H 1 Was gibt es alles im „inserat“? Raten Sie mal.

das inserat

ZEITUNG FÜR KOSTENLOSE PRIVATE KLEINANZEIGEN

Rubrikenverzeichnis

Alles Mögliche

Verloren, Unfallzeuge gesucht 0400
Gefunden 0450
Mediz. Hilfsmittel, Rollstühle 0670
Natürlich Leben 0690
Kosmetik und Schönheit 0695
Alles Mögliche, gew. 0700
Handwerk, gew. 0800
Dienstleistungen, Service, gew. 0820
Umzüge, gew. 0840
Kapital, Versicherungen, gew. 0860

Möbel, Haushalt

Küchenmöbel, Schränke 1050
Küchenherde, Grill, Mikrowelle 1070
Kühl- und Gefrierschränke 1080
Geschirrspüler 1085
Waschmaschinen, Trockner 1090
Bügel- und Mangelgeräte 1095
Staubsauger 1099
Sonstige Haushaltsmaschinen 1100
Geschirr und Besteck 1110
Öfen, Heizung 1120
Bad, Einrichtung und Geräte 1130
Betten, Bettzeug 1150
Sonstige Schlafzimmermöbel 1170
Wohnzimmerschrank, Anbauwand 1190
Polster, Sessel, Couch 1200
Couchtisch, Sonst. Wohnzimmereinr. 1220
Speisezimmer, Eßecke 1230
Stilmöbel, Designer-Möbel 1240
Kinderzimmer, Jugendzimmer 1250
Garderobe, Flur, Keller 1270
Gardinen 1290
Lampen 1292
Regale 1300
Teppiche 1310
Hausrat, alles Sonstige 1600

TV, Radio, Video

Sonstiges TV-Zubehör 1720
Antennen, Sat-Schüsseln, Receiver 1730
Radio, Tuner, Receiver 1750
Plattenspieler, Tonabnehmer 1770
Tonband, Tape-Deck 1790
CD-, DAT-, DCC-Player 1800
Verstärker, Equalizer 1830
HiFi-Anlagen, Türme 1840
Boxen, Lautsprecher 1850
Telespiele 1860
Kopfhörer 1870
Walk-, Diskman 1880
Videorecorder, Kameras 1900
Videos, Filme § 1910
Schallplatten, Bänder, Noten, CD 1920

Die Immobilie

Vermietung

Vermietung möblierte Zimmer 2050
Vermietung 1-Zi.-Wohnung 2070
Vermietung 2-Zi.-Wohnung 2090
Vermietung 3-Zi.-Wohnung 2110
Vermietung 4- u. Mehr-Zimmer-Whg. 2130
Verm. Komfortwhg., Penthouse 2140
Vermietung Wohngemeinschaft 2150
Vermietung Haus 2170
Vermietung Garage, Abstellplatz 2190
Vermietung Werkstatt, Hobbyraum 2210
Vermietung Gewerberaum, Läden 2230
Vermietung Grundstück, Gelände 2250
Wohnungstausch, Haustausch 2290

Immobilien

Grundstück, Acker, Garage, Stellpl. 2500
Bauplätze 2520
1-Familien-Haus 2600
2-Familien-Haus 2630
Reihenhaus 2660
Mehr-Familien-Haus 2690
Gewerbliche Objekte 2720
Bauernhaus, Hof, Gut 2750
Eigentumswohnung, 1- u. 2-Zimmer 2800
Eigentumswohnung, 3- u. Mehr-Zi. 2810
FeWo/-häuser Deutschland 2880
FeWo/-häuser Europa 2900
FeWo/-häuser Übersee 2910
Bausparvertrag von Privat 2920

Handwerk, Hausbau

Geräte, Maschinen 2925
Werkzeug 2930
Fenster, Rolladen, Türen, Zargen 2935
Elektro, Heizung, Wasserinstallation 2940
Holz, Balken/Bretter 2945
Farben, Lacke, Tapeten 2950
Fliesen, Keramik, Ziegel 2955
Sonstiges Material Hausbau 2960

Stellenmarkt

Stellenges., Geringf. Beschäftigung 3010
0190 / 3490 - 809
Suche Lehrstelle, Ausbildung 3020
Stellenangebote, gewerblich 3040
0190 / 3490 - 808
Haushaltshilfe gesucht 3050
Beteiligung/Partner 3080
Fahrgemeinschaft zur Arbeit 3100

Lernen, Lehren, Lesen

Sonstiger Unterricht 3240
Studienplatztausch 3250
Allgemeine Literatur und Romane 3400
Kinder- und Jugendliteratur 3510
Comics 3520
Krimis, Western 3530
Science-Fiction, Abenteuer, Fantasy 3540
Zeitschriften, Magazine 3570
Komplette Sammlungen 3580

Sammlungen

Möbel, antiquarisch 3750
Glas, Porzellan, antiquarisch 3760
Sonstige Antiquitäten 3770
Kunst, Gemälde, Plastik 3790
Schmuck, Edelmetalle, Uhren § 3810
Swatch-Uhren 3820
Telefonkarten 3850
Postkarten, Filme, Fotos 3860
Spielzeug 3870
Überraschungseier-Figuren 3880
Sonstige Sammlungen 3900

Urlaub, Reise

Wohnmobil, -wagen Vermietung, gew. 4020
Private Ferienhäuser, gew. 4060
Ferienhaus / Wohnmobil gesucht 4070
Mitfahrgelegenheit, Reiserücktritt 4080
0190 / 3490 - 830

Hobby

Spiele, Automaten 4360
Sonstige Spiele, Hobby 4370
Elektronik 4380
CB, Amateurfunk, Funk 4450
Fotoapparate u. Zubehör 4470
Filmkameras, Projektoren, Zubehör 4480
Optik (Mikroskope, Ferngläser) 4500
Musikinstrumente, akustisch 4520
Musikinstrumente, elektrisch 4530
Instrumente Zubehör 4540
Musiker 4560
0190 / 3490 - 831
Musikcomputer / Software § 4570
Handarbeit- u. Bastelzubehör 4590

Tiere, Pflanzen, Garten

Vögel § 5080
Fische, Reptilien, gewerblich 5110
Fische, Aquarien, Terrarien § 5120
Pferde 5130
Reitbeteiligung 5143
Sonstige Haustiere § 5150
Zubehör für Haustiere 5160
Sonstige Nutztiere 5170
Zubehör für Nutztiere 5180
Entlaufen, entflogen, zugel., zugefl. 5220
Gartengeräte, Gartenmöbel 5260
Sonstiges für den Garten 5270

Sport

Tennis, Squash, Tischtennis 5720
Reit- und Pferdesport 5730
Wintersport 5740
Schiffe, Boote, Yachten 5780
Surfen, Tauchen, Wassersport 5800
Angeln 5810
Kampfsport 5840
Sport-Waffen § 5860
Sonstige Sportarten 5880
Kinderfahrräder 5890
Damenfahrräder 5900
Herrenfahrräder 5910
Mountain-Bikes, BMX- u. Rennräder 5930
Sonstige Fahrräder 5935
Fahrradzubehör, -teile 5940
Sauna, Solarium und Zubehör 5960

Feste Partnerschaften

Sie sucht Ihn 6050
0190 / 3490 - 711
Er sucht Ihn 6150
0190 / 3490 - 712
Sie sucht Sie 6170
0190 / 3490 - 713

Kommunikation

Tanzpartner/in 6190
Reisepartner/in 6210
0190 / 3490 - 804
Gemeins. Unternehmungen (kein Sex) 6300
0190 / 3490 - 803
Brieffreundschaften 6310
Vereine, Gruppen, Initiativen 6400
Eintrittskarten 6450
0190 / 3490 - 807
Veranstaltungen, gewerblich 6470
Glückwünsche 6500
0190 / 3490 - 801
Grüße (kein Nonsens) 6550
0190 / 3490 - 801
Esoterik, gewerblich 6560
Erfahrungsaustausch, Tips 6600
Lyrik, Kurzprosa 6700
Wiedersehen 6750
0190 / 3490 - 802

Kleidung

Jugendbekleidung 7340
Kinderbekleidung 7350
Lederbekleidung, Damen u. Herren 7370
Pelzbekleidung, Damen u. Herren 7390
Schuhe, Stiefel 7430
Festl. Abendbekleidung für Damen 7450
Festl. Abendbekleidung für Herren 7470
Kommunion, Konfirmation 7490
Alles für die Hochzeit 7510
Umstandskleidung 7530
Sonstige Kleidung 7550

Baby- und Kinderartikel

Laufstall, Hochstuhl, Reisebett u. Zubeh. 7570
Baby- und Kinderartikel 7580
Kinderwagen 7590
Kinderspielzeug 7600
Zwillings-, Mehrlingsbedarf 7610
Kinder-, Auto- und Fahrradsitze 7620
Kindergruppen, Babysitting 7630
Schulbedarf 7640

Büro, Geschäft

Produktionsmaschinen 8090
Gastronomie, Ladeneinrichtungen 8110
Landwirtschaftl. Geräte 8130
Telekommunikation 8180
Mobiltelefone 8190
Sonstiger Gewerbebedarf 8250

Computer

Commodore-Computer u. Zubehör 8310
PC 386/486/P5 8315
Sonstige PC 8320
Drucker, Plotter, Scanner 8325
Monitore, Grafikkarten 8326
Laptop, Notebook, Pocketcom. u. Zubeh. 8330
Software Spiele § 8335
Sonstige Software § 8340
Sonstige Hardware 8345
Computermöbel 8350

Kontakte

Sexte Seite, gewerblich 8410

Flirt-Mailbox
Er sucht Sie 0190 / 3490 - 714
Sie sucht Ihn 0190 / 3490 - 715
Er sucht Ihn 0190 / 3490 - 716
Sie sucht Sie 0190 / 3490 - 717
Paar sucht Paar 0190 / 3490 - 718

Sie können unter den angegebenen 0190er Telefonnummern gesprochene Anzeigen hören und selbst aufsprechen. Diesen

Waschmaschinen,

H 2 Lesen Sie den Text und markieren Sie.

In Deutschland gibt es inzwischen in fast jeder Stadt eine Anzeigenzeitung. Anzeigenzeitungen sind ein „Supermarkt“ für alle, die etwas verkaufen oder günstig kaufen möchten. Sie erscheinen mindestens einmal pro Woche und sind überall erhältlich. In Frankfurt und Umgebung heißt diese Zeitung „das inserat“.
„das inserat“ erscheint dreimal pro Woche (montags, mittwochs und freitags) und kostet 4,20 DM. Im „inserat“ findet man vor allem gebrauchte Möbel, Haushaltsgeräte, Fernseher und Videogeräte, Fotoartikel, Sportgeräte, Computer, Autos, Wohnmobile und vieles andere. Oft gibt es aber auch Sonderangebote für Neugeräte.
Sie suchen eine neue Wohnung, eine neue Arbeit oder Partner für Ihre Hobbys? Im „inserat“ finden Sie auch Wohnungs- und Stellenanzeigen, Gruppen für alle Arten von Freizeitgestaltung und sogar Kontakt- und Heiratsanzeigen. Sie möchten jemandem Grüße schicken oder zum Geburtstag gratulieren? Setzen Sie einfach eine Anzeige ins „inserat“. Wer eine Anzeige aufgeben möchte, schickt ein Fax, schreibt einen Brief oder greift zum Telefon. Eine Anzeige im „inserat“ kostet nichts (in anderen Zeitungen kosten Inserate zwischen 25 und 100 DM).
Viele Leute nutzen diese günstige Gelegenheit. Deshalb ist „das inserat“ in den letzten Jahren immer dicker geworden.

1 „das inserat“ ist
- ☐ ein Supermarkt in Frankfurt.
- ☐ eine Anzeigenzeitung in Frankfurt.

2 „das inserat“ gibt es
- ☐ montags, mittwochs und freitags.
- ☐ einmal pro Woche.

3 Die Zeitung kostet
- ☐ nichts.
- ☐ 4,20 DM.

4 Hier gibt es
- ☐ nur gebrauchte Sachen.
- ☐ viele Angebote.

5 Sie möchten etwas verkaufen. Sie
- ☐ kaufen „das inserat“.
- ☐ telefonieren, schreiben einen Brief oder schicken ein Fax.

6 Eine Anzeige im „inserat“ kostet
- ☐ nichts.
- ☐ 25 bis 100 DM.

I

Kurz & bündig

Möbel und Geräte

Welche Möbel und Geräte kennen Sie (auf Deutsch)?

die Waschmaschine,

Die Akkusativ-Ergänzung

Was haben Sie? Was haben Sie nicht? Was brauchen Sie? Was brauchen Sie nicht?

Ich habe eine *, aber keine*

Ich habe einen

Ich habe kein

Ich brauche

Antworten Sie.

Haben Sie ein Deutschbuch? *Ja, ich habe eins.*

Haben Sie ein Handy?

Haben Sie einen Wohnwagen?

Haben Sie eine Tiefkühltruhe?

Sie sind im Kaufhaus und suchen ... Was fragen Sie an der Information?

Widersprechen Sie.

Der Tisch ist doch toll. *Den finde ich nicht so schön.*

Die Stehlampe ist langweilig.

Der Sessel ist sehr originell.

Das Bett ist unpraktisch.

Die Stühle sind günstig.

Welche Verben haben eine Akkusativ-Ergänzung?

haben,

Meine Regeln für den Akkusativ:

Der Plural

Ergänzen Sie Beispiele.

-e/¨e *der Teppich – die Teppiche,*

-(e)n

-er/¨er

-s

-/¨

Weiter so?

1945 Frieden
1950 Heirat
1952 Kind
1953 Fahrrad
1954 2. Kind
1955 Motorrad
1960 Fernseher
1965 Kühlschrank
1968 Waschmaschine
1970 Auto und Stereoanlage
1975 Einbauküche mit Spülmaschine
1980 Tiefkühltruhe, Video-Recorder, neues Auto
1985 Nähmaschine, Bügelmaschine, Videokamera, Wohnwagen
1990 Mikrowelle, CD-Player, Computer, Fax-Gerät, neue Einbauküche, neues Auto
1995 Handy, neuer Wohnwagen, neuer Computer, neue Möbel, neuer Video-Recorder, neues Auto
2000 ...

erst, schon, fast, über, etwa

Was antworten Sie?

Wie lange sind Sie schon hier in ... ? ______________________

Wie lange lernen Sie schon Deutsch? ______________________

Wie viel verdienen Sie im Monat? ______________________

Wie alt ist Ihr Auto? ______________________

Gebrauchte Sachen

Preis, Alter, ...

Sie suchen ein gebrauchtes Fahrrad. Sie lesen eine Anzeige und telefonieren. Was fragen Sie?

Interessante Ausdrücke

Im Supermarkt

LEKTION 4

A Kleine Geschenke erhalten die Freundschaft

A 1 Welche Lebensmittel kennen Sie schon auf Deutsch?

Schreiben Sie Wortkarten.

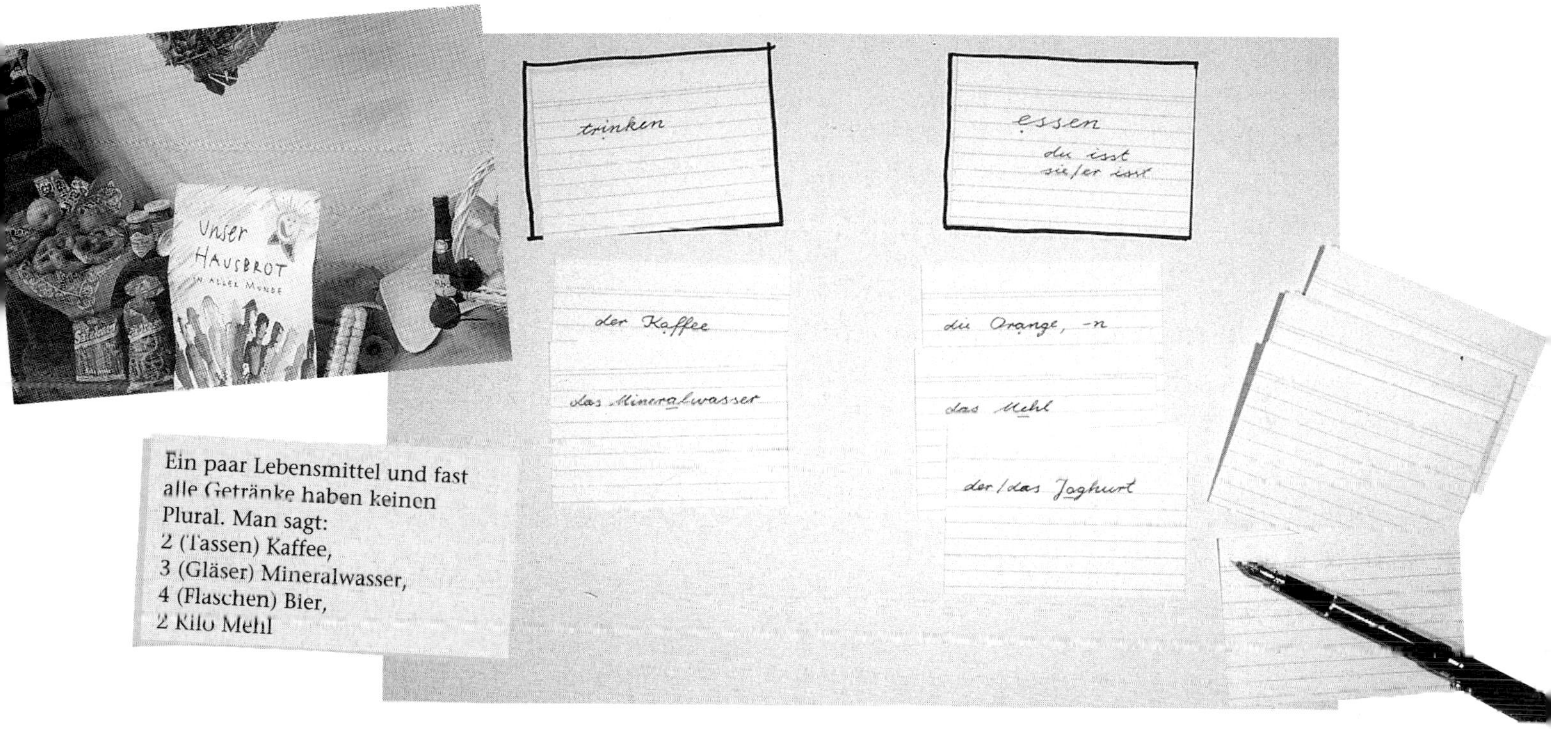

Ein paar Lebensmittel und fast alle Getränke haben keinen Plural. Man sagt:
2 (Tassen) Kaffee,
3 (Gläser) Mineralwasser,
4 (Flaschen) Bier,
2 Kilo Mehl

A 2 Sortieren Sie die Lebensmittel.

Das essen oder trinken Sie ...
... gern – nicht so gern.
... oft – nicht so oft.

Das ist teuer – günstig ...
... in Ihrem Land.
... in Deutschland.

Das essen oder trinken die Leute ...
... in Ihrem Land.
... in Deutschland.

Das essen/trinken Kinder gern – nicht gern.

Sprechen oder schreiben Sie.

Ich esse gern Orangen und Eis. Ich trinke keinen Kaffee, aber ich trinke oft ...
Bei uns in ... isst man viel ...
In Deutschland trinkt man viel ...
In ... sind ... nicht teuer, aber hier in ...
Kinder essen gern ..., aber sie essen nicht gern ...

Allgemeine Aussagen	**ohne Artikel**
In Deutschland trinkt man viel	Bier. **(Singular)**
Ich esse gern	Orangen. **(Plural)**

KURSBUCH A 1-A 3

A 3

Ergänzen Sie die Personalpronomen.

~~dir~~ ◆ uns ◆ ~~mir~~ ◆ ihm ◆ euch ◆ ihnen ◆ uns ◆ ihr ◆ Ihnen

Kleine Geschenke erhalten die Freundschaft

(frei nach Ephraim Kishon)

Ein Freund schenkt *mir* Pralinen.
Ich esse keine Pralinen. Aber **du** hast bald Geburtstag. Ich schenke *dir* die Pralinen.
Du isst auch keine Pralinen. Aber deine Mutter hat bald Namenstag. Du schenkst ________ die Pralinen.
Sie macht eine Diät. Aber ein Kollege hat bald Jubiläum. Sie schenkt ________ die Pralinen.
Er macht auch eine Diät. Aber ihr habt bald Hochzeitstag. Er schenkt ________ die Pralinen.
Ihr esst keine Pralinen, aber ihr habt Freunde. Sie heiraten bald. Ihr schenkt ________ die Pralinen.
Sie essen auch keine Pralinen. Aber wir haben eine neue Wohnung und machen ein Fest.
Sie schenken ________ die Pralinen.
Wir machen einen Fehler: Wir öffnen die Pralinen. – Oh!
Möchten Sie vielleicht Pralinen? Ich schenke ________ gern ein paar Pralinen …

Du hast bald Geburtstag.
Ich schenke **dir** die Pralinen.

Nominativ	ich	du	er	sie	es	wir	ihr	sie	Sie
Dativ		*dir*							

KURSBUCH A 4-A 5

A 4

Schreiben Sie Sätze.

1 Papa! Schau mal, Luftballons. *Kaufst du mir einen Luftballon* ?
mir / du / kaufst / einen Luftballon
2 Vera hat Geburtstag. ________ .
schenkt / ihr / Daniel / einen Volleyball
3 Ihr sucht einen Kühlschrank? Ich habe zwei. ________ .
gebe / ich / einen / euch
4 Thomas hat Geburtstag. ________ .
ihm / Anna / kauft / ein Überraschungsei
5 Wir möchten Möbel kaufen und haben kein Auto. ________ ?
du / dein Auto / gibst / uns
6 Möchten Sie vielleicht Pralinen? ________ .
schenke / gern / ein paar Pralinen / Ihnen / ich
7 Achim und Jasmin möchten Nikos anrufen. ________ ?
du / ihnen / die Telefonnummer / gibst

Die Verben ________ haben eine Dativ-Ergänzung und eine Akkusativ-Ergänzung.
Die Dativ-Ergänzung ist fast immer eine ________ . Die Dativ-Ergänzung steht meistens ________ von der Akkusativ-Ergänzung.

KURSBUCH A 6

B

Bilder beschreiben

B 1

Die Leute sprechen über die Bilder? Welches Bild passt?

2/1

Hören und markieren Sie.

auf dem Flughafen ◆ in der Kneipe ◆
auf der Meldestelle ◆ im Möbelhaus ◆
im Hotel ◆ im Supermarkt ◆
im Kaufhaus ◆ zu Besuch bei … ◆
in der Sprachschule

Dialog	Bild	Wo?
1		
2		
3		

B 2

Sprechen oder schreiben Sie über die anderen Bilder.

Wo ist das? Was machen die Leute? Was denken und sagen die Leute?

Die Leute sind …
traurig
fröhlich
nervös
sauer

Sie …
haben keine Zeit ◆ warten …
weinen ◆ lachen
suchen … ◆ kaufen …
bestellen … ◆ essen … ◆ trinken …
spielen … ◆ lesen …

Sie sagen … / Sie denken …
„Prost!"
„Das dauert aber lange."
„Warum weinst du?"
„Wo ist denn die Mutter?"

Die Leute sind in der Kneipe. Sie möchten …
Nein, das glaube ich nicht. Sie sind bestimmt zu Besuch bei …
Aber… – das passt nicht!

KURSBUCH B 1-B 6

Ergänzen Sie die fehlenden Verbformen und die Regel.

Geben und nehmen

Du gibst – ich nehme,
du nimmst – ich gebe:
wir tauschen.

Du gibst – sie nimmt,
du ________ – sie ________:
ihr tauscht.

Sie gibt – er ________,
sie ________ – er ________:
sie tauschen.

Wir ________ – ihr nehmt,
wir ________ – ihr ________:
wir tauschen.

Ihr ________ – sie ________,
ihr ________ – sie ________:
ihr tauscht.

Und Sie?
________ Sie? – Nehmen Sie?
Tauschen Sie auch?

Essen und sein

(frei nach Descartes)

Ich esse, also bin ich.
Du bist, also isst du.
Er isst, also ________ er.
Sie ist, also *isst* sie.
Wir essen, also ________ wir.
Ihr seid, also ________ ihr.
Sie sind, also ________ sie.
Sie essen, also ________ Sie.
Man ist, also ________ man –
oder isst, also ________ man?

Bei den Verben
„geben", „nehmen", „sprechen", „helfen" und „essen" heißt es:
du ________________________________
er/sie/es/man ________________________________
Der Vokal **e** wird zu ________ .

Hilfe!

Ich helfe dir
und du ________ mir,

sie ________ ihm
und er ________ ihr,

wir ________ euch
und ihr ________ uns,

sie ________ Ihnen
und Sie ________ ihnen.

Jetzt hören und vergleichen Sie. (2/2)

Lesen Sie dann die Texte noch einmal laut.

Schreiben Sie jetzt einen ähnlichen Text.

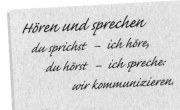

Hören und sprechen
du sprichst – ich höre,
du hörst – ich spreche:
wir kommunizieren.
...

C

Können Sie mir helfen?

C 1

Was steht auf dem Küchentisch? Markieren Sie.

C 2

Hören und markieren Sie.

2/3

1 Ein Kilo Kartoffeln kostet
- ☐ 3,00 DM.
- ☐ 1,80 DM.

4 Es gibt kein Mirdir Bier
- ☐ im Kasten.
- ☐ im Sechserpack.

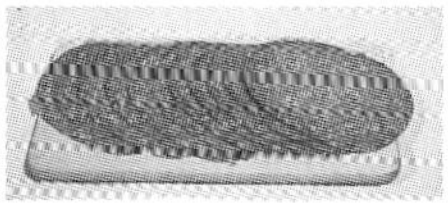

2 Das Sonderangebot kostet
- ☐ 4,95 DM.
- ☐ 495,- DM.

5 Die Frau
- ☐ möchte 125 g und bekommt etwas mehr Salami
- ☐ möchte 125 g und bekommt 125 g Salami.

3 Der Mann kauft
- ☐ das 5-Kilo-Paket für 13,85 DM.
- ☐ das 3-Kilo-Paket für 8,65 DM.

6 Der Mann kauft
- ☐ eine Tüte Milch.
- ☐ eine Flasche Milch.

KURSBUCH C 1

C 3

Was passt zusammen? Ergänzen Sie.

250 g ◆ 2,60 DM ◆ 1/2 l ◆
3 l ◆ 5 kg ◆ 620,– DM ◆
0,79 DM ◆ ~~1/4 l~~ ◆ 1/2 kg ◆
~~0,25 l~~ ◆ 500 g ◆ ~~125 g~~ ◆
6,20 DM ◆ 0,5 l

Man schreibt	Man sagt
1/4 l; 0,25 l; 125 g	ein Viertel ...
	sechs Mark zwanzig
	zwei Mark sechzig
	drei Liter
	ein halbes Kilo
	ein halber Liter
	fünf Kilo
	ein halbes Pfund
	ein Pfund
	sechs zwanzig
	neunundsiebzig Pfennig
	zweihunderfünfzig Gramm
	sechshundertzwanzig Mark

C 4

Was möchten Sie? Schreiben oder sprechen Sie.

die Flasche

die Packung

das Paket

die Tüte

die Dose

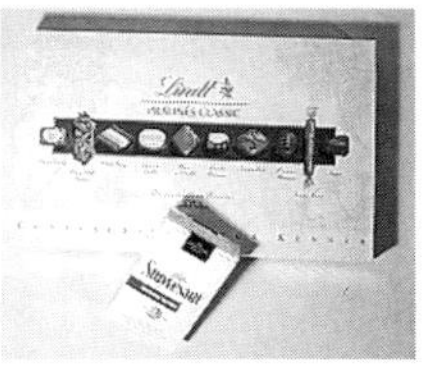

die Schachtel

Jetzt schreiben oder sprechen Sie.

Ich möchte gern 1 Kilo Bananen.
Ich hätte gern 2 Flaschen Milch.
Eine Packung Erdnüsse, bitte.
...

KURSBUCH C 2

C 5 2/4

Hören Sie, sprechen Sie nach und markieren Sie den Wortakzent.

Äpfel ✓ ◆ Bananen ◆ Bier ◆ Bonbons ◆ Brot ◆ Butter ◆ Camembert ◆ Curry ◆ Eier ✓ ◆ Eis ◆ Erdnuss-Öl ◆ Fisch ◆ Gouda ◆ Jasmintee ◆ Joghurt ◆ Kartoffeln ◆ Kaugummis ◆ Klopapier ◆ Kuchen ◆ Mehl ◆ Milch ◆ Mineralwasser ◆ Orangen ◆ Pfeffer ◆ Pizza ◆ Putzmittel ◆ Reis ◆ Salami ◆ Salat ◆ Salz ◆ Sardellen ◆ Schinken ◆ Schokolade ◆ Tomaten ◆ Waschmittel ◆ Wein ◆ Würstchen ◆ Zucker

Wo gibt es was? Sortieren Sie.

Backwaren	Fleischwaren	Gemüse	Getränke	Gewürze	Haushaltswaren

Käse	Milchprodukte	Obst	Spezialitäten	Süßwaren	Tiefkühlkost
		Äpfel			

andere Lebensmittel

Eier

C 6

Was kaufen Sie oft? Schreiben Sie.

Ich kaufe oft …

Die/Den/Das | gibt es bei …
Die

Wo?			
Singular:	*f*	**bei der** Tiefkühlkost	
	m	**beim** Käse	
	n	**beim** Gemüse / Obst	
Plural:		**bei den**	Getränken / Gewürzen / Haushaltswaren / Milchprodukten / Spezialitäten …

KURSBUCH C 3-C 4

C 7

Was passt wo? Ergänzen Sie die Dialoge und markieren Sie.

~~Entschuldigung~~ ◆ Vielen Dank ◆ Da sind Sie hier falsch. ◆ Wo ist das, bitte? ◆ Bitte, bitte. ◆ wo finde ich hier ◆ Ich suche ◆ der Tiefkühlkost ◆ tut mir Leid ◆ Gibt es hier keinen ◆ hier vorne rechts ◆ Was suchen Sie denn? ◆ da hinten

Kundin = *K* Angestellte / Angestellter = *A*

1 *K* *Entschuldigung* ______, können Sie mir helfen?
A Aber natürlich. ______ ______ ?
Die Leergut-Annahme.
Die ist gleich ______ ______, bei den Backwaren.
Danke.
______ ______ .

2 Entschuldigen Sie, ______ ______ ______ Fisch?
Den bekommen Sie bei ______, im nächsten Gang links
______ ______ ______ frischen Fisch?
Nein, ______ ______ .

3 Kann ich Ihnen helfen?
Ja, bitte. ______ ______ Waschpulver.
______ ______ . Waschpulver gibt es bei den Haushaltswaren.
Haushaltswaren? ______ ?
Ganz ______ ______, im letzten Gang.
______ !
Nichts zu danken.

2/5 **Hören und vergleichen Sie.**

C 8

Was passt zusammen? Markieren Sie.

1 Entschuldigung, können Sie mir helfen? *a + j; g + j*
2 Kann ich Ihnen helfen? ______
3 Wo finde ich hier … ? ______
4 Ich suche … ______
5 Gibt es hier keine … ? ______
6 Vielen Dank! ______

a) Aber natürlich.
b) Bitte, bitte.
c) Doch, natürlich.
d) Ich suche …
e) Gleich hier vorne rechts.
f) Im nächsten Regal links oben.
g) Ja, bitte.
h) Nein, tut mir Leid.
i) Nichts zu danken.
j) Was suchen Sie denn?
k) Wo finde ich … ?
l) … bekommen Sie bei …

Schreiben Sie jetzt einen Dialog.

KURSBUCH C 5

D Der Ton macht die Musik

D 1 2/6

Hören und markieren Sie: „u" oder „ü"?

Vergleichen Sie: Stuhl [u:] Stühle [y:]
Mutter [ʊ] Mütter [y]

Nr.	u	ü
1	X	
2		X
3	X	
4		
5		
6		

Nr.	u	ü
7		
8		
9		
10		
11		
12		

Nr.	u	ü
13		
14		
15		
16		
17		
18		

Nr.	u	ü
19		
20		
21		
22		
23		
24		

D 2 2/7

Lang (_) oder kurz (.)? Hören Sie, sprechen Sie nach und markieren Sie.

süß Stück fünf üben Tür über flüstern Gemüse Würstchen
Bücher Küche Tüte für wünschen Stühle gemütlich günstig natürlich

D 3 2/8

Üben Sie.

langes „iiiiiii" = [i:]
Sagen Sie „Siiiiiiiiie"

langes „üüüüü" = [y:]
Sagen Sie weiter „iiiiii" und machen Sie die Lippen rund (wie bei „o"): „iiiii" wird zu „üüüüü".
Sagen Sie „süüüüüüüüüüüß!"

kurzes „ü" = [y]
Sagen Sie "üüüüü" – "üüüü" – „üü" – „ü"– „ü" – „ü" …

Sagen Sie: „süße Stücke" – „süße Stücke" …

Zum Geburtstag viel Glück,
Zum Geburtstag viel Glück.
Viel Glück zum Geburtstag,
Zum Geburtstag viel Glück!

D 4 2/9

Hören Sie und sprechen Sie nach.

vier – für hier – Tür spielt – spült lieben – üben viele – Stühle
Tiefkühltruhe Spülmaschine Überschrift Süßwaren nützliche Ausdrücke

D 5 2/10

Üben Sie zu zweit.

Vereinslokal

Sie wünschen?
Fünf Bier, vier Würstchen, eine Gemüsesuppe und eine Tüte Erdnüsse, bitte.

Sonderangebot

Wie finden Sie die Spülmaschine?
775 Mark? Die ist günstig.

Tschüs

Wo ist die Tür?
Die Tür ist hier.
Tschüs!

D 6

2/11

Wählen Sie ein Gedicht und üben Sie. Dann lesen Sie vor.

Geburtstag

Sieben Bücher wünsch' ich mir,
natürlich schenkt er mir nur vier.
Sieben Bücher ich mir wünsch' –
vielleicht schenkt er mir ja auch fünf?

Deutschkurs

Markieren Sie die Überschriften.
Üben und sortieren Sie.
Schließen Sie die Bücher.
Spielen Sie zu fünft.
Buchstabieren Sie „Würstchen".
Fünf nach vier!
Tschüs, auf Wiedersehen!

FEIERABEND

Die Küche um sieben:
Sie spielt – er spült
gemütlich

KURSBUCH E 1-E 3

E

Im Feinkostladen

E 1

Was sagt die Kundin? Ergänzen Sie bitte.

~~Guten Tag!~~ ◆ Nein, danke. Das wär's . ◆ Ja, ein Pfund Tomaten, bitte. ◆ Nein, das ist ein bisschen viel. ◆ Ja, gut. Aber bitte nur ein Pfund. ◆ Hier bitte, 50 Mark ◆ ~~Ich hätte gern ein Viertel Mailänder Salami~~. ◆ Ja, bitte. ... Danke. ... Wiedersehen! ◆ Nein, danke. Was kostet denn das Bauernbrot da? ◆ Haben Sie Jasmintee?

Der Verkäufer sagt:	Die Kundin sagt:
	Guten Tag! ↘
Guten Tag. ↘ *Sie wünschen?* ↗	Ich hätte gern ein Viertel Mailänder Salami.
Darf's ein bisschen mehr sein? 160 Gramm?	
Haben Sie noch einen Wunsch?	
Darf's noch etwas sein?	
Nein, tut mir Leid. Den bekommen wir erst morgen wieder. Möchten Sie vielleicht einen anderen Tee?	
7,60 das Kilo.	
Sonst noch etwas?	
Das macht dann ... 10 Mark 60.	
Und 39,40 zurück. Möchten Sie vielleicht eine Tüte?	
Vielen Dank und auf Wiedersehen!	

2/12 **Hören und vergleichen Sie.**

Markieren Sie den Satzakzent (_) und die Satzmelodie (↗ oder ↘).
2/12 **Dann hören Sie den Dialog noch einmal, vergleichen Sie und sprechen Sie nach.**

E 2

Mit oder ohne Artikel? Ergänzen Sie die Sätze und die Regel.

Ich suche Orangen.
Haben Sie Orangen?

Was kosten die Orangen?
Zwei Kilo Orangen, bitte.

– ◆ die ◆ der ◆ das ◆ drei ◆ Zehn ◆ Einen Kasten ◆ drei Kilo ◆ ein Viertel ◆ zwei Dosen ◆ Zwei Liter

Haben Sie	–	Fisch?	Ich möchte	______	Joghurts.
Haben Sie	______	Kandiszucker?	Ich suche	______	Kräutertee.
Ich suche	______	Curry.	Was kosten	______	Eier?
	______	Mineralwasser, bitte.	Ich hätte gern	______	Tomaten.
Ich hätte gern	______	Kartoffeln.	Was kostet	______	Kaffee?
	______	Eier, bitte.	Ich möchte	______	Salami.
Was kostet	______	Brot?		______	Milch, bitte.

mit ◆ ohne

Gibt es …?	„Haben Sie … ?" / „Ich suche …"	Lebensmittel ______ Artikel.
Preis?	„Was kostet … ?", „Was kosten … ?"	Lebensmittel ______ Artikel.
Ich kaufe …	„Ich möchte …" / „Ich hätte gern …" / „… , bitte"	Lebensmittel ______ Zahl und Maßeinheit/Verpackung.

(+ Maßeinheit: kg, l, … oder Verpackung: Flasche, Paket, …)

E 3 2/13

Jetzt sind Sie Kunde im Lebensmittelgeschäft. Hören und sprechen Sie.

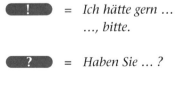

! = *Ich hätte gern …*
…, bitte.

? = *Haben Sie … ?*

?Preis? = *Was kostet … ?*
Was kosten … ?

!	200g Gouda	➠	am Stück
?Preis?	Orangen?	➠	2 kg
?	Kandiszucker?	➠	1 Paket
!	3 Bananen		
?	Basmati-Reis?	➠	1 Pfund
!	2 Flaschen Cola	➠	4 Dosen
?Preis?	Kaffee?	➠	500g
!	ein Viertel Salami	➠	+
…			

KURSBUCH E 4

E 4

Welches Wort passt *nicht*? Markieren und ergänzen Sie.

kein/ein	Getränk Milchprodukt	Gewürz Obst	Lebensmittel Wort mit …	Spielzeug …
keine/eine	Maßeinheit	Süßware	Verpackung	…

Beispiel: Kilo, ~~Reis~~, Pfund, Gramm — *ein Lebensmittel, keine Maßeinheit*

1 Paket, Packung, Pfund, Schachtel ____________

2 Liter, Gramm, Pfund, Flasche ____________

3 Mineralwasser, Tomaten, Wein, Bier ____________

4 Salami, Milch, Butter, Käse ____________

5 Schokoriegel, Luftballon, Bonbon, Lolli ____________

6 Orangen, Bananen, Kartoffeln, Äpfel ____________

7 Pfeffer, Curry, Salz, Wein ____________

KURSBUCH F 1-F 2

Machen Sie ähnliche Listen und tauschen Sie.

F

Zwischen den Zeilen

F 1

Machen Sie aus einem Wort zwei Wörter und ergänzen Sie die Regel.

Beispiele:	das Milchprodukt	die Milch + das Produkt
	die Dosenmilch	die Dose(n) + die Milch
	die Haushaltswaren	der Haushalt + die Ware(n)

1 die Fleischwaren ____________

2 das Vanilleeis ____________

3 das Spielzeugauto ____________

4 der Luftballon ____________

5 das Klopapier ____________

6 das Toastbrot ____________

7 der Butterkäse ____________

8 der Apfelkuchen ____________

9 der Orangensaft ____________

10 das Vereinslokal ____________

11 die Pralinenschachtel ____________

12 das Hammelfleisch ____________

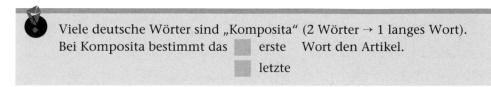

Viele deutsche Wörter sind „Komposita“ (2 Wörter → 1 langes Wort).
Bei Komposita bestimmt das ☐ erste ☐ letzte Wort den Artikel.

F 2

Wie heißen die Wörter? Ergänzen Sie.

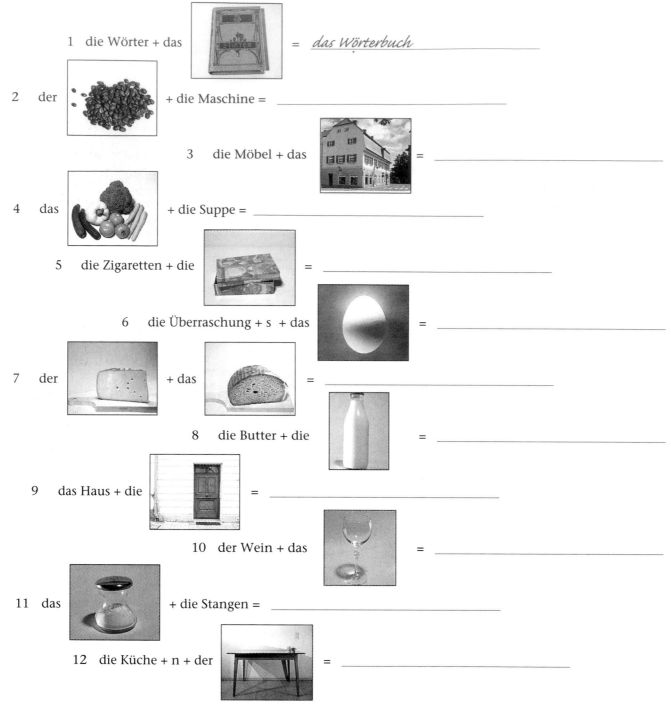

1 die Wörter + das 

= *das Wörterbuch*

2 der  + die Maschine = ______

3 die Möbel + das  = ______

4 das  + die Suppe = ______

5 die Zigaretten + die  = ______

6 die Überraschung + s + das 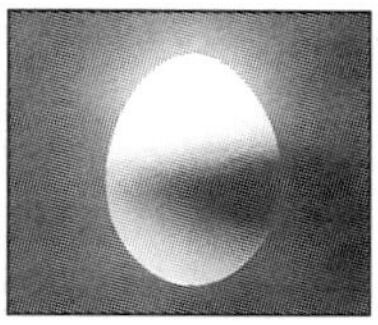 = ______

7 der  + das  = ______

8 die Butter + die  = ______

9 das Haus + die  = ______

10 der Wein + das  = ______

11 das  + die Stangen = ______

12 die Küche + n + der  = ______

2/14 **Hören Sie, vergleichen Sie und markieren Sie den Wortakzent.**

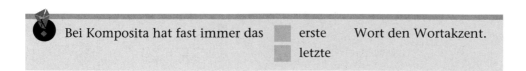

Bei Komposita hat fast immer das ☐ erste ☐ letzte Wort den Wortakzent.

F 3

Suchen Sie weitere Komposita in den Lektionen 1–3.

das Bauernbrot, die Telefonnummer, die Wortliste, …

KURSBUCH G 1-G

G

Machen Sie mehr aus Ihrem Geld!

G 1

Was passt wo? Markieren Sie.

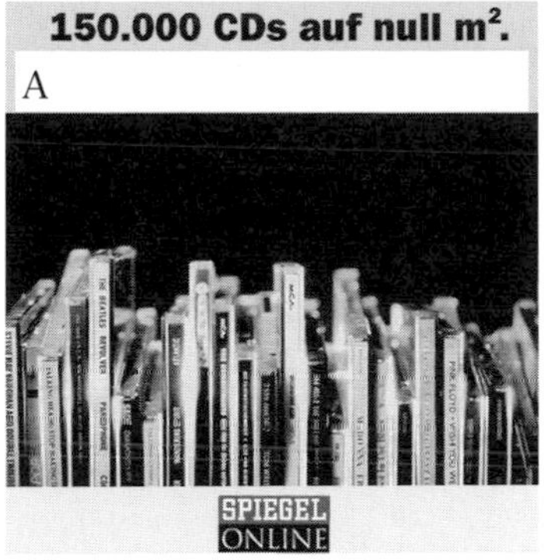

A

Werbung für	Bild
Geld	
Lebensmittel, …	C,
Kommunikation	

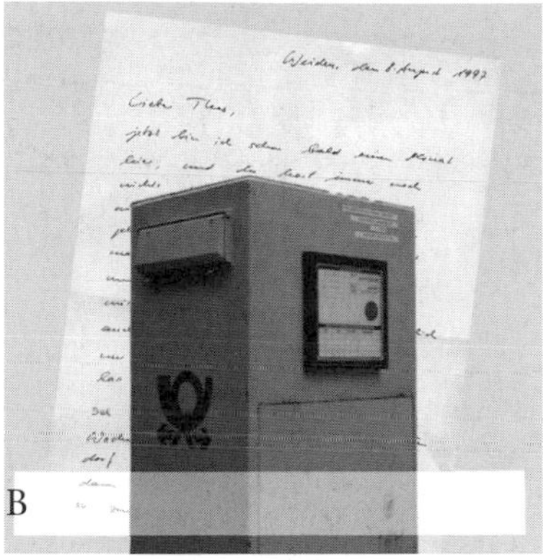
B

C

F

E

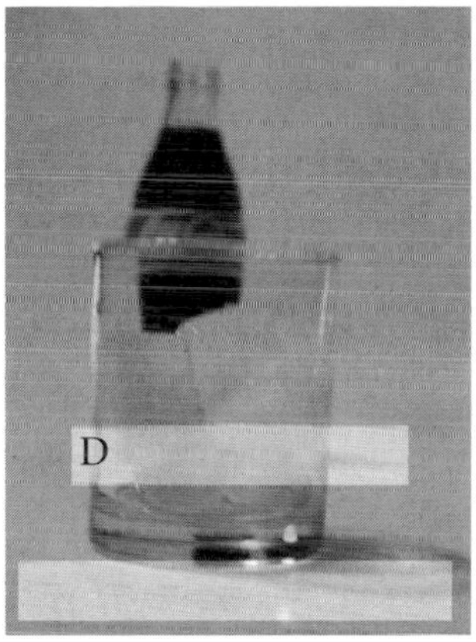
D

1 *Bezahlen Sie mit Ihrem guten Namen!*
2 **Hallo, Raucher! Denkt doch mal an die Nichtraucher.**
3 ***Iss es – schmeck es – spür es!***
4 **Mach mal Pause – trink Coca Cola!** D
5 **Bestellen Sie doch mal online.**
6 *Schreib mal wieder!*

G 2

Welcher Text passt zu welcher Anzeige? Markieren Sie.

SPIEGEL ONLINE – Kultur Extra: Von Abba bis Zappa, von Oper bis Musical – bestellen sie Ihre CD doch mal online! Per Datenbankabfrage aus 150.000 CDs – täglich, ohne Warteschlange.
SPIEGEL ONLINE – die erste Adresse im Netz. http://www.spiegel.de

Probieren Sie das Zigarillo, das bei Rauchern und Nichtrauchern gleichermaßen beliebt ist: Das neue Moods. Verlangen Sie eine Musterpackung und schicken Sie den nebenstehenden Gutschein an: Dannemann GmbH, Moods, 32310 Lübbecke.

Du willst fit sein? Dann iss das Richtige: den Dreiklang aus Eiweiß, Fett und Kohlehydraten. Zusammen mit vielen Vitaminen und Mineralstoffen.
FITMACHER-ACTION-SHOW – Hol dir Infos und mehr bei der Beachvolleyball Masters-Tour in Essen am 14./15. Juni 1997.

G 3

Schreiben Sie die Werbetexte zu den Bildern.

Der Imperativsatz

„du“:	Schreib ~~st du~~ mir mal ~~?~~!	**per du:**	Singular: wie „du“, aber: keine „-st-Endung“ beim Verb, kein Subjekt
„ihr“:	Denkt ~~ihr~~ doch mal an die Nichtraucher ~~?~~!		Plural: wie „ihr“, aber: kein Subjekt.
„Sie“:	Machen Sie mehr aus Ihrem Geld ~~?~~!	**alle:**	kein Fragezeichen (?) → Ausrufezeichen (!) oder Punkt (.) manchmal: + „doch“, „mal“ oder „bitte“

sein
sei (freundlich)
seid (freundlich)
Seien Sie (freundlich)

„du“
nett sein – „Ja!“ sagen
~~nicht lange suchen – ins „inserat“ schauen~~
die Chance nutzen – Lotto spielen
nicht nach Amerika gehen – mit uns fliegen

„ihr“
zu uns in den Verein kommen
den Tieren eine Chance geben
cool sein – Milch trinken

„Sie“
ihr nicht einfach nur Pralinen schenken
ganz bequem von zu Hause bestellen
nicht so viel arbeiten – mal Urlaub machen
mehr aus Ihrem Geld machen – mit den Experten sprechen
nicht irgendwas nehmen – Persil nehmen

~~1~~ 

2 ÖKOBANK

3 TG BORNHEIM

4

5 WWF

6 

7 

8 

9 

10 

11 

12 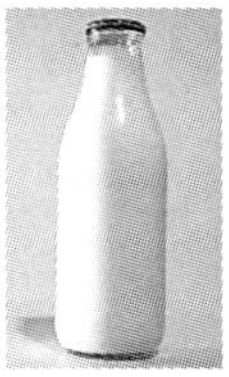

1 *Such nicht lange – schau ins inserat!*
2 ______________________
____
____
____
____
____
____
____
____
____

KURSBUCH G 5

G 4 2/15

Imperativ (↘) oder Ja/Nein-Frage (↗)? Hören Sie und ergänzen Sie „?“ oder „!“.

1 Kommen Sie zur Party *?*
2 Nehmen Sie eine Gulaschsuppe ___
3 Trinken Sie Buttermilch ___
4 Kaufen Sie „das inserat“ ___
5 Spielen Sie Lotto ___
6 Machen Sie einen Deutschkurs ___
7 Bezahlen Sie mit Scheck ___
8 Fliegen Sie nach Australien ___

Üben Sie die Sätze als Aufforderungen (↘) und als Fragen (↗).

KURSBUCH H

H

Die Produktbörse

H 1

Lesen Sie den Text und markieren Sie bitte.

1 Die Produktbörse ist
- ☐ eine Information für Verbraucher.
- ☐ ein Bauernhof.

2 Die Produktbörse informiert über
- ☐ Spezialitäten aus Hessen.
- ☐ internationale Spezialitäten.

3 Die Produkte gibt es
- ☐ direkt beim Erzeuger.
- ☐ im Supermarkt oder Feinkostgeschäft.

4 Beim Infotelefon können Sie
- ☐ Lebensmittel bestellen.
- ☐ Adressen und Informationen bekommen.

Produktbörse
für hessische Spezialitäten direkt vom Bauernhof

Qualität frisch vom Bauernhof

Vereinigung der Hessischen Direktvermarkter e.V.

Infotelefon für Verbraucher
0 64 24 / 62 06
Mo–Fr von 9–12 Uhr
und 14–17 Uhr
Telefax: 0 64 24 / 62 09

Die Vereinigung der Hessischen Direktvermarkter e.V. ist ein Zusammenschluss von über 400 landwirtschaftlichen Betrieben aus unterschiedlichen hessischen Regionen.

Unser Ziel ist es, Sie als Verbraucher über gesunde, regional erzeugte Spezialitäten von hessischen Bauernhöfen zu informieren.

Unter dem Motto „Qualität frisch vom Bauernhof" wollen wir Ihnen Möglichkeiten für den direkten Einkauf beim Erzeuger aufzeigen.

Bei unserem Infotelefon können Sie jederzeit nachfragen, wo und wie Sie bequem und in Ihrer Nähe „Qualität frisch vom Bauernhof" einkaufen können.

Ihre Wünsche geben unseren Betrieben Anregungen und Hilfestellung für die weitere Zusammenarbeit und die Gestaltung unserer Produktpalette.

Die Produktbörse enthält Spezialitäten der hessischen Bauernhöfe. Das Angebot ist groß! Wir können Ihnen hier nur eine grobe Übersicht unserer Produkte vorstellen. Nutzen Sie unser Infotelefon für Ihre Fragen, Anregungen und zur weiteren Information.

Bitte rufen Sie uns an!
Infotelefon: 0 64 24 / 62 06
Mo–Fr von 9–12 Uhr und 14–17 Uhr

Was gibt es hier?
Was gibt es nicht? Machen Sie eine Liste.

H 2

Ergänzen Sie die Überschriften.

Fleisch & Wurst ◆ Gemüse & Blumen ◆ Milch & Milchprodukte ◆ Obst & Obstsäfte ◆ Honig & Marmeladen ◆ Brot & Gebäck ◆ Spezialitäten ◆ Wein & Spirituosen

1

____

Wir bieten Ihnen je nach Saison erntefrische Äpfel, Birnen, Erdbeeren, Kirschen und andere heimische Obstsorten, frischgepressten Most und Obstsäfte.

2

____

Genießen Sie unsere ofenfrischen Bauernbrote, Vollkornbrote, Brötchen und Kuchen, die wir nach alten Rezepten in verschiedenen Geschmacksrichtungen herstellen.

3

____

Frisch vom Feld und aus dem Garten liefern Ihnen unsere Landwirte und Gärtner Salate, Kartoffeln, verschiedene Gemüse und Kräuter sowie Blumen für jeden Anlass.

4

____

Verschiedene Teesorten, heimische Nüsse und hochwertige Speiseöle finden Sie in unserem Spezialitäten-Angebot.

5

____

Für Ihr tägliches Frühstück bieten wir Ihnen Blütenhonig, aromatischen Waldhonig sowie Marmeladen und Konfitüren nach Bauernart.

6

____

Probieren Sie mal zartgeräucherten Schinken, hausgemachte Leberwurst oder ein saftiges Steak – unsere Wurst- und Fleischspezialitäten sind wirkliche Leckerbissen.

7

____

Frische Vorzugsmilch vom Bauernhof, diverse Käsesorten sowie Butter, Quark, Schmand und andere köstliche Milchprodukte für die ganze Familie.

8

____

Unsere nach alter Tradition erzeugten Apfel-, Obst- und Honigweine sowie Obstler, Liköre und Korn sind ein Genuss für Ihren Gaumen.

Viel Spaß beim Einkauf auf „Ihrem" hessischen Bauernhof!

H 3

Was passt zusammen? Markieren Sie.

1 die Saison ______
2 erntefrisch ______
3 die Obstsorte ______
4 heimisch ______
5 ofenfrisch ______
6 hochwertig ______
7 täglich ______
8 Leckerbissen ______
9 die Käsesorte ______
10 nach alter Tradition ______

a Äpfel, Birnen, Orangen …
b Camembert, Butterkäse, Gouda …
c die Jahreszeit
d frisch aus dem Garten und vom Feld
e frisch aus dem Ofen
f gute Qualität
g hier: aus Hessen
h jeden Tag
i schmeckt sehr gut
j wie vor 100 Jahren

I

Kurz & bündig

Lebensmittel

Welche Lebensmittel kaufen und essen Sie oft?

____

____

Welche Lebensmittel essen Sie

morgens?	**mittags?**	**abends?**
____________	____________	____________
____________	____________	____________

Wo gibt es was im Supermarkt?

Fisch ______________ *findet man bei der Tiefkühlkost*

______________ *gibt es*

______________ *ist*

____

Was passt? Sie sagen: „..., bitte."

Eine Dose *Tomaten, bitte.*	Ein Pfund ______________
Eine Tüte ______________	Ein Kilo ______________
Eine Packung ______________	100 Gramm ______________
Ein Paket ______________	Ein Viertel ______________
Eine Flasche ______________	Einen Liter ______________
Eine Schachtel ______________	Einen Kasten ______________

Einkaufen

Sie suchen im Supermarkt Hefe, ... Was sagen oder fragen Sie?

____

Hat der Laden/Supermarkt Erdnussöl, Kandiszucker, ... ? Wie fragen Sie?

____

Sie sind im Feinkostladen und brauchen Käse, ... Was sagen Sie?

____

Sie sind Verkäufer. Es gibt keinen Käse mehr. Was sagen Sie?

____

Ergänzen Sie.

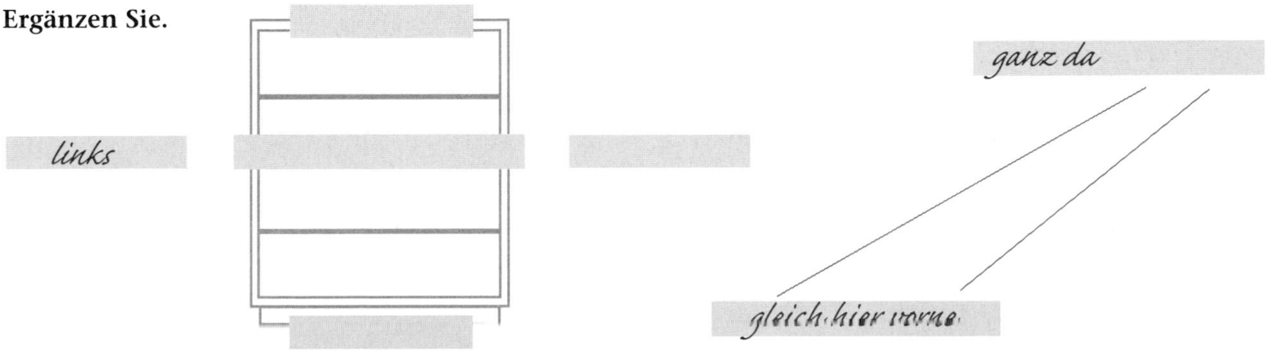
ganz da
links
gleich hier vorne

Personalpronomen im Nominativ und Dativ

Ein deutsches Sprichwort: **„Wie du mir – so ich dir"**

(Wie du mir begegnest – so begegne ich dir.
Du bist freundlich zu mir? – Dann bin ich freundlich zu dir.
Du bist unfreundlich zu mir? – Dann bin ich unfreundlich zu dir.)

2/16 **Ergänzen Sie.**

Wie du mir – so	*ich dir* .	Wie ich ihr – so	________ .
Wie ihr uns – so	________ .	Wie wir ihm – so	________ .
Wie er ihr – so	________ .	Wie du ihnen – so	________ .
Wie sie dir – so	________ .	Wie ich Ihnen – so	________ .

Die Dativ-Ergänzung: Sie machen Geschenke. Wer bekommt was?

eine Freundin	*Ich schenke ihr einen Volleyball.*
mein Sohn	*Ich kaufe*
meine Eltern	
und ich?	
und wir?	

Welche Verben haben eine Akkusativ-Ergänzung und eine Dativ-Ergänzung?

____

Der Imperativ: Ratschläge und Bitten

Jemand sagt oder fragt:	**Sie antworten:**
Wir haben kein Geld dabei.	*Bezahl doch mit*
Was heißt „Bauernhof"?	
Ich möchte eine Kleinigkeit essen.	
Ich möchte ihr etwas schenken. Haben Sie eine Idee?	

Sie haben Besuch.	Sie sagen:
an der Wohnungstür	*Kommt doch herein.*
im Wohnzimmer	
beim Kaffeetrinken	
nach dem Kaffeetrinken	
…	

Interessante Ausdrücke

____
____
____
____

Arbeit und Freizeit

LEKTION 5

A Traumberufe

A 1 **Welche Berufe kennen Sie? Ergänzen Sie.**

1 ____________

2 ____________

3 ____________

4 ____________

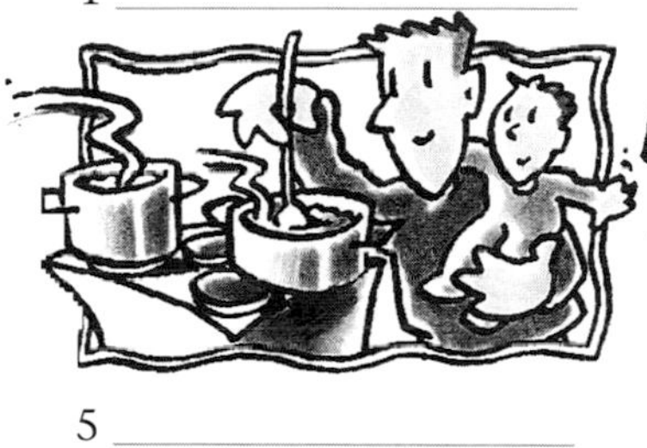

5 ____________

6 ____________

7 ____________

8 ____________

9 *Ingenieur*

10 ____________

11 ____________

12 ____________

Bankkauffrau ◆ Hausmann ◆ Friseur ◆ Kamerafrau ◆ Taxifahrer ◆ Automechaniker ◆ Hotelfachfrau ◆ ~~Ingenieur~~ ◆ Fotografin ◆ Journalistin ◆ Sekretärin ◆ Arzthelferin

A 2 **Wie heißen die Berufe? Lesen und ergänzen Sie.**

		Beruf	Dialog
1	Sie arbeitet beim Fernsehen, beim Rundfunk oder bei der Zeitung. Sie schreibt Artikel und berichtet über aktuelle Themen.	Sie ist *Journalistin* .	*4*
2	Er schneidet seinen Kunden die Haare …	Er ist ____________ .	
3	Sie macht Fotos von Menschen, Häusern …	Sie ist ____________ .	
4	Sie arbeitet im Büro. Sie schreibt Briefe, telefoniert …	Sie ist ____________ .	
5	Er repariert Autos und Motorräder.	Er ist ____________ .	
6	Sie arbeitet in einer Arztpraxis oder im Krankenhaus. Sie vereinbart Termine mit den Patienten.	Sie ist ____________ .	

Welcher Dialog passt zu welchem Beruf?

2/17 **Hören und markieren Sie.**

KURSBUCH A 1

A 3 2/18

Hören Sie, sprechen Sie nach und markieren Sie den Wortakzent.

Friseur Journalistin Hotelfachfrau Automechaniker Kamerafrau Fotograf Taxifahrer
Hausmann Bankkauffrau Ingenieur Sekretärin Arzthelferin Schauspieler Fußballspieler
Ärztin Fotomodell Lokführer Werbekauffrau Flugbegleiterin Kellner

A 4 2/19

Was „sagen" die Leute? Hören und markieren Sie.

1	☐ Friseur ☐ Kellner	3	☐ Fotograf ☐ Lokführer	5	☐ Schauspieler ☐ Hausmann
2	☐ Sekretärin ☐ Fotomodell	4	☐ Ärztin ☐ Journalistin	6	☐ Ingenieur ☐ Bankkauffrau

2/19 **Hören Sie noch einmal und vergleichen Sie.**

„Summen" Sie einen Beruf. Die anderen raten: Welcher Beruf ist das?

Friseur ◆ Kellner ◆ Fotomodell ◆ Lokführer ◆ Journalistin ◆ Fotograf

KURSBUCH A 2-A

A 5 2/20

Was möchte Daniel werden? Hören und markieren Sie.

☐ Kameramann ☐ Pilot ☐ Schauspieler ☐ Fußballspieler ☐ Automechaniker ☐ Opa

Ergänzen Sie die passenden Verben.

muss ◆ kann ◆ möchte

Daniel *möchte* Kameramann werden. Da ________ er immer tolle Krimis drehen. Aber ein Kameramann ________ oft die schwere Kamera tragen. Das findet Daniel nicht so gut.
Er ________ dann lieber Schauspieler werden. Da ________ ihn sein Opa im Fernsehen sehen. Aber sein Opa sagt, er ________ erst mal ein paar Jahre Schauspielunterricht nehmen. Das findet Daniel zu lange.
Dann ________ er lieber Fußballspieler werden. Daniel spielt jetzt schon jeden Samstag Fußball. Aber das reicht nicht. Ein Profi ________ jeden Tag trainieren. Dazu hat Daniel keine Lust. Er ________ lieber Opa werden. Da ________ er überhaupt nicht arbeiten und ________ den ganzen Tag fernsehen.

❤ Wunsch
Er **möchte** Pilot werden.

\+ Vorteile
Er **kann** immer fliegen.
(„Ich fliege gerne.")

– Nachteile
Ein Pilot **muss** auch nachts arbeiten.
(„Ich arbeite nicht gerne nachts.")

Wie geht der Text weiter? Schreiben Sie.

~~Taxifahrer~~ ◆ Journalist ◆ Hausmann ◆ Automechaniker ◆ …

Aber Opa ist kein Beruf. Daniel möchte ***Taxifahrer*** *werden. Da* ***kann*** *er …*
Aber ein Taxifahrer ***muss*** *…*

KURSBUCH A 6-A

A 6

Was passt: „bei" oder „in"? Lesen Sie die Texte und ergänzen Sie.

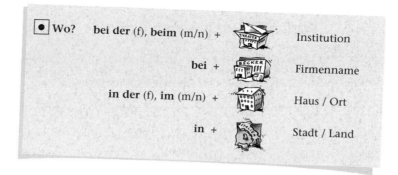

● Wo? bei der (f), beim (m/n) +		Institution
bei +		Firmenname
in der (f), im (m/n) +		Haus / Ort
in +		Stadt / Land

1 Angela Dos Santos ist Portugiesin und lebt seit 8 Jahren __________ Deutschland. Sie arbeitet als Rampagentin __________ Lufthansa *(f)*. Sie kontrolliert die Flugzeuge vor dem Start. Sie findet ihren Beruf sehr interessant, aber es gibt viel Stress: Sie muss immer schnell und genau arbeiten. In ihrer Freizeit geht sie mit Freunden in die Disko oder ins Kino. Mindestens dreimal in der Woche macht sie Aerobic und Stepptanz __________ Sportstudio *(n)*. Sie reist auch gerne: an den Bodensee, nach München oder Dresden. Dann wohnt sie bei Freunden oder __________ Hotel. Frau Dos Santos kann billig fliegen – sie bezahlt nur 10% des Flugpreises. Deshalb besucht sie jeden Monat für ein paar Tage ihre Familie __________ Lissabon.

2 Herbert Kleinschmidt ist Taxifahrer und arbeitet __________ Taxi-Schneider __________ Halle. Er fährt nur nachts: von sechs Uhr abends bis sechs Uhr morgens. Da ist nicht so viel Verkehr. Manchmal macht er auch Vertretung __________ Taxi-Zentrale. Seine Arbeit macht ihm Spaß. Er lernt viele Menschen kennen. Nur selten sind seine Fahrgäste unfreundlich oder haben kein Geld. Wenn er Pause macht, trifft er sich mit Kollegen __________ Gasthaus „Zur Sonne" *(n)*, das ist seine Stammkneipe.
Es gibt nur einen Nachteil: „Es ist sehr anstrengend, 12 Stunden __________ Taxi *(n)* zu sitzen, deshalb mache ich in meiner Freizeit viel Sport: Ich spiele am Wochende immer Fußball und gehe oft schwimmen."

3 Esther Schmidt ist Schauspielerin. Sie hat ein Engagement __________ Schiller Theater __________ Wuppertal. „Ich liebe meinen Beruf. Jeder Auftritt ist eine neue Herausforderung für mich." Sie verdient nicht viel Geld: „ __________ Fernsehen kann man als Schauspielerin mehr verdienen, aber das macht mir nicht so viel Spaß. __________ Theater habe ich mein Publikum direkt vor mir, nicht nur eine Kamera. Das ist viel interessanter."

KURSBUCH A 8

A 7

Beschreiben Sie Ihren Beruf und andere Berufe. Was ist wichtig, interessant, schwierig, ...?

Ich bin Verkäuferin und arbeite im Kaufhaus Schneider. Ich habe lange Arbeitszeiten. Ich muss auch samstags arbeiten. Das finde ich nicht so gut, aber da verdiene ich mehr Geld. Ich bin gern Verkäuferin, aber manchmal sind die Kunden ziemlich unfreundlich. Und ich? Ich muss immer freundlich sein. Das ist nicht so einfach ...

B Wochenende – und jetzt?

B 1 Was passt zu welchem Bild?

Fußball / Karten / Tennis / Klavier spielen ◆ in die Disko / in die Oper / in die Stadt gehen ◆ ins Kino / ins Theater / ins Museum / ins Konzert gehen
fotografieren ◆ joggen ◆ lesen ◆ schwimmen ◆ tanzen ◆ Fahrrad fahren ◆ spazieren gehen ◆ Musik hören ◆ ...

B 2 Ergänzen Sie 5 Freizeitaktivitäten. Was passt wo?

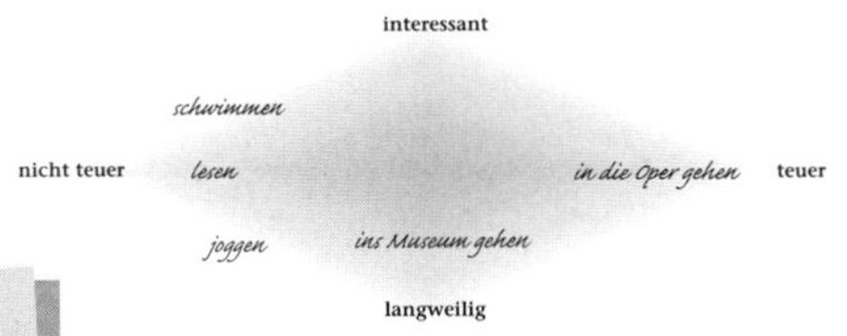

interessant

nicht teuer  teuer

langweilig

Lerntipp:

Lernen Sie nicht nur die Wörter im Buch. Lernen Sie auch Wörter, die für Sie wichtig sind. Zum Beispiel Freizeit-Aktivitäten: Hier im Buch gibt es *zum Fußball gehen, Musik hören ...* Was machen Sie gerne? Suchen Sie im Wörterbuch Ihre Lieblings-Aktivitäten.

Vergleichen Sie zu dritt oder schreiben Sie.

Ich schwimme gern. Das macht Spaß. Und es ist nicht teuer.
Ich gehe gern in die Oper. Das finde ich interessant, aber das ist teuer.
Ich finde Joggen langweilig, aber es kostet nichts.

KURSBUCH B 1-B

B 3

Ergänzen Sie die Uhrzeiten in beiden Formen.

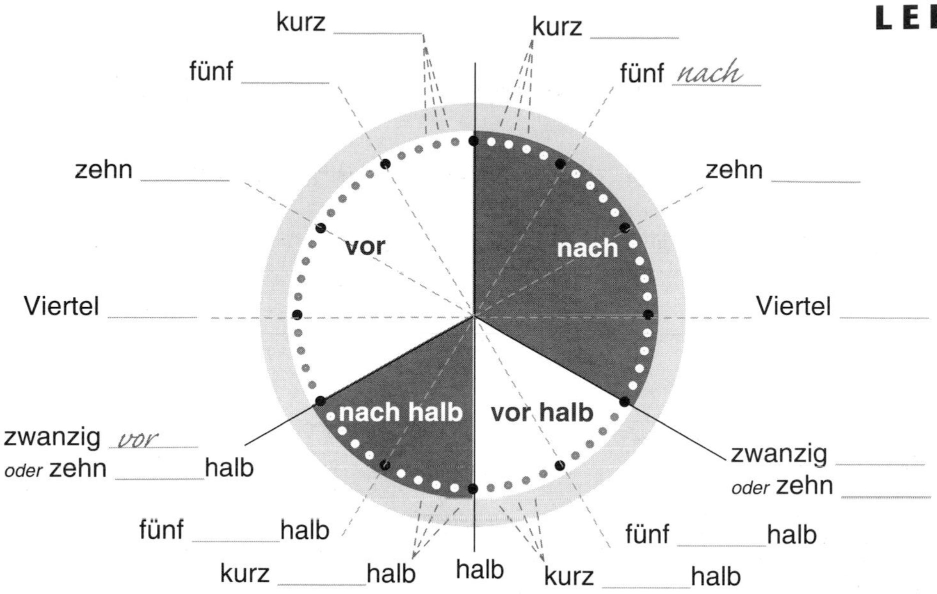

man schreibt	man sagt (offiziell)	oder	man sagt (informell)
1 Uhr 13 Uhr	Es ist **ein** Uhr. Es ist **dreizehn** Uhr.	*oder:*	Es ist **eins**.
6.30 Uhr 18.30 Uhr	Es ist **sechs** Uhr **dreißig**. ______	*oder*	Es ist **halb** sieben.
3.20 Uhr 15.20 Uhr	Es ist **drei** Uhr **zwanzig**. ______	*oder*	Es ist zwanzig **nach** drei. Es ist zehn **vor halb** vier.
7.40 Uhr 19.40 Uhr	______ ______	*oder*	Es ist zwanzig **vor** acht. Es ist zehn **nach halb** acht.
10.10 Uhr 22.10 Uhr	______ ______	*oder*	Es ist zehn **nach** zehn.
2.55 Uhr 14.55 Uhr	______ ______	*oder*	______
5.15 Uhr 17.15 Uhr	______ ______	*oder*	______
9.45 Uhr 21.45 Uhr	______ ______	*oder*	______
11.03 Uhr 23.03 Uhr	______ ______	*oder*	Es ist **kurz nach** ______
4.27 Uhr 16.27 Uhr	______ ______	*oder*	Es ist **kurz vor** ______

KURSBUCH B 4-B 6

B 4 2/21

Hören und ergänzen Sie.

20.30 Uhr ◆ 22.45 Uhr ◆ 20.00 Uhr ◆ 19.30 Uhr

Vera, Andrea und Thorsten möchten um ______ ins Kino gehen. Thorsten und Andrea sind um ______ da, aber Vera kommt nicht. Um ______ ruft Thorsten bei Vera an. Sie ist noch zu Hause. Sie glaubt, „halb acht“ heißt ______ . Aber das stimmt nicht. „Halb acht“ heißt ______ . Zum Glück gibt es eine Spätvorstellung um ______ . Vera, Andrea und Thorsten treffen sich um ______ .

KURSBUCH C 1-C 4

C Hunde müssen draußen bleiben!

C 1 Hören und markieren Sie.

2/22

Welcher Dialog passt zu welchem Bild?

Dialog	1	2	3	4	5	6
Bild	*E*					

C 2 Welche Sätze passen zu welchen Bildern? Markieren Sie.

1	Man darf nicht mit kurzen Hosen in die Kirche gehen.	
2	Der Mann möchte einkaufen.	
3	Man darf im Bus kein Eis essen.	
4	Die Frau möchte Fotos machen.	
5	„Kann ich nicht heute noch vorbeikommen?“	*E*
6	Die Touristen möchten in die Kirche gehen.	
7	„Kann ich nicht noch schnell einen Liter Milch bekommen?“	
8	Man muss normale Kleidung tragen.	
9	Die Frau möchte mit dem Bus fahren.	
10	Die Frau möchte einkaufen.	
11	Im Museum darf man nicht fotografieren. Man muss eine Erlaubnis haben.	
12	Man darf mit einem Hund nicht ins Lebensmittelgeschäft gehen.	
13	In Deutschland kann man nach 20 Uhr nicht mehr einkaufen. Die Geschäfte sind geschlossen.	
14	Der Mann hat Zahnschmerzen. Er möchte einen Termin.	*E*
15	Hunde müssen draußen bleiben.	
16	Mittwochnachmittag haben die Ärzte keine Sprechstunde. Aber man kann zum Notdienst gehen.	*E*

Sortieren Sie die Sätze und beschreiben Sie die Situationen.

Dialog 1, Bild E:
Der Mann hat Zahnschmerzen. Er möchte einen Termin. Er sagt: „Kann ich nicht heute noch vorbeikommen?“ Aber das geht nicht. Mittwochnachmittag kann man nicht zum Arzt gehen. Die Ärzte haben keine Sprechstunde.

Dialog 2, Bild …

C 3

Markieren Sie alle Verben in C 2 und ergänzen Sie die Regel.

Verb im Infinitiv ◆ Modalverb ◆ Verben

Sätze mit Modalverben haben fast immer zwei ______________ . Das ______________ steht auf Position 1 oder 2, das ______________ steht am Ende.

C 4

Verben im Wörterbuch.

Sie kennen ein Verb nicht und möchten im Wörterbuch nachschauen.

> T~er, m -s/- F: keep-fit enthusiast.
> **Trink-** [triŋk-], *comb.fm.* drinking (vessel, glass, song, chocolate, water etc.); **T~becher** *m.* drinking cup, beaker; **T~gelage** *n.* drinking bout; **T~halm** *m.* drinking straw. '**t~en,** *v.tr. & i.irr.* (*haben*) (*p.* **trank,** *p.p.* **getrunken**) to drink (sth.); **sie gab ihm zu t.,** she gave him something to drink, **was t. Sie?** what would you like to drink? **auf j-n, etwas** acc **t.,** to drink to

Im Wörterbuch stehen nur die Infinitive von Verben, also *schreiben, trinken, gehen …*

Sie suchen zum Beispiel das Verb: *(du)* ***darfst.***

Streichen Sie die Endung *darf~~st~~*, dann haben Sie den Verb-Stamm „darf". Ergänzen Sie die Infinitiv-Endung *-en: darf* + ***en.***

> '**darbringen,** *v.tr.sep.irr.16 Lit:* to offer (a sacrifice etc.); **j-m seine Huldigung d.,** to pay homage to s.o.
> **darein** [da'rain, *emphatic* 'dɑːrain], *adv. Lit:* in(to) it; **sich d. ergeben,** to resign oneself.
> **darin** [da'rin, *emphatic* 'dɑːrin], *F:* **drin,** *adv.* (*a*) in it/them; inside; (*b*) (*emphatic*) there; **d.**

Sie finden „darfen" nicht im Wörterbuch? Das Wort gibt es nicht. Oft ändert sich der Verb-Stamm.

> ness; (*b*) coarse remark; crude joke.
> **deren** ['deːrən], *see* **der, II, III.**
> **derer** ['deːrər], *see* **der, II.**
> **dergleichen** [deːr'glaiçən], *inv.* **I.** *dem. adj.* such; of this/that kind; **d. Dinge,** such things, things like that. **II.** *dem. pron.* such things.

Probieren Sie andere Vokale aus: ä, e, i, o, ö, u, ü …

> **Dörf|chen** ['dœrfçən], *n* -s/- small village, hamlet. 'd~**lich,** *adj.* village (life etc.), (*bäuerlich*) rustic.
> **Dorn** [dɔrn], *m* **1.** -(e)s/-en *Bot:* thorn; *Fig:* **j-m**

> **Durchzug,** *m* -(e)s/-e **1.** passage through. **2.** (*Zugluft*) through draught/*N.Am:* draft.
> **dürfen** ['dyrfən], *modal aux. vb.* (*pres.* **darf, darfst, darf;** *pl* **dürfen, dürft, dürfen;** *p.* **durfte;** *p.p.* **gedurft/** + *infin.* **dürfen**) (*a*) **etwas tun d.,**

„dürfen" steht im Wörterbuch. Der Infinitiv heißt „dürfen".

Suchen Sie in Ihrem Wörterbuch die Infinitive.

spricht ◆ sollt ◆ isst ◆ arbeitet ◆ willst ◆ kann ◆ hilfst ◆ musst ◆ liest ◆ gibt

sprich~~t~~ sprich en → ~~sprichen~~ → sprechen ✓

____

____

C 5 2/23

Hören und antworten Sie.

Ihr Kollege möchte mit Ihnen essen gehen. Sie möchten aber nicht.
Beispiele:

Ich möchte gerne mal mit Ihnen essen gehen. ↘ Sagen Sie, → was machen Sie denn heute Abend? ↘
Vielen Dank, → aber ich kann heute nicht, → ich muss meine Schwester vom Flughafen abholen. ↘
Und morgen Abend? ↗

*Tut mir Leid, → da **kann** ich auch nicht. → Da **muss** ich Spanisch lernen. ↘*

Und am Mittwoch? ↗

…

heute Abend:	Wohnung aufräumen	am Freitag:	Wohnung aufräumen
morgen Abend:	Spanisch lernen	am Samstag:	einer Freundin beim Umzug helfen
am Mittwoch:	einkaufen gehen	am Sonntag:	mal ausruhen
am Donnerstag:	Geschäftskollegen aus Köln die Stadt zeigen	nächste Woche:	meine Mutter im Krankenhaus besuchen

KURSBUCH C 5

D Zwischen den Zeilen

D 1 Was passt zusammen? Hören und markieren Sie.

2/24

A

B

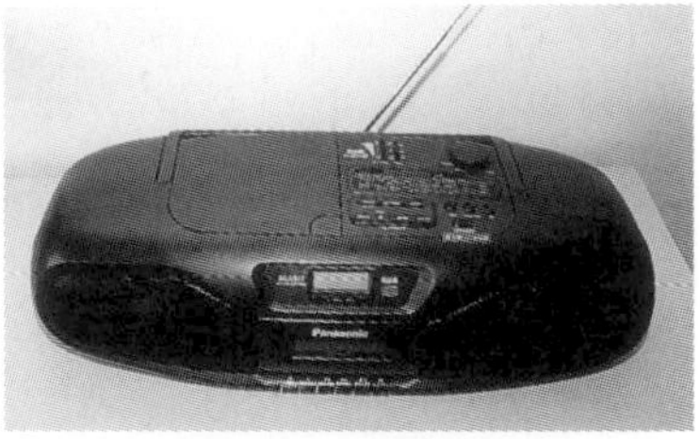

C

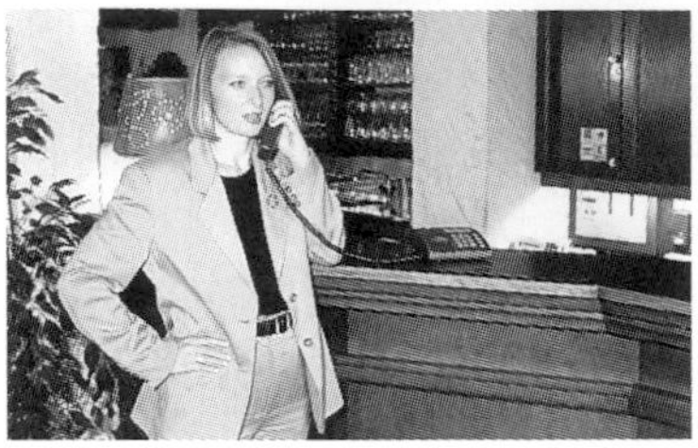

D

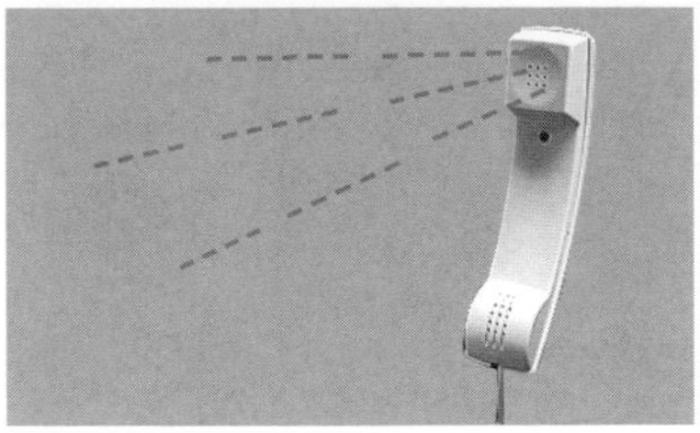

E

Dialog	Bild	Uhrzeit offiziell „neun Uhr dreißig"	Uhrzeit informell „halb zehn"
1	C	X	
2			
3			
4			
5			

2/24 **Hören Sie die Dialoge noch einmal. Wie sagen die Leute die Uhrzeiten?**

D 2 Was sagt man *nicht*? Markieren Sie.

1 **9.35**
- a) neun Uhr fünfunddreißig
- X b) fünfunddreißig nach neun
- c) fünf nach halb neun

2 **10.25**
- a) fünfundzwanzig nach zehn
- b) zehn Uhr fünfundzwanzig
- c) fünf vor halb elf

3 **21.15**
- a) Viertel nach neun
- b) einundzwanzig Uhr fünfzehn
- c) Viertel nach neun Uhr

4 **22.50**
- a) zehn vor elf
- b) zweiundzwanzig Uhr fünfzig
- c) zwanzig nach halb elf

5 **7.40**
- a) zwanzig vor acht
- b) zehn nach halb acht
- c) vierzig nach sieben

6 **19.04**
- a) kurz nach sieben
- b) kurz nach neunzehn
- c) neunzehn Uhr vier

D 3 Ergänzen Sie die Uhrzeit in der richtigen Form.

1 Bayern 3, Schlagzeilen um ______________________ .

2 Sie hat jeden Tag von ______________________ bis halb vier Deutschunterricht.

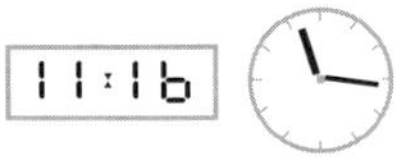

3 Der ICE 997 aus Hannover, planmäßige Ankunft ______________________ auf Gleis 8, hat voraussichtlich 10 Minuten Verspätung.

4 Wir treffen uns so um ______________________ , dann haben wir etwas Zeit und können vor dem Kino noch ein Bier trinken gehen.

5 Wie viel Uhr ist es bitte? – Genau ______________________ .

2/25 **Jetzt hören und vergleichen Sie.**

E

Termine, Termine!

E 1

Ergänzen Sie.

Jahr *(n)*, -e ◆ Monat *(m)*, -e ◆ Woche ◆ Tag *(m)*, -e ◆ Stunde ◆ Minute ◆ Sekunde

Ein Jahr	hat 12	*Monate*.		______	hat 24	______.
______	hat 4	______.		______	hat 60	______.
Eine	hat 7	______.		______	hat 60	______.

KURSBUCH E 1-E 3

E 2

Ergänzen Sie die Tage und schreiben Sie.

Die Ordinalzahlen

1. – 19. : **-te** — 20. – 100.: **-ste**

1. der ers**te**	6. der sechs**te**	11. der elf**te**	20. der zwanzig**ste**
2. der zwei**te**	7. der **siebte**	…	21. der einundzwanzig**ste**
3. der **dritte**	8. der ach**te**	16. der sechzehn**te**	…
4. der vier**te**	9. der neun**te**	17. der siebzehn**te**	31. der einunddreißig**ste**
5. der fünf**te**	10. der zehn**te**	…	…

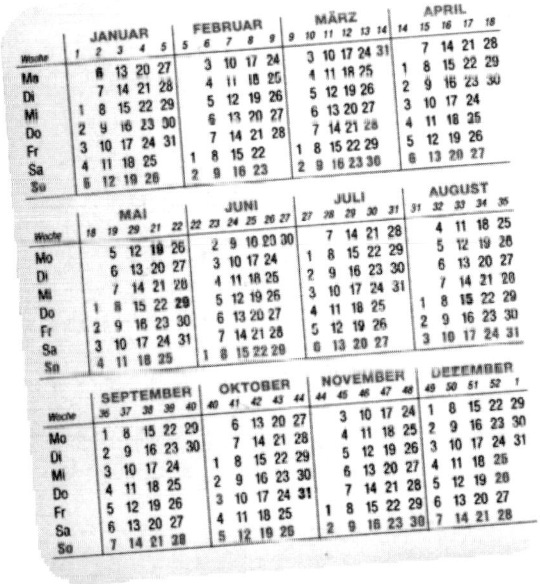

Mo = *Montag*

Di = ______

Mi = ______

Do = ______

Fr = ______

Sa = ______

So = ______

1.5. *Der erste Mai ist ein Donnerstag.*

2.7. ______

3.9. ______

4.4. ______

7.8. ______

10.10. ______

11.2. ______

12.1. ______

17.3. ______

23.11. ______

29.6. ______

16.12. ______

E 3

Wann ist welcher Feiertag? Ergänzen Sie die Daten.

Das Datum

man schreibt	**man sagt**
14. 2. *oder* 14. Februar	Heute ist der vierzehnte Zweite. *oder* Heute ist der vierzehnte Februar.
14. 2. Valentinstag	**Am** vierzehnte**n** Februar ist Valentinstag. *oder* **Am** vierzehnte**n** Zweite**n** ist Valentinstag.

1. 1.	*Am ersten Januar*	ist Neujahr.
14. 2. ♥	*Am vierzehnten*	ist Valentinstag.
8. 3. ♀	______	ist Internationaler Frauentag.
1. 5.	______	ist Tag der Arbeit.
1. 6.	______	ist Internationaler Kindertag.
1. 8.	______	ist Bundesfeiertag in der Schweiz.
3. 10.	______	ist Tag der deutschen Einheit.
26. 10.	______	ist Nationalfeiertag in Österreich.
25. 12. und 26. 12.	______	ist Weihnachten.
31. 12	______	ist Silvester.
______	______	habe ich Geburtstag.

Welche Feiertage gibt es bei Ihnen? Schreiben Sie.

KURSBUCH E 4-E

E 4

Lesen Sie die Texte und ergänzen Sie die passende Überschrift.

Heute nicht! ◆ Praktische Grammatik ◆ Unbequeme Nachrichten

1 ______

Ein Mann möchte einen neuen Computer kaufen. „Wir haben hier einen Super-Computer", sagt der Verkäufer, „der weiß alles, der kann sogar sprechen."
Der Mann will den Computer testen und fragt: „Wo ist mein Chef jetzt?" Der Computer rechnet einen Moment, dann sagt er: „Ihr Chef ist jetzt in der Lufthansa-Maschine LH 474 nach Tokio. Morgen muss er nach Hongkong fliegen, und übermorgen ..."
Der Mann ist zufrieden, aber er will noch einen Test machen. Er fragt: „Wo ist mein Vater jetzt?" Der Computer rechnet wieder und sagt dann: „Ihr Vater und seine Frau machen Urlaub in Wien. Sie sitzen jetzt beim Frühstück im Hotel Sacher. Heute Abend wollen sie ins Konzert gehen, und ..."
„So ein Unsinn", sagt der Mann, „mein Vater ist seit 5 Jahren tot, und meine Mutter ist im Krankenhaus."
„Oh, das tut mir Leid", sagt der Verkäufer. „So etwas darf natürlich nicht passieren. Wir können es ja noch einmal probieren." Er sagt zum Computer: „Du musst noch einmal rechnen. Aber bitte genau, diesmal darfst du keine Fehler machen!"
Der Computer rechnet noch einmal, dann sagt er: „Ich mache keine Fehler. Der Mann seiner Mutter ist tot. Sein Vater macht Urlaub in Wien."

2 ______

Sie: „Kannst Du bitte den Kühlschrank reparieren?"
Er: „Ja, das mache ich morgen."
Sie: „Und der Staubsauger funktioniert auch nicht."
Er: „Ja, das mache ich morgen."
Sie: „Morgen, morgen, alles willst du morgen machen."
Er: „Du hast recht, morgen kann ich nicht. Da soll ich ja schon den Kühlschrank reparieren. Dann muss ich den Staubsauger halt nächste Woche machen!"

3 ______

In der Deutschstunde schreibt der Lehrer den Satz *Lisa geht gern tanzen.* an die Tafel.
Dann fragt er: „Könnt ihr mir sagen, wo hier das Subjekt ist?" Keine Antwort.
„Wo ist hier das Subjekt? Das müsst ihr doch wissen!" Wieder keine Antwort.
Der Lehrer ist verzweifelt. „Wo ist hier das Subjekt? Nur diese eine Antwort, dann machen wir Schluss, dann könnt ihr gehen."
Immer noch keine Antwort.
Der Lehrer wird sauer. „Ich will jetzt eine Antwort haben. Das ist doch ganz einfach! »Lisa geht gern tanzen.« Wo ist hier das Subjekt?"
„Ich weiß es nicht genau", antwortet Jasmin, „aber ich glaube, in der Disko."

E 5

Lesen Sie die Texte noch einmal und markieren Sie die Modalverben. Dann ergänzen Sie die Tabelle und die Regeln.

Modalverben	können	müssen	wollen	sollen	dürfen	möchten
ich					*darf*	*möchte*
du				*sollst*		*möchtest*
er/sie/es, man				*soll*		
wir		*müssen*	*wollen*	*sollen*	*dürfen*	*möchten*
ihr			*wollt*	*sollt*	*dürft*	*möchtet*
sie	*können*	*müssen*		*sollen*	*dürfen*	*möchten*
Sie	*können*	*müssen*	*wollen*	*sollen*	*dürfen*	*möchten*

darf ◆ möchten ◆ muss ◆ Verb-Endung ◆ Vokalwechsel ◆ will

1 Die Modalverben *können, müssen, wollen* und *dürfen* haben im Präsens einen

____

können → *kann* müssen → ________
wollen → ________ dürfen → ________

2 Modalverben sind im Präsens bei „ich" und „er/sie/ es" gleich und haben keine

_______________ .

(Ausnahme:)

E 6

Lesen Sie den Text und ergänzen Sie die passenden Modalverben in der richtigen Form.

● Wir gehen ins Kino. ________ du nicht auch kommen?

■ Nein, ich ________ leider nicht. Ich ________ ins Bett. Ich habe doch jetzt wieder eine Arbeit.

● Wirklich? Du hast wieder eine Stelle? Das ist ja toll!

■ Na ja, ich finde das nicht so toll. Ich arbeite im Lager. Ich ________ Ersatzteile aus den Regalen holen. Von morgens um sieben bis abends um fünf.

● Aber du ________ doch sicher mal eine Pause machen, oder?

■ Ja, aber erst um halb elf, zehn Minuten. Vorher ________ ich ohne Pause arbeiten. Und ich ________ nicht rauchen und auch kein Bier trinken! Das ist der absolute Stress!

● Na ja, so schlimm ________ es doch nicht sein …

■ Du hast ja keine Ahnung! Immer hinein ins Lager, das Ersatzteil suchen, zurück zum Schalter, Lagerschein unterschreiben … Und da stehen immer zwei oder drei oder vier, und alle ________ ihre Teile sofort haben, keiner ________ warten … Und dabei ________ ich auch keinen Fehler machen. Für jedes falsche Teil ________ ich zwei Mark zahlen.

● Ja, ich sehe schon, deine Arbeit ist wirklich sehr anstrengend. Wie lange machst du das denn schon?

■ Nächste Woche am Montag um sieben Uhr ________ ich anfangen.

KURSBUCH E 8

F

Der Ton macht die Musik

F 1 2/26

Hören Sie, sprechen Sie nach und markieren Sie.

[ai]	ein	Eis	Zeit	Mai	meinst	leid	dabei
[ɔy]	neun	euch	heute	Häuser	Kräuter	teuer	Leute
[au]	raus	laut	genau	glaube	traurig	Staubsauger	Kaufhaus

[ai] schreibt man fast immer ______ und manchmal ______ .
[ɔy] schreibt man ______ oder ______ .
[au] schreibt man immer ______ .

Diphthonge sind Doppelvokale. Man spricht sie zusammen.

Heute habe ich **auch** keine **Zeit**.

F 2 2/27

Üben Sie die Diphthonge.

[ai] Sagen Sie mit Pausen: was – ist, was – ist, was – ist, …
… mit kurzen Pausen: a-is, a-is, a-is, …
… ohne Pausen: ais, ais, ais, Eis, Eis, Eis, …
Lesen Sie laut: Ein Eis im Mai? ↗ Ich bin dabei! ↘
Tut mir Leid, → keine Zeit! ↘

[ɔy] Sagen Sie mit Pausen: Kino – in, Kino – in, Kino – in, …
… mit kurzen Pausen: no-in, no-in, no-in, …
… ohne Pausen: noin, noin, noin, neun, neun, neun, …
Lesen Sie laut: Wir treffen euch heute um neun. ↘
Die Kräuter sind heute sehr teuer. ↘

[au] Sagen Sie mit Pausen: Salat – gut, Salat – gut, Salat – gut, …
… mit kurzen Pausen: la-ut, la-ut, la-ut, …
… ohne Pausen: laut, laut, laut, laut, laut, laut, …
Lesen Sie laut: Ich glaube, → der Staubsauger ist zu laut. ↘
Raus aus dem Haus! ↘ Wir gehen mal aus! ↘

F 3 2/28

Hören Sie und sprechen Sie nach.

nein – neun   Leid – laut   aus – Eis   raus – Reis   seit – Mai   auch – euch
Haus – Häuser   Raum – Räume   laute – Leute   beide – Gebäude   neu – genau

F 4 2/29

Ergänzen Sie die fehlenden Diphthonge.

Was h____ßt „die d____tschsprachigen Länder"?
Das w____ß ich ____ch nicht gen____ .
Ich glaube, das sind D____tschland, Österr____ch und die Schw____z.

Sch____ mal, die ____nb____küche! Was m____nst du?
Sch____ mal, der Pr____s! Die ist ____nfach zu t____er.

KURSBUCH G

Hören Sie, vergleichen Sie und üben Sie zu zweit.

G

Pünktlichkeit

G 1

Wo darf man etwas später kommen? Wo muss man pünktlich sein? Sortieren Sie und diskutieren Sie dann zu viert.

zum Theater ◆ zur Arbeit ◆ zum Kino ◆ in die Disko ◆ zum Arzt ◆ zum Unterricht ◆ zur Party ◆ ~~zum Essen~~ ◆ zum Rendezvous ◆ zum Zug ◆ zum Fußballspiel ◆ in die Oper ◆ …

Man muss pünktlich zum Essen kommen

Wieso? Bei uns kann man auch später kommen. Das ist ganz normal.

etwas später	pünktlich	egal
	zum Essen	

G 2

Lesen Sie den Text. Wo finden Sie Informationen zu den Stichworten?

Ergänzen Sie.

	Zeile(n)		Zeile(n)		Zeile(n)
Radio und Fernsehen		Oper und Theater		Unterricht	
eine Einladung zum Essen		eine Einladung zur Party		Kino	

DER RICHTIGE AUGENBLICK

(frei nach Elke Heidenreich)

ALSO… Christa ist immer zu spät, Inge immer zu früh. Beides ist grässlich, wenn man für sie ein tolles Essen kocht. Bis Christa kommt, ist alles verkocht, wenn Inge kommt, hat man wirklich noch keine Zeit für sie.

Der richtige Augenblick! Wann ist der, wenn man um neun Uhr zu einer Party eingeladen ist? Um neun Uhr ist er nicht. Um zehn? Warum sagt man dann nicht gleich: Kommt um zehn? Ganz einfach, weil dann alle um elf kommen. Es ist sehr kompliziert.

Das Kino beginnt um acht. Es ist völlig falsch, um acht dort zu sein: man muss sich dreißig Minuten und mehr Werbung ansehen. Dann muss man Eiscreme kaufen, dann kommt noch eine Vorschau, dann um zwanzig vor neun kommt der Hauptfilm, vielleicht. Wehe aber, man kommt dazu auch nur drei Minuten zu spät – den Film kann man vergessen. Nichts ist schlimmer, als in ein dunkles Kino zu kommen, und der Film läuft schon! Du hast mit Sicherheit die wichtigste Szene verpasst.

Oper und Theater sind rigoros: Wer zu spät kommt, der kommt nicht mehr hinein. Privat kann man das nicht machen. Das Essen ist schon kalt, da kommt Christa, eine Dreiviertelstunde zu spät. Macht man die Tür nicht auf? Ist man beleidigt? Ist eine Dreiviertelstunde so wichtig?

Ich gebe zu, ich bin furchtbar pünktlich – geübt durch Jahrzehnte beim Fernsehen und Radio, die Nachrichten sind immer um Punkt, da kann man nicht zu spät kommen. Kann man nicht? Verschieben wir doch die Nachrichten! Nein, das ist unmöglich!

Die meisten Menschen, glaube ich, machen sich über Zeit keine Gedanken. Aber sie sind mir lieber als Thomas Mann*, der sein Leben lang um Punkt halb acht aufgestanden ist, oder als die, die um Punkt zwölf Uhr mittags alles liegen lassen, „Mahlzeit" sagen und in die Kantine gehen. Dann schon lieber Walter, der um drei Uhr nachmittags anruft und „Guten Morgen" sagt. …

*) Thomas Mann: dt. Schriftsteller, 6.6.1875 Lübeck – 12.8.1955 Kilchberg bei Zürich)

Elke Heidenreich: geb. 1943, lebt in Köln; bekannte Journalistin und Autorin; schreibt regelmäßig ALSO…-Texte für die Zeitschrift BRIGITTE.

G 3

Schreiben oder diskutieren Sie.

* Welche Tipps gibt Frau Heidenreich?
* Wann kommt man in Ihrem Land zur Party, zum Essen, …?
* Finden Sie pünktliche Menschen wie „Thomas Mann" gut oder unpünktliche wie „Walter"?

H

Kurz & bündig

Verabredungen

Sie möchten mit einem Freund / einer Freundin ______ gehen. Was sagen Sie?

______

Jemand fragt Sie: „Möchten Sie morgen Abend mit mir essen gehen?" Was sagen Sie?

______

„bei" oder „in"

Jemand fragt Sie: „Wo wohnen Sie? Wo arbeiten Sie?" Antworten Sie bitte.

______

Wortschatzarbeit

Was passt zu „lernen", zu „Beruf", zu „Freizeit"?
Finden Sie ein Wort zu jedem Buchstaben.

lernen	Beruf	Freizeit
____ L *esen*	____ B ____	____ F ____
____ e ____	____ e ____	____ r ____
____ r ____	____ r ____	____ e ____
____ n ____	*Jo* u *rnalisten*	____ i ____
____ e ____	____ f ____	*tan* z *en*
U n *terricht*		____ e ____
		____ i ____
		____ t ____

Modalverben

müssen, ______

Ergänzen Sie die Sätze.

Ich will *ins Kino gehen*. Aber du kannst nicht, du musst ______.
Du willst ______. Aber ich ______, ______.
Er ______. Aber sie ______, ______.
Wir ______. Aber ihr ______, ______.
Ihr ______. Aber wir ______, ______.
Hat denn niemand Zeit?

Zeitangaben

Wann haben Sie Geburtstag? ______
Wann feiert man bei Ihnen Neujahr? ______
Wann sind bei Ihnen Sommerferien? ______
Wann machen Sie Urlaub? ______
Wann ist Ihr Deutschkurs? ______

Interessante Ausdrücke:

______

______

Test

A

A 1 Was ist richtig: a, b oder c ? Markieren Sie bitte.

Beispiel:
● Wie heißen Sie?
■ Mein Name ________ Schneider.
- [ ] a) hat
- [x] b) ist
- [ ] c) heißt

1 ● Guten Tag, Frau Schneider. Wie geht es Ihnen?
■ Danke, gut. Und ________ ?
- [ ] a) Sie
- [ ] b) dir
- [ ] c) Ihnen

2 ● Ich heiße Mario. Und wie heißt ________ ?
■ Vera.
- [ ] a) du
- [ ] b) Sie
- [ ] c) Ihnen

3 ● Woher kommen Sie?
■ ________ Spanien.
- [ ] a) Nach
- [ ] b) Aus der
- [ ] c) Aus

4 ● Wohin möchten Sie?
■ ________ Paris.
- [ ] a) Nach
- [ ] b) Aus
- [ ] c) Von

5 ● Was ist Frau Graf von Beruf?
■ Ich glaube, ________
- [ ] a) er ist Kellner.
- [ ] b) sie ist Kellner.
- [ ] c) sie ist Kellnerin.

6 ● ________
■ Ja, aus Osaka.
- [ ] a) Woher kommen Sie?
- [ ] b) Kommen Sie aus Japan?
- [ ] c) Wie heißen Sie?

7 ● ________ wohnen Sie?
■ In Hamburg.
- [ ] a) Was
- [ ] b) Wo
- [ ] c) Wohin

8 ● Wo arbeitet Frau Baumann?
■ ________ Mercedes.
- [ ] a) Nach
- [ ] b) Bei
- [ ] c) In

9 ● Ich bin nicht verheiratet.
■ ________
- [ ] a) Ich auch.
- [ ] b) Ich auch nicht.
- [ ] c) Ich nicht.

10 ● Was darf's sein?
■ Ich möchte ________ Salat.
- [ ] a) einen
- [ ] b) ein
- [ ] c) eine

11 ● Ist das ein Test?
■ Ja, das ist ________ Test zu den Lektionen 1–5.
- [ ] a) einen
- [ ] b) ein
- [ ] c) der

12 ● Ich heiße Waclawczyk.
■ ________ bitte ? Buchstabieren Sie bitte.
- [ ] a) Wie
- [ ] b) Wer
- [ ] c) Wo

13 ● Entschuldigung! Wo finde ich denn ________ ?
■ Im vierten Stock.
- [ ] a) Waschmaschine
- [ ] b) Betten
- [ ] c) Fahrrad

14 ● Schau mal, der Tisch da! Ist der nicht schön?
■ Ja, ________ finde ich auch ganz schön.
- [ ] a) das
- [ ] b) der
- [ ] c) den

15 ● Was kostet denn die Lampe hier?
■ 1750 Mark.
● 1750 Mark! Das ist ________ .
- a) zu teuer
- b) zu günstig
- c) zu groß

16 ● Hast du eigentlich ein Fax-Gerät?
■ Nein. ich habe ________ .
- a) keins
- b) keinen
- c) nicht

17 ● Kann ich Ihnen helfen?
■ Ja, bitte. Ich ________ einen Küchentisch.
● Kommen Sie bitte mit. Küchentische sind ganz da hinten.
- a) finde
- b) kaufe
- c) suche

18 ● Wie findest du die Stehlampe?
■ Die ist ________ .
- a) bequem
- b) ganz hübsch
- c) sehr

19 ● Entschuldigung. Wo ist denn die Berliner Straße?
■ ________
- a) Tut mir Leid. Das weiß ich auch nicht.
- b) Entschuldigung.
- c) Nein, leider nicht.

20 ● Papa, kaufst du ________ ein Eis?
■ Nein, Chris. Heute nicht.
- a) mir
- b) Ihnen
- c) euch

21 ● ________ Ich suche Kaffee.
■ Kaffee? Gleich hier vorne links.
● Danke.
- a) Kann ich Ihnen helfen?
- b) Tut mir Leid.
- c) Können Sie mir helfen?

22 ● Sonst noch etwas?
■ ________
● Das macht dann 24,80 DM.
- a) Auf Wiedersehen!
- b) Entschuldigung.
- c) Nein, danke. Das wär's.

23 ● Meine Kinder wollen unbedingt einen Computer.
■ Dann ________ ihnen doch einen!
- a) kaufst
- b) kauf
- c) kaufen

24 ● Vera hat bald Geburtstag. Was schenkst du ________ denn?
■ Die neue CD von Tina Turner.
- a) dir
- b) ihr
- c) ihm

25 ● Was machst du denn heute Abend?
■ Ich weiß noch nicht.
● Gehst du mit mir ________ Kino?
- a) beim
- b) ins
- c) nach

26 ● Willst du mit mir ins Konzert gehen? Die „Toten Hosen" spielen in der Festhalle.
■ Wann denn?
● ____ nächsten Samstag ____ acht.
- a) Im ... am
- b) Am ... um
- c) Um ... im

27 ● Kommst du mit mir in die Disko?
■ Nein, ich ________ heute ________ .
- a) muss ... lernen
- b) lernen ... muss
- c) lernen ... müssen

28 Hier ________ man nicht rauchen.
- a) darf
- b) dürfen
- c) darfst

29 ● Praxis Dr. Reuter. Guten Tag.
■ Guten Tag. Ich ________ einen Termin für nächste Woche.
- a) muss
- b) möchte
- c) darf

30 ● Können Sie ________ April um 9 Uhr kommen?
■ Ja, das geht. Vielen Dank.
- a) drei
- b) dritte
- c) am dritten

A 2

Wie viele richtige Antworten haben Sie?

Schauen Sie in den Lösungsschlüssel im Anhang. Für jede richtige Antwort gibt es einen Punkt. Wie viele Punkte haben Sie?

_____________ Punkte

Jetzt lesen Sie die Auswertung für Ihre Punktzahl.

24–30 Punkte: Sehr gut. Weiter so!

13–23 Punkte: Schauen Sie noch einmal in den Lösungsschlüssel. Wo sind Ihre Fehler? In welcher Lektion finden Sie Übungen dazu? Machen Sie eine Liste.

Nummer	*Lektion*	*(G) = Grammatik*	*(W) = Wortschatz*
4	*1, H-Teil*		*X*
5	*1, C-Teil*	*X*	
	2,		

- **Ihre Fehler sind fast alle in einer Lektion?** Zum Beispiel: Fragen 20, 21, 22, und 24 sind falsch. Dann wiederholen Sie noch einmal die ganze Lektion 4.

- **Ihre Fehler sind Grammatikfehler (G)?** Dann schauen Sie sich in allen Lektionen noch einmal den Abschnitt „Kurz & bündig" an. Fragen Sie auch Ihre Lehrerin oder Ihren Lehrer, welche Übungen für Sie wichtig sind.

- **Ihre Fehler sind Wortschatzfehler (W)?** Dann schauen Sie sich in allen Lektionen „Kurz & bündig" noch einmal an. Lernen Sie mit dem Vokabelheft und üben Sie auch mit anderen Kursteilnehmern. Dann geht es bestimmt leichter.
  (Tipps zum Vokabel-Lernen finden Sie auf den nächsten Seiten.)

5–12 Punkte: Wiederholen Sie noch einmal gründlich alle Lektionen. Machen Sie ein Programm für jeden Tag. Üben Sie mit anderen Kursteilnehmern. Und sprechen Sie mit Ihrer Lehrerin oder Ihrem Lehrer.

0–4 Punkte: Machen Sie einen Volleyballkurs!

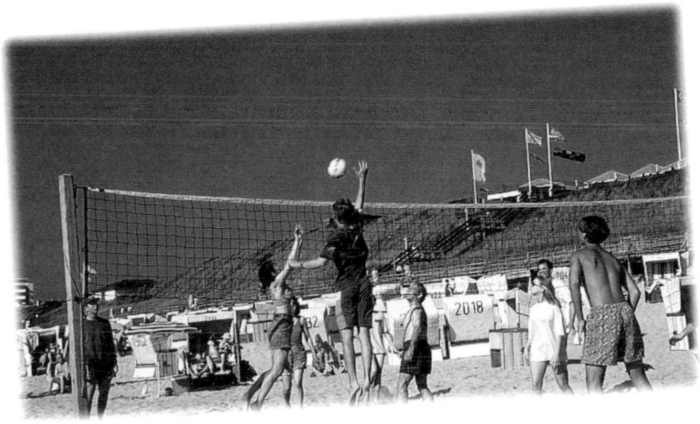

B

Wörter lernen

B 1

Tipps zum Vokabel-Lernen

Wie lernen Sie neue Wörter? Fragen Sie Ihre Nachbarn und notieren Sie.

Lerntipp:

Lernen Sie nicht mehr als 5 bis 7 Vokabeln auf einmal. Das ist genug. Aber wiederholen Sie die Wörter möglichst oft!

Hier ein paar Methoden zum Vokabel-Lernen. Probieren Sie doch alle mal aus!

1. Die „Zettel-Methode“

Machen Sie Zettel an die Sachen, die Sie lernen möchten. Sagen Sie das deutsche Wort immer laut.
Welche Möbel finden Sie schwierig? Schreiben Sie 5 Zettel und kleben Sie die Zettel an die Möbel!

2. Die „Bilder-Methode“

Schreiben Sie das neue Wort mit Artikel und Plural auf eine Karteikarte und markieren Sie den Wortakzent.

Suchen Sie (z. B. in Zeitschriften) passende Bilder für die Rückseite der Wortkarten. Sie können auch selbst ein passendes Bild malen.

Machen Sie 10 Wortkarten und spielen Sie. Schauen Sie sich das Foto auf der Rückseite an. Wie heißt das auf Deutsch?

Sagen Sie das Wort laut mit Artikel und Plural. Vergleichen Sie dann mit der Vorderseite.

Oder:

Spielen Sie mit anderen. Ein Spieler zeigt das Foto, die anderen sagen das deutsche Wort mit Artikel und Plural.

Wie heißt das auf Deutsch?

3. Die „Pantomime-Methode“

„Spielen“ Sie das neue Wort und sagen Sie laut, was Sie gerade machen.

Spielen Sie: lachen, lesen, essen, schreiben, Auto fahren …

Oder:

Spielen Sie zu zweit oder im Kurs „Pantomime-Raten“.

Lachen. Ich lache.

Du trinkst.

4. Die „Wortgruppen-Methode“

Lernen Sie neue Wörter in „Wortgruppen“. Sie lernen zum Beispiel die Nomen:

der Stuhl, ¨-e ◆ die Banane, -n ◆ das Bett, -en ◆ der Fernseher, – ◆ die Orange, -n ◆ der Kühlschrank, ¨-e ◆ der Apfel, ¨

Schreiben Sie Listen:

Möbel

Obst

Geräte

Ergänzen Sie weitere Wörter.

Lernen Sie dann **nur** die Möbel. Machen Sie eine Pause oder machen Sie am nächsten Tag weiter. Lernen Sie dann die Obstsorten, machen Sie wieder eine Pause, wiederholen Sie dann alle Geräte, usw.

Oder:

Sie haben eine Vokabelkartei? Suchen Sie alle Karten zu einem „Thema“, zum Beispiel: Lebensmittel. Üben Sie die Wörter. Dann wählen Sie ein neues Thema: Getränke, Sportarten, Berufe, …

5. Die „Geschichten-Methode“

Machen Sie mit den neuen Vokabeln kurze Geschichten.
Probieren Sie es gleich aus! Notieren Sie 7 Wörter und schreiben Sie eine kleine Geschichte.

Wiederholen Sie diese Geschichten immer wieder: beim Spülen, beim Kochen, im Auto …

B 2

Der Wortakzent. Lesen Sie die Regeln und die Wörter. Welche Regeln passen zu welcher Gruppe?

1
elf = ●
fünfzehn = ●•
einundzwanzig = ●•••

2
Fast alle Sprachen enden auf *isch*
Der Akzent ist [X] •● / ••●• [ ] ●• / ●•• / ●•••

3
Lerntipp:
Bei Abkürzungen mit Buchstaben ist der Akzent fast immer am Ende.

4
Bei Komposita hat fast immer das [X] erste [ ] letzte Wort den Wortakzent.

5
Lerntipp:
Die meisten Nomen haben den Akzent am Anfang. Ist der Akzent nicht am Anfang, lernen Sie die Betonung „mit Geste". Im Plural ist der Akzent fast immer wie im Singular.

Regel 1 passt zu Gruppe C.
Regel 2 passt zu Gruppe …
…

A	B	C	D	E
Pass	Arabisch	acht	ADAC	Hausaufgabe
Preise	Portugiesisch	vierundvierzig	ZDF	Wortkarte
Kinder	Spanisch	dreißig	VHS	Himbeereis
Antwort	Französisch	achtzig	USA	Hammelfleisch
Autos	Griechisch	dreizehn	BRD	Schinkenbrot
Ausweis	Chinesisch	sechzehn	BMW	Apfelsaft
Konto	Englisch	Wörterbuch	ICE	Butterkäse
~~Koreanisch~~	Teppiche	einundzwanzig	achtzehn	ARD
Frankreich	Russisch	zwölf	RTL	Gemüsesuppe
______	*Koreanisch*	______	______	______

Welches Wort passt nicht? Diskutieren Sie und korrigieren Sie die Listen.

Koreanisch passt nicht zu Gruppe A.
Koreanisch ist eine Sprache. Das Wort passt zu Gruppe B.
…

Markieren Sie den Wortakzent in den Gruppen A bis E.

2/30 **Vergleichen Sie dann mit der Cassette.**

KURSBUCH C

C

Der Ton macht die Musik

C 1

2/31

Bindung und Neueinsatz: Hören Sie und sprechen Sie nach.

Bindung (‿): zusammen sprechen		Neueinsatz (|): getrennt sprechen
s‿ammen – zus‿ammen	→	| Amt – Ordnungs|amt
b‿en – Verb‿en	→	| Ende – Verb|ende
d‿in – Freund‿in	→	| in – Freund|in
f‿ort – sof‿ort	→	| Ort – Geburts|ort
Pf‿und – ein Pf‿und	→	| und – na|und
n‿au – gen‿au	→	| auch – du|auch
r‿ein – her‿ein	→	| ein – Ver|ein
D‿eutsch – auf D‿eutsch	→	| euch- mit|euch

C 2

2/32

„Gähnen" Sie und üben Sie den Neueinsatz.

Ordnungs  | amt

Geburts  | ort

genauso mit:
na|und, in|einer Woche, mit|euch, du|auch, mein Freund|in Rom, am|Ende

C 3

2/33

Neueinsatz (|) oder Bindung (‿)? Hören und markieren Sie.

die K‿amera	in Süd|amerika	am S amstag	am Anfang
das pass ende	Wochen ende	immer interess ant	im Erdgeschoss
bitte s ortieren	bitte ordnen	hier oben	da unten
heute n ur	neun Uhr	Sie k önnen	ge öffnet
ich übe	ich bin m üde	ein Url aub	im August
ein Erdbeer eis	Basmatir eis	auf D eutsch	in Europa

Vokale oder Diphthonge am Wortanfang (z. B. „August") oder am Silbenanfang (z.B. „Ord-nungs-amt") spricht man mit Neueinsatz (= man beginnt neu).

C 4

Neueinsatz (|) oder Bindung (‿)? Sprechen und markieren Sie.

in | Österr‿eich	mein Freund in Sofia	meine Freund in Sofia	einen Termin ver einbaren	
um acht Uhr	oder erst um elf	im ersten Stock	jetzt ist es eins	ein Einbau egal
das ist mir egal	nicht verg essen	etwas essen	ich spr eche Ar abisch	

2/34

Jetzt hören und vergleichen Sie.

C 5

Schreiben Sie die Sätze richtig.

AmWochenendeistdasOrdnungsamtnichtgeöffnet.
EinUrlaubinÖsterreichististimmerinteressant.
ErwohntobenimerstenStockundsiewohntuntenimErdgeschoss.
IchhättegerneinErdbeereisundeinenEiskaffee.

Am Wochen|ende |ist das

Lesen Sie die Sätze und markieren Sie die Neueinsätze (|).
2/35 **Dann hören und vergleichen Sie.**

C 6

Hören Sie und sprechen Sie nach.

2/36

Termine
Ich möchte mit Ihnen einen Termin vereinbaren.
Jetzt im August um acht Uhr? Oder erst im Oktober um elf?

Aber ich!
Ich spreche Arabisch, Englisch und etwas Deutsch.
Na und? Ich auch.
Nur Italienisch kann ich nicht.
Aber ich!

Freunde
Mein Freund in Sofia heißt Tom.
Sofia? So heißt meine Freundin in Rom.

Regal egal
Bei Möbel-Fun gibt es ein Einbauregal für 80 Mark 80!
Das ist mir egal.

Tipp
Ich übe und übe, jetzt bin ich müde.
Nicht vergessen: etwas essen!

Jetzt üben Sie zu zweit.

Schlüssel zum Arbeitsbuch

Lektion 1

A1 Guten Morgen. / Guten Tag. / Wie geht es Ihnen? / Gut, danke.
Hallo, wie geht's? / Danke, gut.

A2 Hallo Nikos. / Hallo Lisa! Hallo Peter! / Wie geht's? / Danke, gut.
Entschuldigung, sind Sie Frau Yoshimoto? / Ja. / Guten Tag, mein Name ist Bauer. / Ah, Frau Bauer! Guten Tag. / Wie geht es Ihnen? / Gut danke.

A3 Guten Morgen. / Guten Tag. / Wie geht es Ihnen? / Danke, gut. Und Ihnen? / Auch gut, danke.

B1 Meier, Doris, Meier, Julia

B2 **2** B per Sie **3** C per du

B3 per du: A, B; per Sie: C, E, F, G; per du oder per Sie: D, H

B4 … Weininger. … Sie? /… Spät. / … Daniel. … du? / Eva.

B5 Wie heißen Sie? Wie heißt du? Ich heiße Nikos. Ich heiße Werner Raab.

C1 Österreich, Frankreich, China, England, Argentinien, Deutschland, Brasilien, Australien, Türkei, Schweiz, Kanada, Japan, Griechenland

C2 Kommst du aus Österreich? / Nein, ich komme aus der Schweiz. Und du? Woher kommst du? / Ich komme aus Kanada, aus Toronto.
Woher kommen Sie? / Ich komme aus Frankreich? / Und Sie? Kommen Sie aus Deutschland? / Ja, aus Köln.

C3 Beruf, Frau, Hallo, Herr, kommen, Lehrer, Polen, Was, Woher, danke, gut, heißen, Kellner, Land, Name, Türkei, Wie
Name: Frau, Herr, heißen; *Land*: kommen, Polen, woher, Türkei; *Beruf*: Lehrer, was, Kellner

C4 Frau …: Jablonska, Wang, Kahlo /
Herr …: Márquez, Born, Palikaris

C6 siehe Kasten C4

C7 Sind, kommst, Kommen, sind, Bist

C8 **2**↘ **3**↗ **4**↘ **5**↘ **6**↗ **7**↘ **8**↗ **9**↘ **10**↗ **11**↘ **12**↗
W-Frage und Aussagen: ↘ / *Ja/Nein-Fragen und Rückfragen:* ↗

D1 Vorwahl von Deutschland: 0049

D2 fünf, elf, dreiundvierzig, zwanzig, sechzehn, sechs, neunzehn, achtzig: Flugzeug

D3 3, 20, 13, 40, 50, 16, 70, 80, 19, 34, 76, 98

D4 7, 23, 19, 49, 34, 42

D5 3, 7, 20, 26, 29, 42, Zusatzzahl 32, Superzahl: 1; 2 richtige Zahlen

E1 **1** b **2** b **3** b **4** a **5** a

F2 Hallo, danke, das, Name, macht, die, ist, woher, kommen, was, sind, Ihnen, hier, ich, Fahrer, Lufthansa, Entschuldigung, richtig, Flugsteig, Morgen, jetzt, alle

G1 *Brasilien* – Portugiesisch; *China* – Chinesisch; *Deutschland* – Deutsch; *Frankreich* – Französisch, *Griechenland* – Griechisch; *Italien* – Italienisch; *Kanada* – Englisch und Französisch; *Kenia*: Suaheli und Englisch; *Marokko* – Arabisch und Französisch; *Österreich* – Deutsch; *Portugal* – Portugiesisch; *Polen* – Polnisch; *Schweiz* – Deutsch, Französisch und Italienisch; *Spanien* – Spanisch; *Türkei* – Türkisch

G2 Kindergarten C, (Sauer)Kraut F, Schnitzel B, Zickzack D, Walzer A, Bier E

G3 *die:* Nummer, Information, Frage, Übung; *der:* Flughafen, Name, Beruf, Pass; *das:* Rätsel, Wort, Taxi, Land

H1 Entschuldigung, ich suche Olympic Airways. / Halle B, Schalter 55. / Danke.
Guten Tag. Ich möchte bitte ein Ticket nach Athen. / Athen, kein Problem. Und wie ist Ihr Name, bitte? / Weininger, Max Weininger. / … So, Ihr Ticket, Herr Weininger. Gehen Sie bitte gleich zu B 46. / B 46. Danke. Auf Wiedersehen. / Auf Wiedersehen und guten Flug.

H3 … nach USA und Südamerika, 70 Starts, Landungen und 80 000 Passagiere, wichtigsten, nur 12 S-Bahn-Minuten, 400 Firmen und Behörden, 52 000 Arbeitsplätze, „Cargo City Süd"

I Guten Tag. Wie geht es Ihnen? / Danke, gut.
Name: Wie heißen Sie? Wie heißt du? / Ich heiße … / Mein Name ist …
Land: Woher kommen Sie? Woher kommst du?/ Ich komme aus …
Beruf: Was sind Sie von Beruf? Was bist du von Beruf?/ Ich bin (Berufsbezeichung ohne Artikel).
Verben: kommen, sein
W-Fragen: Position 2; *Aussage:* Position 2; *Ja/Nein-Frage:* Position 1
Zahlen: null, eins, zwei, drei, vier, fünf, sechs, sieben, acht, neun, zehn, *elf, zwölf*, drei*zehn*, vier*zehn*, fünf*zehn*, *sechzehn*, *siebzehn*, achtzehn, neunzehn *zwanzig*, ein*undzwanzig*, zweiund*dreißig*, dreiundvier*zig*, vierundfünf*zig*, fünfund*sechzig*, sechsund*siebzig*, siebenundacht*zig*, achtundneun*zig*, … neun*und*neun*zig*, *(ein)hundert*
Wortakzent: danke, Name, heiße, komme / Beruf, woher, wohin, / Französisch, Entschuldigung, Familienname
Tschüs!

Lektion 2

A1 *17* siebzehn, *60* sechzig, *66* sechsundsechzig, *70* siebzig, *98* achtundneunzig, *134* (ein)hundertvierundreißig, *277* zweihundertsiebenundsiebzig, *391* dreihunderteinundneunzig, *409* vierhundertneun, *615* sechshundertfünfzehn, *856* achthundertsechsundfünfzig

A2

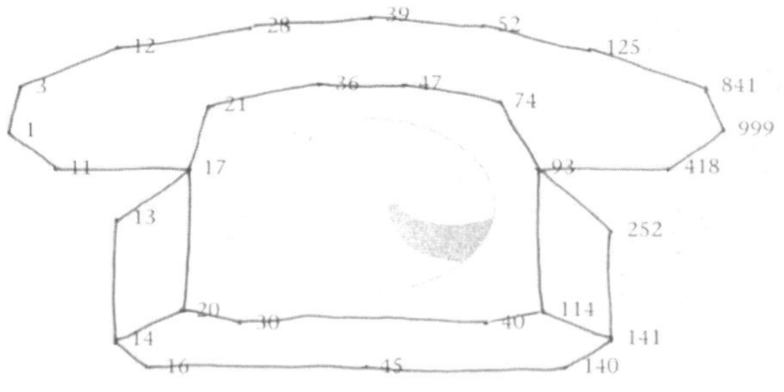

A3 FAZ die Frankfurter Allgemeine Zeitung; ICE der Inter City Express; KFZ das Kraftfahrzeug; ZDF das Zweite Deutsche Fernsehen; DM die Deutsche Mark; GB der Gewerkschaftsbund; VHS die Volkshochschule; EU die Europäische Union; VW der Volkswagen

A8 2b 3b 4a, 5a, 6a, 7a, 8b, 9a

B1 1, 2, 3, 7, 10, 5, 9, 8

B2 **1** Antonio und Ricarda sind **2** Anja ist …, Ricarda ist …, sind … **3** Anja ist …, Ricarda ist …, Antonio und Oliver sind … **4** Antonio und Oliver sind …, Anja und Ricarda sind … **5** Anja und Antonio haben …, Oliver und Ricarda haben … **6** Anja und Oliver haben …, Antonio und Ricarda haben ….

B3 **1** sind, Seid **2** Antonio: ist, sind, haben **3** Ricarda: ist, bin seid **4** Anja: bin, ist **5** Antonio: Bist, Hast **6** Oliver: bin, habe, hat, Habt **7** Ricarda: ist hat, bin, habe …

C1 geht, gehe, arbeitet, kommst

C4 *ich* -e, *du* -st, *er,sie,es* -t, *wir* -en, *ihr* -t, *sie* -en, *Sie* -en
1 Verb-Endung **2** -en, -t **3** -t

C5 Kommen, Sind / wohne / wohnen, ist arbeitet, Kommen, Kommt / kommen, sind, Bist / bin, / Arbeitest / arbeite, wohnen / sind, wohnen

D1 *Eine* Zahl, ein Dialog und ein Formular sind auf der Meldestelle.
„Guten Tag, mein Name ist 38", sagt *die* Zahl. „Guten Tag", sagt die Angestellte. „Sie sind eine Zahl? Das ist gut. – Zahlen sind hier immer willkommen. Dann sind Sie ja verheiratet. Wie heißt Ihr Partner? Alter, oder Hausnummer, oder Postleitzahl, oder … ?" „Ich bin ledig", sagt die Zahl. „Oh nein!", sagt die Angestellte. „ Eine ledige Zahl? Hier auf der Meldestelle? Das geht nicht! Auf Wiedersehen!" Traurig geht die Zahl nach Hause.
„Hallo, wie geht's?", sagt der Dialog. „Guten Tag. Wie ist Ihr Name?", sagt die Angestellte. „Ich weiß nicht," sagt der Dialog. „Ich bin ein Dialog." „So, so", sagt die Angestellte." „Und wo wohnen Sie?" „Hier!", sagt der Dialog. „Wir sprechen – also wohne ich hier." „Oh nein!", sagt die Angestellte. „ Kein Name? Das geht nicht. Hier ist kein Platz für Sie." Traurig geht der Dialog nach Hause.
„Guten Tag! Bin ich hier richtig?", fragt das Formular. „Sie sind ein Formular? Sehr gut.", sagt die Angestellte. „Und wie heißen Sie?" „Ich heiße »Anmeldung«", sagt das Formular. „Oh, wie schön!", sagt die Angestellte, „da sind Sie hier richtig. – Formulare sind hier immer richtig." Deshalb sind auf der Meldebehörde viele Formulare, aber keine Dialoge, und nur verheiratete Zahlen.

D2 *die:* eine / *der und das:* ein, kein / *die:* keine
In Texten, Dialogen, … steht zuerst der unbestimmte Artikel, dann der bestimmte Artikel.

D3 **2** ein Bild **3** ein Dialog **4** ein Fahrer **5** die Kursliste **6** das Formular **7** die Adresse **8** das Foto **9** ein Telefon

E1 **4** in Sachsen **5** Gris Gott **2** Norddeutschland **3** Österreich

E2 **3** du **2** Sie **4** Sie **5** du

E3 Tschüs / Auf Wiedersehen, (Danke,) gut., Hallo. / Guten Tag.

F1 **1** Würstchen **2** Eier **3** Kuchen **4** Gulaschsuppe **5** Orangensaft **6** Mineralwasser **7** Apfelsaft **8** Käsebrot **9** Rotwein, Weißwein **10** Tee **11** Cola **12** Salat **13** Bier **14** Schinkenbrot **15** Kaffee
Orangensaft, Mineralwasser

F2 *Gast 1:* Käsebrot und Bier, *Gast 2:* Salat mit Ei und ein Mineralwasser

G2 lang, lang, kurz, kurz

H1 eine Werbung, ein Sportverein

H2 **1** die Montagsgruppe **2** die Spielgruppe

I Woher kommt er? Wie alt ist er? Was ist Herr Palikaris von Beruf? Wann ist er geboren? Wo wohnt er? Wo arbeitet Frau Barbosa? Wie ist ihre Telefonnummer? Was spielt ihr? Was möchten Sie gern?

Lektion 3

A1 Österreich: Schilling, Schweiz: Franken, USA: Dollar, Indien: Rupien, Türkei: Lire, Italien: Lire, Deutschland: Mark, Spanien: Peseten, Australien: Dollar, Japan: Yen, Chile: Pesos

A2 2 650, 40 000, 5 312, 9 220, 8 800

A3 **2** 89 000 Lire **3** 2 900 Peseten **4** 7 790 569 Mark **5** 630 800 Franken **6** 25 000 Mark

A4 **1** Wann: 1958 **2** Wer: Ingvar Kamprad **3** Wo: Älmhult/Schweden **4** Wie hoch: 10 Milliarden Mark **5** Wie viele: 35 000 **6** Wie viele: 134 **7** Wo: 28 **8** Wie viele: 125 **9** Was: Lampen, Teppiche, Geschirr und Haushaltswaren **10** Was: IKEA-Katalog

B2 der Schreibtisch; das Hochbett; der Kleiderschrank; der Küchenschrank; der Gartenstuhl; das Einbauregal

B3 altmodisch, bequem, ganz hübsch, günstig, interessant, langweilig, modern, nicht billig, nicht schlecht, nicht so schön, originell, praktisch, sehr günstig, super, unbequem, unpraktisch, zu teuer

B4 unbequem, teuer/nicht billig, hässlich/nicht so schön, interessant, unpraktisch, nicht so schön, langweilig (andere Lösungen möglich)

B5 **2** Hübsch? Das finde ich nicht so schön. **3** Praktisch? Das … unpraktisch. **4** Bequem? Den … unbequem. **5** Günstig? Die … teuer. **6** Interessant? Den … langweilig. **7** Teuer? Die … günstig. **8** Nicht so schön? Den … super. **9** Langweilig? Die … interessant. **10** Super? Die … langweilig.
Nominativ: die … der … das … die … / *Akkusativ*: die … den … das … die …
1 *Nominativ*: der *Akkusativ*: den … *gleich*: f, n *und* Plural / **2** *Verb mit Akkusativ*: finden; *Verb ohne Akkusativ*: sein

B6 Warum fragst du nicht die Verkäuferin? / Entschuldigung. Wir suchen ein Hochbett. / Betten finden Sie im ersten Stock.
Wie findest du die Schreibtischlampe? Ist die nicht schick? / Die ist zu teuer. Die kostet ja fast 300 Mark! / Entschuldigung. Haben Sie auch einfache Schreibtischlampen? / Nein, tut mir Leid. Wir haben nur Markenfabrikate.
Guten Tag. Wo sind denn hier Gartenmöbel, bitte? / Die sind gleich hier vorne.
Wir suchen ein paar Stühle. Haben Sie auch Sonderangebote? / Ja, natürlich.
Wie findest du die Stühle hier? Sind die nicht praktisch? / Ja, die finde ich nicht schlecht … Nein! Die sind unbequem. / Wir brauchen aber neue Gartenstühle.

B7 **2** Nomen ohne Artikel **3** Nomen ohne Artikel **4** Nomen mit Artikel **5** Artikel ohne Nomen (= Pronomen) **6** Nomen ohne Artikel **7** Nomen ohne Artikel **8** Nomen mit Artikel **9** Nomen mit Artikel **10** Nomen ohne Artikel

B8 A: Wir suchen Gartenstühle. Wir haben Markenfabrikate. Wir suchen ein Hochbett. B: Gartenstühle finden Sie gleich hier vorn. Gartenstühle finden Sie im ersten Stock. Die finde ich nicht schlecht. C: Wie findest du die Lampe? Warum fragst du nicht die Verkäuferin? D: Haben Sie auch Sonderangebote? Haben Sie auch einfache Lampen?

B10 eine Einbauküche, einen Schreibtisch, ein Ledersofa, einen Sessel, einen Beistelltisch, einen Kombi-Schrank, ein Regal-System, – Teppiche und – Lampen
Nominativ: eine, ein, ein, – / *Akkusativ*: eine, einen, ein, – / *Akkusativ*: einen

C1 **5** eine Bügelmaschine **6** keinen Herd **7** keinen Kühlschrank **8** eine Mikrowelle **9** eine Tiefkühltruhe **10** kein Bücherregal; eine Stereoanlage **12** keinen CD-Player **13** kein Telefon **14** keinen Video-Recorder **15** keinen Fotoapparat **16** keinen Fernseher **17** ein Fax-Gerät **18** ein Handy **19** einen Computer **20** eine Videokamera **21** ein Fahrrad **22** einen Wohnwagen **23** ein Auto **24** keinen Führerschein.

C2 *Waagrecht*: **2** Fotoapparat **4** Fahrrad **5** Kühlschrank **7** Stereoanlage **9** Staubsauger **11** Computer
Senkrecht: **1** Wohnwagen **2** Fernseher **3** Mikrowelle **6** Telefon **8** Handy **10** Auto

C3 *fast alle*, über 80%, etwa 80%, fast 80%, drei Viertel, zwei Drittel, *über die Hälfte*, fast die Hälfte, *ein Drittel*, ein Viertel, *etwa ein Viertel*, nur wenige

C4 4. Stock: Betten, Bilder, Sessel, Sofas, Stehlampen, Stühle, Teppiche
3. Stock: Computer, Fernseher, Fotoapparate, Handys, Stereoanlagen, Videokameras
2. Stock: Fahrräder, Jogginganzüge
1. Stock: Mäntel / Erdgeschoss: Kulis, Wörterbücher, Zeitungen
Untergeschoss: Kühlschränke, Spülmaschinen, Staubsauger
Teppich*e*, Bett*en*, Stehlamp*en*, Bild*er*, Schal*s*, Staubsauger

D3 *-e/¨-e:* der Kühlschrank, der Stuhl, der Teppich, der Topf, der Jogginganzug / *-(e)n:* die Spülmaschine, die Stehlampe, die Stereoanlage, die Zeitung / *-er/¨-er:* das Wörterbuch / *-s:* das Handy, der Kuli, das Sofa, die Videokamera / *-/¨ :* der Mantel, der Sessel, der Staubsauger
1 a / o = der Topf, die Töpfe / u = der Stuhl, die Stühle **2** die Spülmaschine **3** der Computer

D6 Guten Tag. Kann ich Ihnen helfen? / Ja, bitte. Ich suche ein Handy. / Handys sind gleich hier vorne. Was für eins suchen Sie denn? / Ich weiß auch nicht genau. Entschuldigung. Haben sie hier keine Computer? / Doch, natürlich. Computer finden Sie da hinten rechts. Fragen Sie doch bitte dort einen Verkäufer. / Vielen Dank.

E1 *a:* Land, Plan, Glas, Mantel, Schrank / *ä:* Länder, Pläne, Gläser, Mäntel, Schränke / *o:* Ton, Topf, Wort, froh, schon / *ö:* Töne, Töpfe, Wörter, fröhlich, schön

E2 **1** b, c **2** a, c **3** a, b **4** a, b **5** a, b

E4 Gläser, Glas; Fahrrad, Fahrräder; männlich, Mann; ganz, ergänzen; nämlich, Name; Tag, täglich

E5 möchte, hören, Töpfe, öffnen, Töne, Französisch, schön, Möbel, zwölf, höflich

F1 Waschmaschine 1090, Computer 8300, Fernseher 1700, Einbauküche 1030, Kühlschrank 1080, Stehlampe 1290, Sessel 1200, Sofa 1200, Tisch 1220

F3 EBK: Einbauküche, f. für, gt. Zust.: guter Zustand, kl.: klein, m.: mit, NP: Neupreis, Proz.: Prozent, u.: und, VB: Verhandlungsbasis, WaMa: Waschmaschine

G1 **3** B **4** A **5** A **6** A **7** B **8** A, B **10** A **11** B **12** A

G2 **3** sagt **4** Sprechen **5** sagen **6** sprichst **7** sagen **8** Sprechen **9** spreche **10** sagen

G3 **1** sprechen **3** sagt **4** sprechen **5** finde **6** finde **7** sagt **8** sage **9** finde **10** sagt **11** sprichst **12** findest **13** sagt **14** sagt

H2 **1**b **2**a **3**b **4**b, 5b, 6a

I Regeln für den Akkusativ: s. Kursbuch S. 33, Arbeitsbuch S. 36 ff

Lektion 4

A3 Du schenkst ihr … / Sie schenkt ihm …/ Er schenkt euch …/ Ihr schenkt ihnen …/ Sie schenken uns …/ Ich schenke Ihnen gern …
ich/mir, du/dir, er/ihm, sie/ihr, es/ihm, wir/uns, ihr/euch, sie/ihnen, Sie/Ihnen

A4 **2** Daniel schenkt ihr einen Volleyball. **3** Ich gebe euch einen. **4** Anna kauft ihm ein Überraschungsei. **5** Gibst du uns dein Auto? **6** Ich schenke Ihnen gern ein paar Pralinen. **7** Gibst du ihnen die Telefonnummer?
schenken, geben, kaufen / Person / links

B1 **1** D im Supermarkt **2** E auf dem Flughafen **3** A im Möbelhaus

B3 Du gibst – ich nehme, du nimmst – ich gebe: wir tauschen./ Du gibst – sie nimmt, du nimmst – sie gibt: ihr tauscht. / Sie gibt – er nimmt, sie nimmt – er gibt: sie tauschen. / Wir geben – ihr nehmt, wir nehmen – ihr gebt: wir tauschen. / Ihr gebt – sie nehmen, ihr nehmt – sie geben: ihr tauscht. / Und Sie? Geben Sie? Nehmen Sie? Tauschen Sie auch?
Ich esse, also bin ich. / Du bist, also isst du. / Er isst, also ist er. / Sie ist, also isst sie. / Wir essen, also sind wir. / Ihr seid, also esst ihr. / Sie sind, also essen sie. / Sie essen, also sind Sie. / Man ist, also isst man – / oder isst, also ist man?
Ich helfe dir und du hilfst mir, / sie hilft ihm und er hilft ihr, / wir helfen euch und ihr helft uns, / sie helfen Ihnen / und Sie helfen ihnen.
du gibst, nimmst, sprichst, hilfst, isst / *er,sie,es* gibt, nimmt, spricht, hilft, isst

C1 Öl, Pfeffer, Waschpulver, Pizza, 2 l Milch, Mehl

C2 **1** b **2** b **3** b **4** a **5** a **6** b

C3 6,20 = sechs Mark zwanzig; 2,60 = zwei Mark sechzig; 3 l = drei Liter; 1/2 kg = ein halbes Kilo; 0,5 l, 1/2 l = ein halber Liter; 5kg = fünf Kilo; 250 g = ein halbes Pfund; 500g = ein Pfund; 6,20 = sechs zwanzig; 0,79 DM = neunundsiebzig Pfennig; 250 g = zweihundertfünfzig Gramm; 620 DM = sechshundertzwanzig Mark

C5 *Backwaren:* Brot, Mehl, Zucker; *Fleischwaren:* Salami, Schinken, Würstchen; *Gemüse:* Kartoffeln, Salat, Tomaten; *Getränke:* Bier, Mineralwasser, Wein; *Gewürze:* Curry, Pfeffer, Salz; *Haushaltswaren:* Klopapier, Putzmittel, Waschmittel; *Käse:* Camembert, Gouda; *Milchprodukte:* Butter, Joghurt, Milch; *Obst:* Bananen, Orangen; *Spezialitäten:* Erdnuss-Öl, Sardellen, Jasmintee; *Süßwaren:* Bonbons, Kaugummis, Kuchen, Schokolade; *Tiefkühlkost:* Eis, Pizza; *andere Lebensmittel:* Fisch, Reis

C7 **1** K Entschuldigung, können Sie mir helfen? / V Aber natürlich. *Was suchen Sie denn*? / K Die Leergut-Annahme. / V Die ist gleich *hier vorne rechts*, bei den Backwaren./ K Danke. / V *Bitte, bitte.*
2 K Entschuldigen Sie, *wo finde ich hier* Fisch? / V Den bekommen Sie bei *der Tiefkühlkost*, im nächsten Gang links. / K *Gibt es hier keinen frischen* Fisch? / V Nein, tut mir Leid.

3. V Kann ich Ihnen helfen? / K Ja, bitte. *Ich suche* Waschpulver. / V *Da sind Sie hier falsch.* Waschpulver gibt es bei den Haushaltswaren. / K Haushaltswaren? *Wo ist das, bitte?* / V *Ganz da hinten*, im letzten Gang. / K *Vielen Dank!* V Nichts zu danken.

C8 **2** g + d, g + k **3** e, f **4** l **5** c + l, c + e, c + f, h **6** b + i

D1 **1** u **2** ü **3** u **4** u **5** ü **6** ü **7** ü **8** u **9** u **10** ü **11** u **12** ü **13** u **14** ü **15** ü **16** ü **17** u **18** u **19** u **20** ü **21** u **22** ü **23** ü **24** u

D2 süß, Stück, fünf, üben, Tür, über, flüstern, Gemüse, Würstchen, Bücher, Küjche, Tüte, für, wünschen, Stühle, gemütlich, günstig, natürlich

E1 Nein,→ das ist ein bisschen viel.↘ / Ja,→ ein Pfund Tomaten, bitte.↘ / Haben Sie Jasmintee?↗ / Nein, danke.↘ Was kostet denn das Bauernbrot da?↘ / Ja, gut.↘ Aber bitte nur ein Pfund.↘ / Nein, danke.↘ / Das wär's.↘ / Hier bitte,→ 50 Mark.↘ / Ja, bitte.↘ … Danke.↘ … Wiedersehen!↘

E2 Haben Sie – Fisch? Haben Sie – Kandiszucker? Ich suche – Curry. Einen Kasten Mineralwasser, bitte.
Ich hätte gern 3 Kilo Kartoffeln. Zehn Eier, bitte. Was kostet das Brot? Ich möchte drei Joghurts. Ich suche – Kräutertee. Was kosten die Eier? Ich hätte gern 2 Dosen Tomaten. Was kostet der Kaffee? Ich möchte ein Viertel Salami. Zwei Liter Milch, bitte.
ohne, mit, Artikel, Zahl, mit

E4 **1** Pfund: eine Maßeinheit, keine Verpackung **2** Flasche: eine Verpackung, keine Maßeinheit **3** Tomaten: ein Gemüse, kein Getränk **5** Luftballon: ein Spielzeug, keine Süßware **6** Kartoffeln: ein Gemüse, kein Obst **7** Wein: ein Getränk, kein Gewürz

F1 **1** das Fleisch + die Waren **2** die Vanille + das Eis **3** das Spielzeug + das Auto **4** die Luft + der Ballon **5** das Klo + das Papier **6** der Toast + das Brot **7** die Butter + der Käse **8** der Apfel + der Kuchen **9** die Orange(n) + der Saft **10** der Verein (s) + das Lokal **11** die Praline (n) + die Schachtel **12** der Hammel + das Fleisch
Bei Komposita bestimmt das *letzte* Wort den Artikel.

F2 **1** das Wörterbuch **2** die Kaffeemaschine **3** das Möbelhaus **4** die Gemüsesuppe **5** die Zigarettenschachtel **6** das Überraschungsei **7** das Käsebrot **8** die Buttermilch **9** die Haustür **10** das Weinglas **11** die Salzstangen **12** der Küchentisch
Bei Komposita hat fast immer das *erste* Wort den Wortakzent.

G1 Geld: E; Lebensmittel, …: C, D, F Kommunikation: A, B **1** E **2** F **3** C **4** D **5** A **6** B

G2 Spiegel online …: A Probieren Sie …: F Du willst fit sein? …: C

G3 **2** Machen Sie mehr aus Ihrem Geld – sprechen Sie mit Experten! **3** Kommt zu uns in den Verein! **4** Geh nicht nach Amerika – flieg mit uns! **5** Gebt den Tieren eine Chance! **6** Arbeiten Sie nicht so viel – machen Sie Urlaub! **7** Schenken Sie ihr nicht einfach nur Pralinen! **8** Sei nett – sag „Ja"! **9** Nehmen Sie nicht irgendwas – nehmen Sie Persil! **10** Bestellen Sie ganz bequem von zu Hause! **11** Nutz die Chance – spiel Lotto! **12** Seid cool – trinkt Milch!

G4 **1** Kommen Sie zur Party? **2** Nehmen Sie eine Gulaschsuppe! **3** Trinken Sie Buttermilch? **4** Kaufen Sie „das inserat"! **5** Spielen Sie Lotto! **6** Machen Sie einen Deutschkurs? **7** Bezahlen Sie mit Scheck! **8** Fliegen Sie nach Australien?

H1 **1**a **2**a **3**a, 4b

H2 **1** Obst & Obstsäfte **2** Brot & Gebäck **3** Gemüse & Blumen **4** Spezialitäten **5** Honig & Marmeladen **6** Fleisch & Wurst **7** Milch & Milchprodukte **8** Wein & Spirituosen

H3 **1** die Jahreszeit **2** frisch aus dem Garten und vom Feld **3** Äpfel, Birnen, Orangen **4** hier: aus Hessen **5** frisch aus dem Ofen **6** gute Qualität **7** jeden Tag **8** schmeckt sehr gut **9** Camembert, Butterkäse, Gouda **10** wie vor 100 Jahren

I *Einkaufen*: Entschuldigung. Wo gibt es Hefe? / Können Sie mir helfen? Ich suche Hefe.
Haben Sie Erdnussöl, Kandiszucker …?
Ich möchte 200g Gouda, bitte.
Tut mir Leid. Wir haben heute keinen Gouda.
Ergänzen: wir euch, sie ihm, du ihr, sie mir, er uns, sie dir, Sie mir
ihm, ihnen, mir, uns
Verben: s. Arbeitsbuch S. 50
Imperativ: Schau doch ins Wörterbuch. / Bezahl doch mit Scheck. / Bestell dir doch einen Salat. / Kauf ihr doch Blumen. / Setzt euch doch. / Nehmt doch noch ein Stück Kuchen (eine Tasse Kaffee). / Bleibt doch noch etwas.

Lektion 5

A1 **1** Journalistin **2** Fotografin **3** Automechaniker **4** Arzthelferin **5** Hausmann **6** Sekretärin **7** Bankkauffrau **8** Hotelfachfrau **10** Kamerafrau **11** Taxifahrer **12** Friseur

A2 **2** Friseur: Dialog 1 **3** Fotografin: Dialog 2 **4** Sekretärin: Dialog 5 **5** Automechaniker: Dialog 3 **6** Arzthelferin: Dialog 6

A3 Friseur, Journalistin, Hotelfachfrau, Automechaniker, Kamerafrau, Fotograf, Taxifahrer, Hausmann, Bankkauffrau, Ingenieur, Sekretärin, Arzthelferin, Schauspieler, Fußballspieler, Ärztin, Fotomodell, Lokführer, Werbekauffrau, Flugbegleiterin, Kellner

A4 **1**a **2**b **3**a, 4b, 5a, 6a

A5 Kameramann, Schauspieler, Fußballspieler, Opa
kann, muss, möchte, kann, muss, möchte, muss, möchte, muss, kann

A6 in Deutschland, bei der Lufthansa, im Sportstudio, im Hotel, in Lissabon, bei Taxi-Schneider, in Halle, in der Taxi-Zentrale, im Gasthaus, im Taxi, beim Schiller-Theater in Wuppertal, beim Fernsehen, im Theater

B1 **1** in die Disko gehen **2** in die Oper gehen **3** ins Kino gehen **4** in die Stadt gehen **5** ins Theater gehen **6** ins Museum gehen **7** ins Konzert gehen **8** Fußball spielen **9** Karten spielen **10** Tennis spielen **11** fotografieren **12** joggen **13** schwimmen **14** Musik hören **15** Fahrrad fahren **16** lesen **17** spazieren gehen

B3 18.30 Uhr: Es ist achtzehn Uhr dreißig. / 15.20 Uhr: Es ist fünfzehn Uhr zwanzig. / 7.40 Uhr: Es ist sieben Uhr vierzig. / 19.40 Uhr: Es ist neunzehn Uhr vierzig. / 10.10 Uhr: Es ist zehn Uhr zehn. / 22.10 Uhr: Es ist zweiundzwanzig Uhr zehn. / 2.55 Uhr: Es ist zwei Uhr fünfundfünfzig. / 14.55 Uhr: Es ist vierzehn Uhr fünfundfünfzig. *oder* Es ist fünf vor drei. / 5.15 Uhr: Es ist fünf Uhr fünfzehn. / 17.15 Uhr: Es ist siebzehn Uhr fünfzehn. *oder* Es ist Viertel nach fünf. / 9.45 Uhr: Es ist neun Uhr fünfundvierzig. / 21.45 Uhr: Es ist einundzwanzig Uhr fünfundvierzig. *oder* Es ist Viertel vor zehn. / 11.03

Uhr: Es ist elf Uhr drei. / 23.03 Uhr: Es ist dreiundzwanzig Uhr drei. *oder Es ist kurz nach* elf. / 4.27 Uhr: Es ist vier Uhr siebenundzwanzig. / 16.27 Uhr: Es ist sechzehn Uhr siebenundzwanzig. *oder Es ist kurz vor* halb fünf.

B4 20.00 Uhr, 19.30 Uhr, 20.00 Uhr, 20.30 Uhr, 19.30 Uhr, 22.45 Uhr, 20.30 Uhr

C1 **2** A **3** C **4** B **5** D **6** F

C2 **1** F **2** B **3** A **4** C **5** E **6** D **7** B **8** D **9** A **10** F **11** C **12** F **13** B **14** E **15** F **16** E

C3 Verben, Modalverb, Verb im Infinitiv

C4 sollen, sprechen, essen, arbeiten, wollen, können, helfen, müssen, lesen, geben

D1 **2** E offiziell **3** B offiziell **4** D informell **5** A informell
2a 3c, 4c, 5c, 6b

D3 **1** sieben Uhr dreißig **2** Viertel nach zwei **3** elf Uhr sechzehn **4** Viertel vor sechs **5** fünfzehn Uhr zweiundvierzig

E1 Ein Monat *hat 4* Wochen. Eine Woche *hat 7* Tage. Ein Tag *hat* 24 Stunden. Eine Stunde *hat 60* Minuten. Eine Minute *hat 60* Sekunden.

E2 Der zweite Juli ist ein Mittwoch. Der dritte September ist ein Mittwoch. Der vierte Juni ist ein Mittwoch. Der zehnte Oktober ist ein Freitag. Der elfte Februar ist ein Dienstag. Der zwölfte Januar ist ein Sonntag. Der siebzehnte März ist ein Montag. Der dreiundzwanzigste November ist ein Sonntag. Der neunundzwanzigste Juni ist ein Sonntag. Der sechzehnte Dezember ist ein Dienstag.
Di = Dienstag, Mi = Mittwoch, Do = Donnerstag, Fr = Freitag, Sa = Samstag, So = Sonntag

E3 Am vierzehnten Februar; Am achten März; Am ersten Mai; Am ersten Juni; Am ersten August; Am dritten Oktober; Am sechsundzwanzigsten Oktober; Am fünfundzwanzigsten und sechsundzwanzigsten Dezember; Am einunddreißigsten Dezember

E4 **1** Unbequeme Nachrichten **2** Heute nicht **3** Praktische Grammatik

E5 können: kann, kannst, kann, können, könnt; müssen: muss, musst, muss, müsst; wollen: will, willst, will, wollen; sollen: soll; dürfen: darfst, darf; möchten: möchte
1 Vokalwechsel, muss, will, darf, **2** Verb-Endung, möchten

E6 Willst / kann, muss / muss / kannst / muss, darf / kann / wollen, kann (will), darf, muss / muss (soll)

F1 [ai] … ei und manchmal ai. [oy]… eu oder äu. [au] … au.

F4 Was heißt die „deutschsprachigen Länder"? Das weiß ich nicht genau. Ich glaube, das sind Deutschland, Österreich und die Schweiz.
Schau mal, die Einbauküche! Was meinst du? Schau mal, der Preis! Die ist einfach zu teuer.

G1 *etwas später:* zum Kino, zum Arzt, zum Rendezvous, zum Fußballspiel; *pünktlich:* zum Theater, zur Arbeit, zum Unterricht, zum Essen, zum Zug, in die Oper; *egal:* in die Disko, zur Party
(auch andere Lösungen möglich)

G2 Radio und Fernsehen: 25–30; eine Einladung zum Essen: 20–24; Oper und Theater: 20–21; eine Einladung zur Party: 6–9; Kino: 10–18

G3 Zur Party geht man eine Stunde später; ins Kino kann man eine halbe Stunde später gehen; in die Oper und zum Theater muss man pünktlich sein; zum privaten Essen darf man nicht eine Dreiviertelstunde später kommen.

I *Modalverben*: S. Arbeitsbuch S. 77

Lektion 6

A1 **1** c (W) → L. 1, A **2** a (G) → L. 1, B **3** c (W) → L. 1, C **4** a (W) → L. 1, H **5** c (G) → L. 1, C **6** b (G) → L. 1, C **7** b (W) → L. 2, A **8** b (W) → L. 2, A **9** b (W) → L. 2, B **10** a (G) → L. 2, F **11** c (G) → L. 2, B **12** a (W) → L. 2, A **13** b (G) → L. 3, D **14** c (G) → L. 3, B **15** a (W) → L. 3, B **16** a (G) → L. 3, C **17** c (W) → L. 3, D **18** b (W) → L. 3, B **19** a (W) → L. 4, C/F **20** a (G) → L. 4, A/B **21** c (W) → L. 4, C **22** c (W) → L. 4, E **23** b (G) → L. 4, G **24** b (G) → L. 4, A **25** b (W) → L. 5, B **26** b (W) → L. 5, B **27** a (G) → L. 5, B **28** a (G) → L. 5, D **29** b (W) → L. 5, D **30** c (G) → L. 5, D

B2 Gruppe A: Pass, Preise, Kinder, Antwort, Autos, Ausweis, Konto, Frankreich, Teppiche
Gruppe B: Italienisch, Portugiesisch, Spanisch, Französisch, Griechisch, Chinesisch, Englisch, Russisch, Koreanisch
Gruppe C: acht, vierundvierzig, dreißig, achtzig, dreizehn, sechzehn, einundzwanzig, zwölf, achtzehn
Gruppe D: ADAC, ZDF, VHS, USA, BRD, BMW, ICE, RTL, ARD
Gruppe E: Hausaufgabe, Vokabelkarte, Himbeereis, Hammelfleisch, Schinkenbrot, Apfelsaft, Butterkäse, Gemüsesuppe, Wörterbuch

C3 die Kamera, in Südlamerika, am Samstag, am |Anfang, das passende, Wochenlende, immer | interessant, im | Erdgeschoss, bitte sortieren, bitte | ordnen, hier | oben, da | unten, heute nur, neun | Uhr, Sie können, ge | öffnet, ich | übe, ich bin müde, ein | Urlaub, im | August, ein | Erdbeerleis, Basmatireis, auf Deutsch, in | Europa

C4 in | Österreich, mein Freund | in Sofia, meine Freundin Sofia, einen Termin ver | einbaren, um | acht | Uhr, oder | erst | um | elf?, im | ersten Stock, jetzt | ist | es | eins, ein | Einbauregal, das | ist mir | egal, nicht vergessen, etwas | essen, ich spreche | Arabisch

C5 Am Wochenende ist das Ordnungsamt nicht geöffnet. Ein Urlaub in Österreich ist immer interessant. Er wohnt oben im ersten Stock und sie wohnt unten im Erdgeschoss. Ich hätte gern ein Erdbeereis und einen Eiskaffee.

Wortliste

Seite W1–W17

Wortliste

Wörter, die für das Zertifikat nicht verlangt werden, sind kursiv gedruckt.
Bei sehr frequenten Wörtern stehen nur die ersten 8 bis 10 Vorkommen.
„nur Singular": Diese Nomen stehen nie oder selten im Plural.
„Plural": Diese Nomen stehen nie oder selten im Singular.
Artikel in Klammern: Diese Nomen braucht man meistens ohne Artikel.

A

ab 62, 67, 68
Abend der, -e 13, 14, 62, 63, 70
Abendessen das, - 54
abends 70, AB 69, AB 77
aber 5, 19, 20, 28, 31, 32, 33, 35
abholen + AKK 63, 70
absolut AB 77
Abteilung die, -en 34
abwechslungsreich 58
ach 39, 46, 54, 55, 63
acht 9, 14, 61, 62, 66, 70
Adjektiv das, -e 32, 39
Adresse die, -n 10, 15, 16, 17, 28, 37, 40, 41
Afrika (das) 5
AG (= Aktiengesellschaft) die 6
aha 40
ähnlich 16, 68
Ahnung die, -en AB 77
Airbus der, -se 6
Airport-Friseur der, -e 6
Akkusativ der, -e 28, 33, 60
Akkusativ-Ergänzung die, -en 33, 42, 44, 33
aktuell 31
Akzent der, -e 3, 12, 23
Algebra die 12
alle 4, 12, 19, 30, 35, 37, 40, 46
Allee die, -n AB 28
allein 57, 58
alles 46, 69, 74, AB 17
alles Gute AB 17
Alphabet das, -e 27, 74
Alphabet-Lied das, -er 16, 23
als 6, 26, 30, 47
also 12, 20, 27, 37, 43, 67
alt 18, 19, 24, 28, 40, 41, 62
Alter das (nur Singular) 19, 24, 40, 41, AB 23
am (= an dem) 20, 23, 28, 49, 54, 60, 61
am liebsten 6, 76
am Stück 56
Amerika (das) (nur Singular) 30, AB 32
an 17, 20, 21, 45, 46, 47, 53, 56
andere 36, 38, 42, 55, 63, AB 11
Anfang der, ¨-e 23, 54, 68
anfangen du fangst an, sie/er fängt an 58
Angebot das, -e 42, 49, 52, 56, 64, AB 32, AB 36
Angestellte die/der, -n 17, 49
Anhang der, ¨-e 12
Ankauf der, ¨-e 62
Anlass der, -e AB 64
Anmeldung die, -en 18
Anregung die, -en AB 63
anrufen + AKK 65, AB 63, AB 79
ansehen + AKK du siehst an, er sieht an AB 79
anstrengend AB 69, AB 77
Antwort die, -en 3, 4, 8, 10, 14, 18, 27, 49
antworten + DAT du antwortest, sie/er antwortet 3, 5, 8, 9, 15, 19, 23, 24, 32
Anzeige die, -n 40, 41
Anzeigenzeitung die, -en 45, AB 46
Apfel der, ¨ AB 64
Apfelsaft der, ¨-e 25, 26, 28, 51
Appetit der (nur Singular) 26
April der 66
Arabisch (das) 12
Arbeit die, -en 57, 68, 69, AB 46
arbeiten du arbeitest, sie/er arbeitet 6, 15, 20, 21, 24, 28, 30, 41
Arbeitgeber der, - AB 11
Arbeitsbuch das, ¨-er 74
Arbeitsplatz der, ¨-e AB 11
Arbeitszeit die, -en 57, 58
Arbeitszimmer das, - AB 36
Argentinien (das) 5
Ärger der 16
aromatisch AB 64
Art die, -en 30
Artikel der, - 12, 14, 23, 28, 30, 32, 33, 37
Arzt der, ¨-e 7, 14, 59, 68, 70
Ärztin die, -nen 6, 7, 8, 14, 57, 70
asiatisch AB 36
Asien (das) 5, 6, 30
auch 1, 2, 11, 14, 17, 19, 20, 21
auf 4, 6, 8, 12, 14, 17, 21, 23
auf Wiederhören 40, 41, 42, 67, 70
auf Wiedersehen 14, 38, 52
Aufgabe die, -n 71
Aufgabenfeld das, -er 71
aufgeben + eine Anzeige du gibst auf, sie/er gibt auf AB 46

aufstehen AB 79
Auftritt der, -e AB 69
aufwärmen + AKK AB 28
aufzeigen + Möglichkeiten AB 63
Auge das, -n 58
Augenblick der, -e AB 79
August der 62, 66, 67, 70
aus 5, 6, 7, 8, 11, 12, 13, 14, 18
Ausbildung die (nur Singular) 58
Ausdruck der, ¨-e 14, 28, 42, 56, 70, 74
Ausflug der, ¨-e 60
Ausflugstipp der, -s 60
ausgeben + Geld du gibst aus, sie/er gibt aus 42
ausgehen 63
Auskunft die, ¨-e 16
Ausnahme die, -n 64, 68
ausrichten + AKK + DAT du richtest aus, sie/er richtet aus 63
Ausrufezeichen das, - 54
Aussage die, -n 4
ausschlafen du schläfst aus, sie/er schläft aus 68
außerdem 47
Ausstellungseröffnung die, -en 62
Australien (das) 5, 11, 14, 30
Ausweis der, -e 27
Auto das, -s 27, 35, 37, 44, 60, 72, AB 11
Autorin die, -nen AB 79

B

backen + AKK 49
Bäcker der, - 40
Backwaren die (Plural) 49
Bahn die, -en 59
bald 54, AB 50
Bank die, -en 72
Basis-Einheit die, -en AB 36
Bauernart die (nur Singular) AB 64
Bauernbrot das, -en AB 64
Bauernhof der, ¨-e AB 63, AB 64
beantworten + AKK du beantwortest, sie/er beantwortet 30, 71
bedeuten + AKK es bedeutet 74
Begegnung die, -en 15
beginnen + AKK 49, 53, 66
begrüßen + AKK 17, 21
Behörde die, -n AB 11
bei 6, 15, 16, 17, 20, 21, 23, 24
beide AB 79
Beispiel das, -e 8, 23, 33, 37, 74
Beistelltisch der, -e AB 36
bekannt AB 79
bekommen + AKK 29, 42, 43, 44, 53
beleidigt AB 79
benützt 40
beobachten + AKK du beobachtest, sie/er beobachtet 46, 47
bequem 31, 32, 39
berichten du berichtest, sie/er berichtet 19, 35, 65
Beruf der, -e 6, 7, 8, 14, 24, 57, 58, 60
Berufsanfänger der, - 57
besitzen + AKK 35, 42
besorgen + AKK 63, 64
besser 47, 55
beste 62
bestellen + AKK 26, 54, 72
Bestellung die, -en 28
bestimmen 21
bestimmt (= sicher) 39, 67
bestimmt: bestimmter Artikel 23, 28, 37, 42
Besuch der, -e 17, 20, 54
besuchen + AKK 20, 21, 30, 57, 59, 60, 70, AB 11
Besucher der, - 30
Betonung die, -en 23
Betrieb der (nur Singular) 67
Betrieb der, -e AB 63
Bett das, -en 31, 36, 37
bezahlen + AKK AB 69
Bier das, -e 25, 26, 45, 48, 54, 55, 56, 64
bieten + AKK du bietest, sie/er bietet AB 64
Bild das, -er 2, 22, 23, 25, 28, 36, 37, 45
bilden + AKK du bildest, sie/er bildet 19, 37
Bilderbuch das, ¨-er 54
Bildgeschichte die, -n 55
bildschön 31
billig 32, 33, 34, 72
biologisch 62
Birne die, -n AB 64
bis 38, 40, 41, 42, 60, 62, 67, 68, AB 11, AB 28
bisschen 19, 46, 47, 52, 56, 63
bitte 2, 4, 7, 10, 14, 16, 26, 27
bitten + AKK + um AKK du bittest, sie/er bittet 55
bleiben + SIT 54, 56, 63, 65, 71, 76
bleiben + QUA 46, 47
Blume die, -n AB 64
Blütenhonig der (nur Singular) AB 64
Boden der, ¨- AB 36
Bonbon das, -s 43
Boutique die, -n AB 36
Brasilien (das) 5, 26
brauchen + AKK 33, 34, 35, 41, 45, 46, 50, 51
Brief der, -e AB 46
bringen + DAT + AKK 55
britisch 18, 28
Brot das, -e 45, 49, 50
Brötchen das, - AB 64
Bruder der, ¨- 51
Buch das, ¨-er 36, 37, 50, 56, 74
Bücherregal das, -e 31
Buchstabe der, -n 16, 21

buchstabieren + AKK 16, 27, 28, 73

Buddhismus der 27

bündig 14, 28, 42, 56, 70

Burg die, -en 62

Bürgerhaus das, ¨-er 62

Büro das, -s 53, 59, 60, AB 36

Bürostuhl der, ¨-e 31

Butter die (nur Singular) 48, 50, 52

Butterkäse der (nur Singular) 52, 56

Buttermilch die (nur Singular) 51

C

Café das, -s 59, 62

Camembert der (nur Singular) 48, 51

Cartoon der, -s 27, 69

Cassette die, -n 11

Cassettensymbol das, -e 74

CD-Player der, - 35, 42

Chance die, -n 46

Charme der (nur Singular) AB 36

Check-In der (nur Singular) 4

Chef der, -s 58, 63, 68

Chile (das) 5, 66

China (das) 5

Chinesisch (das) 12, 27

Chirurg der, -en 58

Christentum das 27

Cinema das, -s 61

City die, -s AB 11

& Co. (bei Firmennamen) 59, 70

Cola das oder die, -s 25, 26, 28, 55

Computer der, - 12, 35, 36, 37, 40

cool 39

Couch die, -s 39, 62

Couchtisch der, -e 20, 30

Curry der (nur Singular) 50

Currywurst die, ¨-e 55

D

da 4, 20, 21, 23, 33, 34, 36, 38

dabei 50, 55

dagegen 35

Damen-City-Bike das, -s 40

Damenbekleidung die (nur Singular) 36

Vielen Dank! 16, 38, 41, 49, 51, 52, 54, 56

danke 1, 2, 8, 11, 14, 28, 38, 46

dann 2, 26, 28, 40, 45, 47, 51, 52

darauf AB 28

darf's: Was darf's sein? 25, 26, 52

Darf's … sein? 56

Darjeeling der (nur Singular) 52, 56

das 4, 8, 12, 14, 16, 17, 18, 20

Das wär's. 52, 56

Daten (Pl.) -> Datum das, - 67

Dativ-Ergänzung die, -en 44

Dativ der, -e 47, 56, 59, 60

Datum das, Daten 67

dauern 10, 58

dazu 31, 63

defekt 40

dein 9, 16

denken 47, AB 6

denn 11, 25, 26, 33, 34, 36, 38, 40

der 5, 6, 7, 10, 11, 12, 14, 17

deshalb 30, 37, 47, AB 23

Design das, -s 31, 39

Designer-Tisch der, -e 31

deutlich 27

Deutsch (das) 12, 14, 20, 28, 41, 54, 65, 76

deutsche 12, 27, 73, 74, 76

Deutsche die oder der, -n 12, 35, 42, 54

Deutschkurs der, -e 16, 17, 20, 28, 53

Deutschland (das) 2, 5, 6, 7, 13, 18, 20, 24, 26

Deutschstunde die, -n AB 76

Deutschunterricht der (nur Singular) 70

Dezember der 66

Dialog der, -e 2, 16, 17, 18, 20, 21, 22, 23

Diät die, -en AB 50

dich 63, 70

dick AB 46

die 2, 3, 4, 5, 6, 7, 8, 9, 10, 11

Dienstag der, -e 67

Dienstagvormittag der, -e 70

diese 12, 20, 30, 31, 39, 46, 64

diesmal AB 76

dir 44, 45, 47, 55, 56, 63, 64, 66

direkt AB 63, AB 69, AB 63

Direktiv-Ergänzung die, -en 60

Direktvermarkter der, - AB 63

Disko die, -s 60, 62, 63, 65, 68, 69, 70

diskutieren 29, 30, 45, 46, 53, 58, 74, 75

diverse AB 64

DM (gesprochen: „Mark“ oder „D-Mark“) die 30, 42, 48, 52, 72

doch 20, 22, 28, 30, 33, 34, AB 11

Dollar der, -s 72

Doppel- 16

Doppelbett das, -en 31, 39

dort 35, 38, 59, 76

Dose die, -n 48, 52, 56

Dosenmilch die (nur Singular) 51, 52

Dr. (= Doktor) 62, 67

drehen + einen Film 59, AB 68

drei 2, 9, 14, 19, 20, 35, 41, 42

dreimal 65, AB 46

dreißig 9, 14, 61, 70

Dreiviertelstunde die, -n AB 79

dringend 67

dritte 22, 29, 30, 36, 46, 50, 54, 55

Drittel das, - 35, 42

dt. = deutsch AB 79

E

F

fast 12, 23, 30, 35, 37, 41, 42, 44
Fax das, -e 62, AB 46
Februar der 66
fehlen 21, 74
fehlende 66
Fehler der, - 20
Feinkostgeschäft das, -e 51
Feinkostladen der, ¨ 51
Feld das, -er 71, 72, 73, AB 64
feminin 12
fernsehen du siehst fern, sie/er sieht fern 76
Fernsehen das 70, AB 69, AB 79
Fernseher der, - 20, 35, 37, 45, 55, 73
Fernsehsessel der, - 31
Fernsehzeitschrift die, -en 43
fertig AB 11
fest 57, 60
Fest das, -e AB 50
Festhalle die, -n 62
Festplatte die, -n 40
Feuerzeug das, -e 13, 44, 56
Film-Tipp der, -s 60, 61
Film der, -e 59, 60, 62
Filmforum das, Filmforen 62
finden + AKK du findest, sie/er findet 27
finden + AKK + QUA 20, 21, 32, 33, 34
finden + AKK + SIT 35, 36
Firma die, Firmen 15, AB 11
Fisch der, -e 49, 50, 51, 53, 62
Fischfilet das, -s 48
Flasche die, -n 49, 52, 56
1-Liter-Flasche die, -n 48
Fleisch das (nur Singular) 49
Fleischspezialität die, -en AB 64
flexibel 58
fliegen + DIR 6, 10, 60
Flohmarkt der, ¨-e 60, 62, 65
flott 31
Flug der, ¨-e 9, 10
Flugbegleiter der, - 7
Flugbegleiterin die, -nen 6, 7, 57
Fluggast der, ¨-e AB 11
Flughafen der, ¨ 6
Flughafen-Café das, -s 6
Flugpreis der, -e AB 69
Flugsteig der, -e 10
Flugzeug das, -e AB 11, AB 69
flüstern 46
Form die, -en 37, 74
formell 4
Formular das, -e 17, 18, 22, 23, 28
Foto das, -s 12, 14, 30, 36
Fotoapparat der, -e 35, 37
Fotoartikel der, - AB 46
Fotobörse die, -n 60, 62, 70
Fotograf der, -en 57
Fotomodell das, -e 57
Frachtverkehr der (nur Singular) AB 11
Frage die, -n 3, 8, 10, 18, 28, 30, 71, 73, 74
fragen 3, 5, 9, 15, 19, 23, 24, 32
Fragesatz der, ¨-e 54
Franken der, - 29
Frankfurter der, - 6, 25, 26
Frankreich (das) 35, 70
Französisch (das) 12, 19, 27
Frau die, -en 1, 2, 3, 4, 5, 10, 17, 24, 28
frei 58, 62, 69, AB 50
freiberuflich 57, 59
Freitag der, -e AB 28
freitags AB 46
Freizeit-Stress der (nur Singular) 69
Freizeit die (nur Singular) 57, 69
Freizeitgestaltung die (nur Singular) AB 46
Freizeitgruppe die, -n AB 28
Freizeitstomp der, -s 69
Freund der, -e 4, 21, 60, 65, 69, 70
Freundin die, -nen 65, 73
freundlich 17, 46, 53, 54
Freundschaft die, -en AB 50
frisch 51, 53, 56, 62
frischgepresst AB 64
Friseur der, -e 6, 7, 14, 68
fröhlich 45
Fruchtsaft der, ¨-e 55
früh 76, AB 79
Frühling der (nur Singular) 66
Frühstück das, -e AB 64, AB 76
Führerschein der, -e 27
Führung die, -en 62
fünf 9, 14, 30, 48, 61, 70, 72, 73
funktionieren 40, 41, 42, 45
für 6, 20, 27, 29, 30, 31, 33, 36
furchtbar AB 79
Fußball der (nur Singular) 60, 62, 65, 70, AB 68
Fußballspiel das, -e 60, 65, 69
Fußballspieler der, - 57
Futon-Stil der 31

G

Gang der, ¨-e 40, 50, 51, 56
ganz 32, 33, 34, 39, 42, 46, 47, 50
gar nicht 39, 68
Garten der, ¨ AB 64
Gartenmöbel das, - AB 36
Gärtner der, - AB 64
Gasthaus das, ¨-er AB 69
Gaumen der, - AB 64
geb. = geboren AB 79
Gebäck das, -e AB 64
gebaut AB 11
geben: es gibt 26, 30, 33, 35, 36, 37, 38, 42, AB 11
geboren 18, 28, 66, 70
gebraucht 40, 45, 73
Geburtsjahr das, -e 19
Geburtsort der, -e 19, 24, 27
Geburtstag der, -e 44, 55, 66, 70, 73, AB 17, AB 46, AB 50

H

Lesetext der, -e 22, 23, 28
letzte 50, 51, 56, 62, AB 46
Leute die (Plural) 3, 6, 13, 15, 17, 25, 30, 31
lieb 68, AB 17, AB 69
lieben + AKK 6, AB 36
lieber 54, 56, 76
Lieblingsfarbe die, -n 47, 54, 56
Lied das, -er 22
liefern AB 64
liegen lassen + AKK AB 79
Likör der, -e 54
links 21, 23, 33, 44, 46, 50, 51, 53
Lire die 29, 30, 42
Liste die, -n 22, 23, 28, 37, 59
Liter der, - 56
1-Liter-Flasche die, -n 48
Lokführer der, - 57
Lolli der, -s 43, 56
los 27, 31, 46, 47, 63
lösen du löst + eine Aufgabe 71
Lösung die, -en 71, 74
Lottozahl die, -en AB 6
Luftballon der, -s 43, 44
Lufthansa-Information die 9
Lufthansa-Maschine die, -n AB 76
Lufthansa die 6
Luftschiff das, -e AB 11
Lust die (nur Singular) 63, AB 68

M

machen + AKK 4, 11, 16, 20, 26, 27, 39, 40
Magerquark der (nur Singular) 51
Mahlzeit die, -en AB 79
Mai der 66
mal 20, 28, 30, 33, 34, 39, 40, 43
14mal 47
Mal: ein anderes Mal 63
Mama die, -s 13, 46, 47, 56
man 10, 12, 16, 18, 20, 21, AB 6
manchmal 46, 58, 65, 70
Mann der, ¨-er 10, 32, 39, 59
Mantel der, ¨- 20, 21, 36, 37
Mark die 29, 30, 33, 34, 38, 39, 40, 41
markieren + AKK 2, 3, 4, 6, 8, 9, 10, 13, 17
Marmelade die, -n AB 64
Marokko (das) 5
März der 66, 70
maskulin 12
Maß das, -e 56
Mathearbeit die, -en 63, 64
Maus die, ¨-e 40
Mehl das (nur Singular) 50
mehr 26, 30, 47, 52, 53, 54, 56, 76, AB 6, AB 11
mehrere AB 11
mein 2, 3, 4, 8, 10, 11, 14, 39, 40
meiste 23, AB 79
meistens 37, 44, 58, 65, 70
Meldebehörde die, -n AB 23
Meldestelle die, -n 15, 17, 21
Mensch der, -en 57, 58, 70, AB 11
Menschheit die (nur Singular) 62
Messer das, - 45
Methode die, -n 20, 21, 28
Mexiko (das) 6, 7
mich 39, 55
Mikrowelle die, -n 35, 42
Mikrowellenherd der, -e 35
Milch die (nur Singular) 20, 21, 28, 50, 56
Milchprodukt das, -e 49, 53, 56, AB 64
Milliarde die, -n 29, 30
Million die, -en 29, 30, AB 11
mindestens AB 46
Mineralwasser das, ¨- 25, 26, 28, 50
Mini-Tour die, -en 10
Minute die, -n 10
mir 26, 28, 38, 42, 43, 44, 45, 46
Mist der 51, 63
mit 11, 12, 16, 17, 23, 25, 26, 27
Mitarbeiter der, - 30
Mitarbeiterin die, -nen 30
mitbringen + AKK 54
mitkommen 63, 64, 70
mitmachen AB 28
Mitspieler der, - 72
Mittag der 62
mittags AB 79
Mitte die 23, 50
Mittwoch der 67, AB 28
mittwochs AB 46
Mittwochsgruppe die, -n AB 28
Möbel-Fun 32, 39, 76
Möbel das, - 30, 31, 32, 34, 36, 72, 76
Möbelabteilung die, -en 36
Möbelhaus das, ¨-er 30, 31, 34, 76
Möbelkauf der 31
möchten du möchtest, sie/er möchte 13, 14, 16, 26, 28, 29, 36, 39
Modalverb das, -en 64, 68, 70
Modell das, -e 38, AB 36
modern 31, 62
Möglichkeit die, -en 64, AB 28, AB 63
möglichst 67
Moment der, -e 7, 20, 29, 42, 67
Monat der, -e 20, 26, 28, 31, 42, 65, 66, 67
Monatsschlange die, -n 66
Monitor der, -e 40
Montag der, -e 67, AB 28
montags AB 46
Montagsgruppe die, -n AB 28
Mord der, -e 62
morgen 70, AB 76, AB 79, AB 69
Morgen der: Guten Morgen! 1, 2, 14
morgens AB 77
Most der (nur Singular) AB 64
Motto das, -s AB 63
Museum das, Museen 60, 62, 65

S

spät 54, 56, 61, 70, 72, 76
später 67, 68, 70
spätestens 63
Spätvorstellung die, -en 63
spazieren gehen 60
Spedition die, -en 20
Speise die, -n 25
Speiseöl das, -e AB 64
Spezialität die, -en 49, 56
Spiel-Taktik die, -en AB 28
Spiel das, -e AB 6
Spielabschnitt der, -e AB 6
spielen + AKK 2, 16, 21, 26, 27, 34, 35, 38
Spielfigur die, -en 71
Spielgruppe die, -n AB 28
Spielregel die, -n 71
Spielsachen die (Plural) 47
Spielzeugauto das, -s 43
Spirituosen die (Plural) AB 64
Sport der (nur Singular) 60, 62, AB 69
Sportabteilung die, -en 42
Sportbekleidung die (nur Singular) 36
Sportgerät das, -e 36
Sportrad das, ¨-er 36
Sprache die, -n 12, 14, 19, 27, 72, 76
sprechen du sprichst, sie/er spricht 1, 3, 6, 9, 11, 13
sprechen + über AKK 6, 17
sprechen: Deutsch sprechen 12, 14
Spülmaschine die, -n 40
Staatsangehörigkeit die, -en 18, 27, 28
Stadt die, ¨-e 6, 15, 27, 60
Stammkneipe die, -n AB 69
Standard der, -s 35
Standrücklicht das, -er 40
stark 39
Start der, -s AB 69
starten du startest, sie/er startet AB 11
Statistik die, -en 35
Staubsauger der, - 35, 37
Steak das, -s AB 64
stehen + SIT 4, 8, 12, 20, 21, 33, 44, 46
Stehlampe die, -n 20, 31, 32, 33, 37, 72
steigen AB 11
Stelle die, -n AB 77
stellen + DIR 4, 47
Stellenanzeige die, -n AB 46
Stereoanlage die, -n 35, 37, 42
still 46
Stimme die, -n 46
stimmen 35, 55, 56
Stock der, Stockwerke 36, 38, 42
Stoff der, -e 74
Straße die, -n 18
streichen + AKK 68
Streit der (nur Singular) 46
Stress der (nur Singular) 57, 58, 65
Strophe die, -n 11, 39, 51
Stück das, -e 25, 26, 54, 56
Student der, -en 24
studieren 59, 70
Stuhl der, ¨-e 30, 31, 32, 33, 34, 37, 39, 42
Stunde die, -n 40, AB 11, AB 28
Suaheli das 12
Subjekt das, -e 21, 33, 73
suchen + AKK 4, 23, 29, 31, 33, 34, 36, 38
Südamerika (das) 5
summen + AKK 43
super 32, 34, 39, 40, 63, AB 6
Super-Schnell-Deutsch-Lern-Gerät das, -e 76
Supermarkt der, ¨-e 43, 45, 46, 47, 50, 51, AB 46
Suppe die, -n 25, 26, 28
Süßigkeit die, -en 44, 45, 46, 47, 54, 56
Süßwaren die (Plural) 49
Symbol das, -e 60, 74
System das, -e 27
Systemmöbel das, - AB 36
Szene die, -n AB 79

T

Tabelle die, -n 6, 17, 22, 23, 28, 30, 47, 68
Tafel die, -n AB 76
Tag der, -e 1, 2, 3, 11, 14, 20, 26, 27
Tageskalender der, - 60
täglich 76, AB 11, AB 64
Tango der, -s 12, 62
tanzen du tanzt 60, 62, 63, 64, 65
Tasse die, -n 25, 30, 54
Tastatur die, -en 40
Tausch der (nur Singular) 62
tauschen 45
tausend 29, 39
Taxi-Zentrale die, -n AB 69
Taxi das, -s 54
Taxifahrer der, - 8
Taxifahrerin die, -nen 60
Team das, -s 57, 58, 60
techn. = technisch 40
Technik die (nur Singular) 58
Techniker der, - AB 11
Tee der, -s 12, 20, 21, 25, 26, 50, 52
Teesorte die, -n AB 64
Teil das, -e AB 77
Teil der, -e 35
Teilnehmer der, - 5
Tel. = Telefon das, -e AB 36
Telefax das, -e AB 63
Telefon das, -e 9, 15, 16, 35, 42, 45, 69
Telefon-Alphabet das 16

U

V

verdienen + Geld 57
Verein der, -e 54
Vereinigung die, -en AB 63
Vereinslokal das, -e 25
vergessen + AKK du vergisst, sie/er vergisst AB 79
vergleichen + AKK 2, 4, 9, 10, 22, 23, 30, 33
verheiratet 18, 19, 24, 27, 28, 41
verk: zu verkaufen 40
Verkauf der, ¨-e 55, 62
verkaufen + AKK 30, 40, 47
Verkäufer der, - 33, 38, 52, 53, 59, AB 11
Verkäuferin die, -nen 38
Verkaufshit der, -s 35, AB 36
Verkehr der (nur Singular) AB 69
Verkehrsknotenpunkt der, -e AB 11
verkocht AB 79
Verpackung die, -en 56
verpassen + AKK du verpasst AB 79
Vers der, -e 76
verschieben + AKK AB 79
verschiedene 30
Verschönerung die, -en AB 36
verstehen 49
verstellbar 31
Vertretung die, -en AB 69
Verzeihung die 51, 53, 61
verzweifelt AB 76
Video das, -s 36
Videogerät das, -e AB 46
viel 6, 16, 20, 21, 29, 30, 31, 33
vielleicht 17, 20, 22, 24, 26, 28
vier 9, 14, 69, 71
viermal 65
Viertel das, - 35, 42, 56, 61, 70
Vietnam (das) 5
Vietnamesisch (das) 12
Vokabelheft das, -e 20
Vokal der, -e 43, 74
Vokalwechsel der, - 68
Volkshochschule die, -n 54, 59
Volleyball der (nur Singular) 54, AB 28
Volleyball-Techniken die (Plural) AB 28
völlig AB 79
Vollkornbrot das, -e AB 64
vom 21, 60, 67, 68, 70
von 3, 4, 6, 7, 8, 10, 14, 15, 16
vor 4, 35, 46, 47, 53, 61, 66, 70
vorbei 28, 69, 76, AB 28
vorbeikommen + SIT 67
vorgehen + drei Felder 71
vorher AB 77
Vormarsch der (nur Singular) 35
Vormittag der, -e 62, 67
Vorname der, -n 3, 6, 10, 16, 24, 27, 73
vorne 33, 34, 36, 38, 50, 51, 74
Vorschau die (nur Singular) 60
Vorschlag der, ¨-e 64
vorstellen + DAT + AKK AB 63
Vorstellung die, -en 59, 68
Vorteil der, -e 58
Vorwahl die, -en 27, AB 6
Vorzugsmilch die (nur Singular) AB 64

W

wählen + AKK 11, 21, 39, 65
wahr 62
Währung die, -en 29, 30
W-Frage die, -n 4, 8, 14
Waldhonig der (nur Singular) AB 64
Walnussöl das (nur Singular) 52, 56
wann 18, 28, 62, 66, 67, 68, 70, 73
warten du wartest, sie/er wartet 45, 46, 47, 67
warum 33, 47, 58
was 3, 4, 6, 7, 8, 9, 10, 13, 14
Waschmaschine die, -n 35, 36, 37, 40, 41, 42, 74
Waschmittel das, - 48, 49, 50, 51
Waschpulver das, - 56
Wasser das (nur Singular) 28, 45
Wechselkurstabelle die, -n 30
wechseln 29
Wecker der, - 69
wehe AB 79
weil 76, AB 79
Wein der, -e 50, 52
weinen 45, 46, 47
Weißwein der, -e 25, 26
weiter 47, AB 11
weitere 37, AB 28, AB 36
Weizenbier das, -e 51
welche 12, 18, 28, 29, 44, 45, 57, 58
Welt die (nur Singular) 30
Weltreise die, -n 45
wenig 6, 30, 31, 40, 53, 57, 58
wenige 35, 42
wenn AB 69, AB 79
wer 17, 24, 28, 35, 38, 43, 44, 45
Werbemittel das, - 30
Werbung die 31, 46
werden + zu DAT du wirst, sie/er wird 37, 59, AB 11, AB 46
werden + EIN 59, AB 68
Wettkampf der, ¨-e AB 28
wichtig 30, 45, 58, 74
wie 1, 2, 3, 4, 6, 7, 8, 9, 11, 12
Wie geht es Ihnen? 1
Wie geht's? 1, 2, 11, 14, 26
Wie sieht's ... aus? 68
wieder 36, 46, 47, 53, 54, 63, 71, AB 17
wiederholen + AKK 27, 74
Wiederholungsspiel das, -e 71
Wiedersehen das (nur Singular) AB 23

Buchstaben und ihre Laute

Vokale

einfache Vokale:
Der Ton macht die Musik

a	[a]	d**a**nn, St**a**dt
a, aa, ah	[a:]	N**a**me, P**aa**r, F**ah**rer
e	[ɛ]	k**e**nnen, Adr**e**sse
	[ə]	kenn**e**n, Adress**e**
e, ee, eh	[e:]	d**e**n, T**ee**, n**eh**men
i	[ɪ]	B**i**ld, **i**st, b**i**tte
i, ie, ih	[i:]	g**i**bt, Sp**ie**l, **ih**m
ie	[jə]	Famil**ie**, Ital**ie**n
o	[ɔ]	d**o**ch, v**o**n, k**o**mmen
o, oo ,oh	[o:]	Br**o**t, Z**oo**, w**oh**nen
u	[ʊ]	Gr**u**ppe, h**u**ndert
u, uh	[u:]	g**u**t, St**uh**l
y	[y]	G**y**mnastik, S**y**stem

Umlaute

ä	[ɛ]	G**ä**ste, L**ä**nder
ä, äh	[ɛ:]	sp**ä**t, w**äh**len
ö	[œ]	T**ö**pfe, k**ö**nnen
ö, öh	[ø:]	sch**ö**n, fr**öh**lich
ü	[y]	St**ü**ck, Erdn**ü**sse
ü, üh	[y:]	**ü**ben, St**üh**le

Diphthonge

ei, ai	[ai]	W**ei**ßw**ei**n, M**ai**
eu, äu	[ɔy]	t**eu**er, H**äu**ser
au	[aʊ]	K**au**fh**au**s, l**au**t

Vokale in Wörtern aus anderen Sprachen

ant	[ã]	Restaur**ant**
ai, ait	[ɛ:]	Portr**ait**, S**ai**son
ain	[ɛ̃:]	Refr**ain**
au	[o]	Rest**au**rant
äu	[ɛ:ʊ]	Jubil**äu**m
ea	[i:]	T**ea**m
ee	[i:]	Darj**ee**ling
eu	[e:ʊ]	Mus**eu**m
	[ø:]	Fris**eu**r
ig	[aɪ]	Des**ig**n
iew	[ju:]	Int**erview**
on	[õ]	Sais**on**
oa	[oʊ]	T**oa**ster
oo	[u:]	c**oo**l
ou	[aʊ]	C**ou**ch
u	[ʌ]	C**u**rry, P**u**nk, P**u**zzle

Konsonanten

einfache Konsonanten

*b, bb	[b]	**B**ier, Ho**bb**y
*d	[d]	**d**enn, einla**d**en
f, ff	[f]	**F**reundin, Ko**ff**er
*g	[g]	**G**ruppe, Fra**g**e
h	[h]	**H**aus**h**alt, **h**allo
j	[j]	**J**ahr, **j**etzt
k, ck	[k]	**K**üche, Zu**ck**er
l, ll	[l]	**L**ampe, a**ll**e
m, mm	[m]	**m**ehr, Kaugu**mm**i
**n, nn	[n]	**n**eu**n**, ke**nn**en
**p, pp	[p]	**P**apiere, Su**pp**e
*r, rr, rh	[r]	Bü**r**o, Gita**rr**e, **Rh**ythmus
**s, ss	[s]	Ei**s**, Adre**ss**e
	[z]	**S**ofa, Glä**s**er
ß	[s]	hei**ß**en, begrü**ß**en
t, tt, th	[t]	**T**itel, bi**tt**e, Me**th**ode
v	[f]	**v**erheiratet, Dati**v**
	[v]	**V**arieté, **V**erb, Inter**v**iew
w	[v]	**W**asser, Ge**w**ürze
x	[ks]	Infobo**x**, Te**x**t
z	[ts]	**Z**ettel, **z**wan**z**ig

am Wortende / am Silbenende

-b	[p]	Urlau**b**, Schrei**b**tisch
-d, -dt	[t]	Fahrra**d**, Sta**dt**
-g	[k]	Dialo**g**, Ta**g**
-ig	[ç]	güns**tig**, led**ig**
-er	[ɐ]	Mutt**er**, **ver**gleichen

am Wortanfang / am Silbenanfang

c	[s]	**C**ity
	[k]	**C**omputer, **C**ouch

Konsonantenverbindungen

ch	[ç]	ni**ch**t wi**ch**tig
	[x]	Besu**ch**, a**ch**t
	[k]	**Ch**aos, se**ch**s
ng	[ŋ]	la**ng**sam, Anfa**ng**
nk	[ŋk]	da**nk**e, Schra**nk**
ph	[f]	Al**ph**abet, Stro**ph**e
qu	[kv]	**Qu**alität
sch	[ʃ]	Ti**sch**, **sch**ön
-t- *vor* ion	[ts]	Spedi**t**ion

am Wortanfang / am Silbenanfang

ch	[ʃ]	**Ch**ance, **Ch**ef
st	[ʃt]	**st**ehen, ver**st**ehen
sp	[ʃp]	**sp**rechen, ver**sp**rechen

Quellenverzeichnis

Umschlagfoto mit Alexander Aleksandrow, Manuela Dombeck, Anja Jaeger, Kay-Alexander Müller und Lilly Zhu: Arts & Crafts, Dieter Reichler, München

Kursbuch:

Seite 1: *Foto:* Flughafen Frankfurt Main AG (FAG-Foto S. Rebscher)
Seite 4: *Fotos:* Arts & Crafts, Dieter Reichler, München
Seite 6: *Fotos 1, 3, 4, 6:* Arts & Crafts, Dieter Reichler, München; *2, 5:* Deutsche Lufthansa AG, Pressestelle, Köln
Seite 12: *Stichwort „Gitarre" aus:* Wahrig, Deutsches Wörterbuch, Bertelsmann Lexikon Verlag
Seite 13: *Foto:* Arts & Crafts, Dieter Reichler, München; *Cartoons:* Wilfried Poll, München
Seite 18: *Fotos:* Gerd Pfeiffer, München
Seite 25: *Foto:* Arts & Crafts, Dieter Reichler, München
Seite 27: *Cartoon:* Wilfried Poll, München
Seite 30: *Fotos:* IKEA Deutschland, Niederlassung Eching
Seite 31: *Sofa, Fernsehsessel, Bürostuhl: Prospektmaterial; Bücherregal, Kombischrank, Designer-Tisch, Stehlampe:* hülsta, D-48702 Stadtlohn; *Doppelbett:* dormiente GmbH, Am Zimmerplatz 3, D-35452 Heuchelheim; *Einbauküche, Teppich:* IKEA Deutschland, Niederlassung Eching
Seite 32: *Foto:* Arts & Crafts, Dieter Reichler, München
Seite 34: *Glastisch, Kombiregal, Schreibtisch:* Segmüller Promotion-Team, Friedberg; *alle anderen:* KARE Designhaus, München
Seite 41: *Fotos oben:* Gerd Pfeiffer, München; *Mitte:* Arts & Crafts, Dieter Reichler, München; *Cartoon:* Wilfried Poll, München
Seite 55: *Cartoon:* © Vito von Eichborn GmbH & Co Verlag KG, Frankfurt am Main, Januar 1991
Seite 57: *Nina Ruge* (Breuel-Bild), *Jürgen Klinsmann* (bonn-sequenz), *Claudia Schiffer* (Stephan Rumpf): Süddeutscher Verlag, Bilderdienst, München; *Jim Rakete* (Markus Beck), *Jochen Senf* (Rolf Ruppenthal): dpa, München; *Andi Weidl:* H. und M. Leuthel Pressedienst, Nürnberg; *Stewardess:* Deutsche Lufthansa AG, Pressestelle, Köln
Seite 58: *Foto:* Goggi Strauß, Essen mit freundlicher Genehmigung von Jim Rakete
Seite 60: *Foto unten: Fußballfans:* Bavaria Bildagentur, Gauting (Mühlberger)
Seite 69: *Cartoon:* Wilfried Poll, München
Seite 72: *Fotos: in Nr. 12:* MHV-Archiv (Dieter Reichler); *in Nr. 28:* IKEA Deutschland, Niederlassung Eching; *in Nr. 20:* KARE Designhaus, München

Arbeitsbuch:

Seite 2: *Fotos:* F: Bavaria Hotelberufsfachschule, Altötting; *D*: Arts & Crafts, Dieter Reichler, München
Seite 11: *Zeppelin:* Archiv der Luftschiffbau Zeppelin GmbH Friedrichshafen; *Kapitän:* Deutsche Lufthansa AG, Pressestelle, Köln; *alle anderen:* Flughafen Frankfurt Main AG (FAG-Foto R. Stroh / S. Rebscher)
Seite 19: *Fotos: „Anja und Oliver Puhl":* Eduard von Jan, Frankfurt; *die beiden anderen:* MHV-Archiv (Klaus Breitfeld, Madrid)
Seite 21: *Tangram am Computer:* Reza Bönzli, Reichertshausen
Seite 33: *Fotos oben: Einbauküche:* IKEA Deutschland, Niederlassung Eching; *alle anderen:* Segmüller Promotion-Team, Friedberg; *unten: Schreibtisch, Einbauregal:* hülsta, D-48702 Stadtlohn; *Hochbett:* IKEA Deutschland, Niederlassung Eching; *Küchenschrank:* Poggenpohl Möbelwerke, Herford; *Kleiderschrank:* Segmüller Promotion-Team, Friedberg
Seite 53: *Foto oben:* Arts & Crafts, Dieter Reichler, München
Seite 69: *Foto 1:* MHV-Archiv (Klaus Breitfeld, Madrid); 2: Rosa-Maria Dallapiazza; 3: Mateusz Joszko
Seite 74: *Fotos A und D:* Arts & Crafts, Dieter Reichler, München
Seite 83: Visum-Fotoarchiv, Hamburg (plus 49/Jörg Brockstedt)

Alle anderen Fotos: Werner Bönzli, Reichertshausen